O MENINO DOS FANTOCHES DE VARSÓVIA

EVA WEAVER

Tradução:
Ivar Panazzolo Júnior

Novo Conceito

Título original: The puppet boy of Warsaw

1ª Impressão — 2014

Produção editorial:
Equipe Novo Conceito
Impressão e Acabamento Arvato Print 070314

Este livro segue as regras da Nova Ortografia da Língua Portuguesa.

Dados Internacionais de Catalogação na Publicação (CIP)
(Câmara Brasileira do Livro, SP, Brasil)

Weaver, Eva
O menino dos fantoches de Varsóvia / Eva Weaver ; tradução Ivar Panazzolo Júnior. -- 1. ed. -- Ribeirão Preto, SP : Novo Conceito Editora, 2014.
Título original: The puppet boy of Warsaw.

ISBN 978-85-8163-417-3
1. Ficção inglesa I. Título.

14-00984 CDD-823

Índices para catálogo sistemático:
1. Ficção : Literatura inglesa 823

Novo Conceito
Rua Dr. Hugo Fortes, 1885 — Parque Industrial Lagoinha
14095-260 — Ribeirão Preto — SP
www.grupoeditorialnovoconceito.com.br

Para as vítimas da guerra, do passado e do presente. Que este livro ajude a promover o diálogo, a tolerância e a paz.

PRÓLOGO

Sem o casaco, nada teria ocorrido como ocorreu. Era apenas uma testemunha no início de tudo – um casaco de lã preta com uma fileira de seis botões na frente. Mas, quando adquiriu os bolsos internos, ele se tornou cúmplice.

Agora o casaco está estripado, como um javali sem as entranhas, totalmente esvaziado dos objetos que carregava. Surrado e fora de moda, tudo que ele um dia abrigou desapareceu há tempos: Mika e seus fantoches, os velhos óculos com aro de ouro, a flauta do mendigo, as cartas desbotadas, as fotografias e, é claro, as crianças. Todos os livros que Mika enfiou num dos bolsos como se fossem segredos, exceto o último deles. Encadernado em couro vermelho-escuro, menor do que um caderno, cheio de fotografias, recortes de jornais e rabiscos, o "Livro dos Heróis" de Mika é um tesouro perdido, escondido sob as costuras do casaco.

Quando Mika dobrou o casaco e o guardou numa caixa, ele ainda era jovem. A última noite de solteiro de Mika foi a noite escura da alma do casaco. Aqui, intocado pela luz do sol, o casaco caiu no esquecimento, lentamente abandonado por todos aqueles que lhe quiseram bem algum dia: Nathan, o alfaiate; Vovô Jacob; Mika, Ellie, as mães, os gêmeos, os fantoches e os órfãos…

Até Mika ter retornado. Não houve nenhum aviso, apenas um brilho forte, e depois a luz que parecia vir dos céus. Ali estava ele, grisalho como seu avô, velho como um bom vinho. E, ao seu lado, com uns olhos castanhos da cor de chocolate, um garoto com o mesmo tamanho e porte físico que Mika tinha no dia em que se tornou dono do casaco.

Medido pelas mãos habilidosas do alfaiate, cortado, costurado e adornado com uma fileira de belos botões pretos, aquele não era um casaco qualquer. E quando os alemães tomaram Varsóvia e, dois anos depois, Vovô Jacob transformou o casaco num sobretudo com bolsos internos, ele encontrou um propósito para existir.

Mas, antes dos bolsos, chegou a braçadeira: uma estrela de Davi azul estampada num pedaço de algodão branco e costurada sobre a manga direita do casaco como se fosse uma marca. Olhe bem de perto e você conseguirá ver ainda o fio azul-escuro com o qual a braçadeira foi afixada, um inocente fragmento de um dos novelos da cesta de costura da mãe.

Ao longo dos anos, muitas coisas se misturaram e se enredaram umas às outras nos bolsos do casaco. Mas a garota… mudou tudo. Para ela, o casaco se tornou um veículo, a própria baleia do profeta Jonas, engolindo-a por inteiro para que pudesse ser levada em segurança até o outro lado.

Foi a primeira criança a ser removida. Cheirava a sono, uma sonolência absorta e profunda, e a sabão forte e barato. A governanta provavelmente a escovou da cabeça aos pés. Ao menos ela teria um cheiro agradável caso fosse capturada. Talvez o aroma fresco e perfumado do sabão fosse capaz de protegê-la, ou de provocar dúvidas na mente de algum soldado. Uma memória agradável de seu próprio filho, limpo, logo antes de se deitar…

Naquela primeira noite o casaco abrigou a menina absorta, fechando-se ao redor dela até que ficasse o mais apertado possível, e os cachos de seu cabelo roçavam o forro sedoso como fios de lã rústica. E depois ela desapareceu, entregue num instante. Apenas o seu perfume remanesceu ainda por algum tempo, antes de desaparecer como um pensamento qualquer…

Parte 1

A História de Mika

CAPÍTULO 1

Nova York, 12 de janeiro de 2009

Depois de uma nevasca, a neve reluzia sob um brilhante céu azul. Nova York adquiria uma aura mágica sob a primeira neve, esmaecida e totalmente transformada. Apesar da neve, ou talvez por causa dela, Mika insistia em percorrer a pé os poucos quarteirões entre a estação do metrô e o museu. *A neve ameniza todas as coisas. Como um truque de desaparecer.*

Mesmo depois de uma noite sem dormir e com uma dor persistente no joelho esquerdo, o velho murmurava uma canção: a neve fresca trazia boas perspectivas para o dia, e o domingo na companhia do neto trazia uma mudança bem-vinda à sua existência solitária. Daniel chegou cedo para aproveitar ao máximo o dia curto do inverno, e, depois de um farto café da manhã, Mika sugeriu um passeio entre os dinossauros do Museu de História Natural. Assim, envoltos em cachecóis grossos e chapéus, para protegerem-se do vento cortante, eles saíram do metrô na Rua 72 e se dirigiram para o norte, rumo ao Central Park.

Daniel era alto para os seus 13 anos, esguio e ágil. Tinha feições delicadas que irradiavam curiosidade e uma pitada de peraltice. Mika sempre gostou muito do riso franco do neto e dos seus cachos negros e rebeldes. Iguais aos de Hannah. E também aos de Ruth. Com frequência, os dois se entretinham com uma dança curta e despreocupada, chutando a neve para cima e criando nuvens que pareciam feitas de açúcar refinado – Daniel com os sapatos, Mika agitando sua bengala. Os dois riam, extasiados.

Aconteceu quando eles caminhavam pela Rua 72, rumo à Avenida Columbus. Avô e neto passaram diante de um pequeno teatro. Do lado de fora, não parecia ser muito mais que uma porta grande e vermelha, desgastada, com um letreiro. Mika, de canto de olho, reparou num pôster colorido, proclamando em letras grossas: *O Menino dos Fantoches de Varsóvia – Um Espetáculo de Fantoches*.

Mika diminuiu o passo mas não parou, apesar do suor frio que começava a se formar em sua testa e entre suas omoplatas.

As palavras do pôster estavam dispostas sobre a fotografia de um velho casaco preto, que estava estendido, parecendo prestes a dançar ou sair voando, e tinha uma braçadeira com a estrela de Davi costurada na manga direita. Uma estrela azul, ele notou; a estrela dos poloneses, diferente da amarela que os judeus eram obrigados a ostentar em outros lugares. Havia também fantoches, vários fantoches diferentes, as cabeças coloridas aparecendo por cima dos muitos bolsos do casaco: um crocodilo, um bobo da corte, uma princesa, um macaco.

O coração de Mika começou a bater forte e rápido, batidas graves como as de um tambor enlouquecido. Ele enfiou a mão dentro do próprio casaco – primeiro, o bolso esquerdo; depois, o direito, tateou atabalhoado, procurando por alguma coisa. Não havia nada ali além de um lenço velho e amarrotado, um toco de lápis e outro par de luvas. Uma vertigem repentina e uma forte onda de náusea tomou conta de Mika e, com elas, uma sensação de impotência e fúria, algo que ele temia que acabasse por devorá-lo, como um leão se refestelando com suas entranhas. Sentiu um aperto no peito, respirava com dificuldade. Quando segurou no braço de Daniel, sua voz parecia fraca e abafada.

– Danny, por favor. Vamos voltar para casa. Preciso lhe mostrar uma coisa.

– O que foi? Você está bem?

– Sim. Preciso apenas voltar para casa. Desculpe, Danny. – Mika cambaleou, agarrando a bengala com força, mas as imagens já inundavam a sua mente: uma pessoa pequena, tropeçando sobre um campo infinito de ruínas escaldantes; uma enorme sombra negra sobre ele, debatendo-se como se fosse um corvo gigantesco; um casaco habitado por um grupo de fantoches que o perseguiam, aos gritos, tentando agarrá-lo de uma vez por todas.

Ao se encostar contra a parede, as imagens começaram a se desvanecer, mas seus joelhos fraquejaram, e Mika sentiu que estava deslizando até o chão, com um forte zunido nos ouvidos. Em seguida, tudo ficou escuro.

Ele não sabia quanto tempo havia se passado, mas sentiu a mão de Danny batendo de leve em seu rosto.

– Acorde, Vovô.

Uma pessoa que estava do outro lado da rua o chamou. Mika não conseguiu entender o que o homem estava dizendo. *Ele não devia estar na calçada se for judeu, como eu. Será que não ficou sabendo? É proibido andar pela calçada. Ou será que ele é alemão?*

O estranho atravessou a rua.

– Aqui, meu velho. Tome um gole. Talvez isso o ajude. – Danny pressionou um pequeno cantil de metal contra a boca dele. Mika sentiu os lábios se grudarem ao metal.

– Está tudo bem? – O homem que atravessou a rua se curvou diante dele, amistoso e prestativo, com a testa franzida de preocupação. Não vestia farda. Apenas um gorro de lã e um cachecol.

Mesmo assim, nunca confie no sorriso de um estranho. Preciso levantar. Não posso morrer aqui.

Danny levou o cantil aos lábios do avô outra vez. Mika tomou um gole enorme e depois tossiu.

– Está querendo me matar? Que diabos é isso?

O homem riu.

– Rum Stroh, setenta e cinco por cento, austríaco. Perfeito para emergências. Pode até trazer os mortos de volta à vida às vezes. Está se sentindo melhor?

– Obrigado. Estou, sim. – Mika balançou o corpo tal como um cachorro saindo da água.

– Consegue se levantar? – Danny estava ao seu lado. – Posso chamar uma ambulância.

– Não, estou bem. De verdade. Apenas me ajude a ficar em pé.

Daniel e o homem o seguraram um em cada braço e o ajudaram a se erguer. As pernas de Mika estavam bambas, causando-lhe uma sensação estranha, como se estivessem distantes – quase como se ele estivesse olhando por um binóculo virado ao contrário. Ele bateu os pés algumas vezes contra o chão gelado.

– Assim é melhor, obrigado. Preciso ir para casa. – Sua cabeça doía.

– Tem certeza de que consegue andar, senhor? Não quer pegar um táxi, pelo menos?

Mika sorriu. Eles não tinham visto um único carro desde que haviam saído da estação do metrô. A ausência de carros fazia parte da magia da primeira neve.

– Não, vamos embora. Obrigado pelo rum, senhor. Acho que era exatamente disso que eu precisava.

Danny entregou a bengala ao avô. Eles ficaram em silêncio, mas Daniel colocou o braço ao redor do de Mika, dando-lhe apoio enquanto caminhavam pela cidade coberta de neve. Mika não se opôs àquele gesto, e, mais do que isso, sentiu-se grato.

Eles tomaram o metrô e, depois de mais uma caminhada curta, finalmente chegaram ao prédio de Mika. O elevador os levou até o quinto andar. Depois de abrir a porta, Mika prontamente tirou o casaco e o cachecol, ficando mais animado.

– Danny, por favor. Vá até o armário em meu quarto e traga o embrulho enorme em papel pardo que está atrás das roupas.

A caixa fora guardada lá havia muitos anos. Mika a embrulhara cuidadosamente na véspera do dia em que pedira sua mulher em casamento. Tinha 28 anos na época e, desde então, a abrira uma única vez, em outubro do ano passado, quando acrescentara um último objeto.

Daniel estendeu as mãos até o fundo do guarda-roupa e retirou o pacote. Por um momento, ele sentiu o corpo se curvar com o peso.

– O que você guarda aqui dentro? Tijolos?

– Não. Apenas o traga até aqui.

As mãos de Mika tremiam enquanto Daniel colocava cuidadosamente a caixa na frente dele. Seus dedos deslizaram pelo papel pardo amassado, explorando carinhosamente cada lado. Até que, com um tranco, ele cortou o barbante que envolvia o embrulho com uma faca de cozinha afiada. Não era necessário desembrulhar o pacote com cuidado agora – ele nunca mais voltaria a embrulhá-lo. Mika segurou a caixa e levantou lentamente a tampa. O cheiro era muito forte, característico e pungente.

– O que é isso, Vovô?

– Quero lhe contar o que aconteceu no gueto. Quero lhe contar antes de morrer. Quero contar a verdade, para você e para o meu próprio coração, para a sua mãe e talvez para o mundo. – Com as duas mãos, ele retirou um enorme casaco da caixa. Pesado e preto. O casaco o fez se lembrar do enorme cachorro preto que encontrara na semana anterior, morto na entrada de Madison Park como se houvesse sido atingido por um relâmpago. Mas o seu velho casaco ainda tinha vida.

Ele o ergueu e enfiou os braços nas mangas escuras. Agora, tal como quando era menino, o casaco parecia grande demais e, ao mesmo tempo, lhe caía como se fosse uma segunda pele. E, como as vestes de um xamã, não foi difícil conjurar espíritos e lembranças de seu passado naquele abraço. Ele segurou a mão de Daniel e respirou fundo.

– Você notou o pôster naquele pequeno teatro pelo qual passamos, *O Menino dos Fantoches de Varsóvia*?

Daniel meneou a cabeça e olhou para o avô, cujos olhos brilhavam com uma luz intensa.

– Bem, eles costumavam me chamar de Menino dos Fantoches no lugar onde morávamos, no gueto. Mas podiam ter me chamado de Menino dos Bolsos também.

– Foi isso que lhe causou aquele choque? – perguntou Daniel.

Mika assentiu.

– Danny, os soldados nunca descobriram o mundo secreto que havia dentro de meu casaco, nunca perceberam os bolsos dentro dos bolsos. Veja, este casaco tem sua própria magia. Mas deixe-me começar pelo começo. Vou lhe contar exatamente como tudo aconteceu.

CAPÍTULO 2

Varsóvia, 1938

Eu tinha 12 anos quando o casaco foi confeccionado. Nathan, nosso alfaiate e bom amigo, o cortou para Vovô na primeira semana de março de 1938. Foi o último ano de liberdade para Varsóvia e para nós.

Nathan morava numa pequena loja de esquina, no final da Rua Piwna, no bairro antigo, perto de nosso apartamento. Era conhecido por seu grande talento, e as pessoas vinham de toda a parte até sua loja. Ele nunca se cansava de suas agulhas e linhas, costurando como uma aranha diligente, como se os fios surgissem diretamente de suas mãos. Aquelas linhas, uma coleção gigantesca de cores e tons que ele mantinha cuidadosamente organizadas numa estante, davam forma a camisas, calças, casacos e jaquetas e, como ficou provado, não eram capazes apenas de alterar comprimentos e tamanhos, mas também podiam mudar vidas.

Eu me lembro da loja, das muitas visitas que fiz com Vovô antes da ocupação; a luz fraca e o cheiro dos tecidos guardados num lugar que não era tão arejado. Algodões de todas as qualidades e cores, lãs e até caxemira; as tristes e empoeiradas seringueiras na janela, que sobreviviam mesmo que ninguém aparecesse para regá-las; e uma sineta que tilintava sobre a porta quando entrávamos. Acima de tudo, eu me lembro dos brilhantes olhos verdes de Nathan, que eram uma surpresa em meio à apatia de sua loja, incrustados como duas esmeraldas no rosto enrugado, os dedos ossudos e as mãos inquietas que nunca paravam de se mover. Será que ele costurava mesmo quando estava sonhando?

Foi ali que tudo começou, naquela pequena e empoeirada alfaiataria. Meu avô sendo medido por Nathan e deslizando os dedos pelos muitos materiais diferentes que eram colocados diante dele, tal como um banquete, deixando que os dedos escolhessem exatamente aquele que seria o tecido perfeito. Fora promovido a professor no mês anterior, e o casaco sob medida era a sua maneira de celebrar.

Vovô me chamava de Mika, uma abreviação de Mikhail, que significa "presente de Deus". Será que a abreviação de meu nome me tornava um presente menor? Eu era magro e não muito alto para os meus 12 anos, mas era bastante ágil, rápido e ansioso por aprender. Havia livros espalhados por todo o meu quarto, e eu até deixava alguns embaixo de meu travesseiro.

Eu adorava Vovô mais do que qualquer outra pessoa no mundo. Ele se tornou o meu melhor amigo depois que meu pai morreu. Eu o chamava de "Tatus" ou "Papai", e às vezes de "Vovô". Éramos uma família diferente: eu não tinha irmãos com quem pudesse brigar ou fazer travessuras. Éramos apenas minha mãe, o velho e eu – um triângulo composto de três gerações.

Quando voltamos à loja de Nathan, uma semana mais tarde, Vovô mal podia conter a expectativa por experimentar o seu novo sobretudo. Era como mudar-se para uma casa nova, um lugar mais interessante e maior para viver.

– O que você acha, Mika? – O rosto dele se iluminou com um enorme sorriso enquanto ele se virava de um lado para o outro diante do espelho de corpo inteiro. E não esperou pela minha resposta.

– Excelente trabalho, Nathan, meu irmão. Que beleza! Ah, o que é a álgebra comparada a tamanha habilidade?

Ele deu um tapinha amistoso no ombro do alfaiate, pagou, e nós saímos. Na volta para casa, fizemos o caminho mais longo, Vovô caminhava alegremente pelas ruas de paralelepípedo de Varsóvia, com as mãos enfiadas nos grandes bolsos do casaco.

Em 1938 nós ainda podíamos caminhar livremente pela cidade, um lugar onde a cultura judaica florescia. Era uma bela cidade, nossa cidade. E tudo aquilo logo terminaria de maneira brutal.

Professor de Matemática na Universidade de Varsóvia, Vovô era um homem inteligente e orgulhoso, e seus alunos o adoravam. Seus óculos redondos e sua voz calma e serena o transformavam na própria imagem de professor, enquanto o porte altivo, as feições angulares e os cabelos grossos e negros, marcados com uma mecha grisalha na têmpora esquerda, impunham respeito. Ele adorava a clareza dos números, a maneira como tudo fazia sentido quando alguém se dispunha a passar uma quantidade suficiente de tempo debruçado sobre eles. "Os números sempre funcionam", costumava dizer. Mas, alguns meses depois daquele dia em que voltamos para casa após ter visitado o alfaiate, eu descobriria um lado diferente de meu avô, algo muito distante da álgebra, da lógica e dos números abstratos. E então eu descobriria que os números não seriam capazes de nos salvar.

O espectro da guerra pairava sobre nós havia muito tempo. Até que, em 1º de setembro de 1939, os bombardeios começaram. As aulas já haviam sido suspensas. Assim, fiquei em casa com minha mãe e Vovô, encolhido na velha poltrona de nossa sala de estar, com os livros de física espalhados ao meu redor. Ouvi a primeira explosão, vinda do centro da cidade: um baque forte, seguido de um estrondo, como se algo gigantesco tivesse se quebrado em milhares de pedaços, com estilhaços rasgando as pedras.

Corri até a janela. Parecia que o inferno subira à superfície: um enxame de Messerschmitts[1] sobrevoava nossa bela cidade como uma nuvem de gafanhotos, soltando bomba após bomba, iluminando o céu com um laranja sinistro e um amarelo fosforescente. Fiquei ali, apontando para as coisas que via, com o queixo caído, até que a minha mãe agarrou o meu braço e me puxou para longe dali. Mal conseguimos dormir naquela noite. E o mesmo aconteceu nas noites que seguiram.

Depois daquele primeiro ataque, os bombardeios continuaram, dia e noite, chovendo incessantemente sobre a cidade. Alguns ataques duravam poucos minutos, outros duravam horas. Eu não conseguia tirar os olhos daquelas explosões mortais, especialmente à noite. Mesmo depois de cobrirmos as janelas com cortinas, lençóis e jornais, eu ainda encontrava pequenas frestas por onde podia espiar. Mas estávamos presos como coelhos à espera do abate.

– Saia dessa janela, você vai acabar nos matando!

Minha mãe se preocupava com a possibilidade de que atraíssemos os aviões até nós se espiássemos pelas frestas, embora eu pensasse que, se conseguisse ficar de olho nas aeronaves, as bombas não cairiam sobre nós. Era um pensamento bobo, mas, em várias noites, Tatus ficou comigo. O que mais podíamos fazer? Depois de passarmos dias trancados em nosso apartamento, nossos braços, pernas e olhos doíam, e a insônia nos fustigava.

E aquele barulho infernal! Eu temia que nossos tímpanos acabassem se estourando. Logo depois, quando os aviões desapareciam,

[1] Aviões de caça alemães modelos Bf 109 e Me 262, fabricados pela Messerschmitts AG. (N. T.)

o estranho vazio do silêncio nos assustava ainda mais. Mas isso era só o começo. Alguns dias mais tarde os Stukas[2] chegaram – os mais ferozes aviões de combate alemão, equipados com sirenes ensurdecedoras, criadas para destruir nosso espírito de resistência e nos forçar à submissão. Eu os ouvia muito antes de avistar o primeiro, circulando sobre nós como uma sinistra ave de rapina. De repente, ele começou a mergulhar numa velocidade vertiginosa, com um ruído alto e estridente, cada vez mais forte e diabólico.

– Derrubamos um deles! – gritei, e cobri as orelhas com as mãos.

– Tatus, venha aqui, olhe! – Eu estava pulando diante da janela, mas minha euforia cessou rápido como uma bolha de sabão que estoura. Um segundo antes do impacto, o avião lançara suas bombas. Nosso céu se iluminou com as labaredas, seguidas por grossas nuvens negras de fumaça, enquanto o avião começava a subir outra vez. Os desgraçados haviam nos atingido e fugido. Isso era ruim, muito ruim. Se conseguiam fazer uma coisa dessas, o que mais haviam planejado para nós? Naquela noite eu não voltei para a janela.

Nossa pequena família acabou se unindo mais. Minha mãe ainda conseguia preparar uma sopa ou um cozido simples quase todos os dias, enquanto Vovô me entretinha com álgebra e geometria. Às vezes passávamos algumas horas na companhia dos vizinhos, mas, de maneira geral, apenas prendíamos a respiração, espiando por detrás das janelas encobertas e escutando a estática do rádio. Havia menos anúncios publicitários agora; apenas valsas e as *polonaises* de Chopin flutuavam pelo ar, lembrando-nos de nossa herança e de nosso orgulho polonês. Às vezes a música era cortada, interrompida por alguma notícia, mas elas nunca eram animadoras.

[2] Forma como ficou conhecido o bombardeiro Junkers Ju 87. (N. T.)

Fomos as primeiras vítimas da mais nova tática da Alemanha, a sua *Blitzkrieg*, que nos pegou de surpresa com seu poderio intenso e esmagador, forçando a Polônia a ficar de joelhos. Nossa cavalaria lutara bravamente, mas o que são cavalos e armas de fogo contra aviões de combate, tanques blindados e morteiros? As pessoas caíam como moscas nos combates ferozes, estraçalhadas pelas explosões, soterradas sob os destroços de suas próprias casas, trespassadas pelos disparos das metralhadoras dos aviões, apenas porque saíam para buscar água ou tentar trocar algum de seus pertences por comida.

Em 29 de setembro, após um mês de bombardeios que deixaram a cidade em ruínas chamuscadas e sem água para combater os incêndios, Varsóvia se rendeu. Quando abri a porta de casa, emergi num mundo diferente. Na Rua Pawia, 46, onde os Chrotowskis moravam, restava apenas uma fachada feia e castigada pelo fogo. Os Karsinskis haviam perdido dois de seus filhos, e a casa de meu amigo Jacob estava transformada numa casca fumegante, sendo que seu pai ficara enterrado sob os escombros. O velho casal Rosenzweig, que morava bem perto de nossa casa, havia sobrevivido, mas a confeitaria de Steynberg, que ficava defronte à alfaiataria de Nathan, queimara até não sobrar nada. Não haveria mais o pão branco e fofo de Steynberg. As ruas de paralelepípedos estavam entulhadas com destroços e pertences destroçados. E os cavalos. Suas carcaças inchadas estavam por toda a parte, e quando passávamos nuvens negras de moscas emergiam delas.

Naquela noite, vimos uma longa fila formada por nossos bravos e maltratados soldados, sendo forçados a deixar a cidade. Vê-los expulsos como cães castigados, sem coisa alguma que os sustentasse além dos uniformes esfarrapados, me afligiu. O que aconteceria com eles? E conosco?

No dia seguinte, o exército alemão entrou na cidade. E, posso dizer em primeira mão, não entrou discretamente. Até mesmo o

Führer, o próprio Hitler, chegou para passar as tropas em revista e inspecionar a nova cidade conquistada. Os tanques que haviam esmagado nosso país com tanta fúria agora entravam na cidade, com suas lagartas batendo contra os paralelepípedos que calçavam nossas velhas ruas. E havia também a marcha dos seus batalhões, formações infinitas de soldados equipados com seus capacetes, batendo a sola das botas contra o chão como se fossem um único corpo. Eles chegavam à tribuna do *Führer*, e todas as cabeças se viravam num movimento rápido quando passavam pelo homem de bigode, golpeando cada vez mais firmemente o chão com aquelas botas de couro preto. Toda a cidade tremia com o impacto.

As bandeiras não demoraram a subir, como se a onipresença das cruzes suásticas devesse nos lembrar da nova *Herrenrasse*, a raça superior formada por pessoas loiras e de olhos azuis, que esmagaria tudo que considerassem ser baixo e indigno. Não demoraria muito até que começassem a nos pisotear como se fôssemos vermes, insetos, sujeira.

Logo surgiram as primeiras diretrizes. Elas continuaram a surgir, semana após semana, mês após mês – nunca todas de uma vez, mas dosadas a conta-gotas, apagando pouco a pouco nossa liberdade, nossa dignidade. Primeiro eles proibiram o entretenimento: de um dia para o outro, todos os de sangue judaico estavam proibidos de frequentar parques, cafeterias ou museus locais. O Parque Krasinski estava fechado para nós, e não tínhamos mais permissão para ir ao zoológico ou ao Parque Lazienki. Bancos de praça e bondes haviam sido suspensos, e placas com os dizeres *nicht für Juden* – proibido para judeus – começaram a surgir por toda a parte.

Certo dia, ao voltar para casa após a escola, passando pela Rua Freta, um soldado alemão apareceu na esquina.

– *Mach, dass du wegkommst. Runter hier* – gritou ele. Antes que eu tivesse qualquer chance de tentar decifrar o que ele dizia, o soldado me agarrou pela camisa e me jogou na rua como se eu fosse um saco de roupas velhas. Caí no chão e senti o sangue escorrendo pelos joelhos. Meu coração estava despedaçado quando cheguei em casa. Naquela noite, meu avô leu as novas diretrizes para mim: judeus estavam proibidos de usar bondes públicos, visitar restaurantes em distritos que não fossem judaicos e não podiam mais andar nas calçadas, teriam de compartilhar as ruas com carros e cavalos.

Em maio, Tatus perdeu seu emprego na universidade. Certo dia, sem nenhum aviso, eles o mandaram recolher suas coisas e disseram que sua presença não era mais benquista ali. Não demoraria muito até que aquilo me atingisse também.

Aconteceu durante uma aula de química. Siemaski, nosso professor, havia acabado de apontar para o elemento berílio na tabela periódica. Após três batidas fortes, a porta da sala de aula se abriu, e nosso diretor, Gorski, estava ali, com uma expressão perturbada, ladeado por dois soldados alemães. O soldado da esquerda trazia consigo uma lista, e a empurrou para as mãos de Gorski.

– Leia.

– Abram Tober, Jacob Kaplan e Mika Hernsteyn – a voz de Gorski vacilou –, guardem seus livros. Vocês estão dispensados. Vão para casa.

Por um momento, eu não consegui me mover.

– *Schnell, macht schon*! – gritou o alemão. Eu me levantei e deixei a sala de aula sem olhar para ninguém. Nunca mais vi Abram e Jacob, nem meus amigos Bolek e Henryk, que continuaram ali.

Quando cheguei em casa, me joguei nos braços de Vovô.

– Tatus, eles me mandaram vir embora. Sem nenhum motivo! Isso não é justo. – Vovô me abraçou, e minha mãe logo se juntou a nós.

– Eu sei. Está nos jornais de hoje: “As crianças judias devem ser removidas das escolas públicas imediatamente”. Eu lamento muito, Mika.

Deixei o corpo cair numa poltrona.

Sempre me considerei tanto judeu quanto polonês, e figuras polonesas como Chopin, o grande compositor, Copérnico e Madame Curie eram heróis para mim. Esses cientistas e artistas arrojados haviam aberto novas fronteiras, começado a explorar novos territórios, e eu desejava seguir os passos deles. Sentado em nossa velha poltrona, paralisado pelos acontecimentos e sem conseguir acreditar no que estava acontecendo, eu me lembrei do dia em que Vovô me levou à casa de Madame Curie, na parte velha da cidade, e, embora não houvéssemos entrado na igreja da Santa Cruz, eu sentia orgulho de o coração de Chopin estar enterrado perto de nós. Ter que deixar a escola foi um golpe terrível. Eu era excelente aluno e adorava as aulas. Bolek e Henryk não davam tanta importância à escola quanto eu, mas puderam ficar. Por quê? Nós passamos muitas tardes entretidos com brincadeiras e jogos nas ruas. Bolek fazia aniversário no mesmo dia que eu.

Meu avô tentou me reconfortar, e passamos longos dias juntos, debruçados sobre os seus velhos livros enquanto ele compartilhava comigo seu amor pela matemática. Eu absorvia sua voz gentil, seu conhecimento e sua gentileza. E a álgebra, realmente, era para mim uma atividade relaxante. Mesmo assim, parte de mim não conseguia aceitar essa atitude de rendição. Por que ele não lutava? Ele passara várias décadas na universidade e era respeitado por todos. Onde estavam os seus colegas agora? Por que ninguém estava disposto a defendê-lo?

– Já sou velho, Mika. Você não precisa se preocupar comigo. Mas você, meu garoto... você ainda precisa aprender, e a sua mãe precisa de você – disse ele, balançando a cabeça negativamente. – Não tinha nenhuma resposta, e tudo o que podia fazer era colocar a mão em meu ombro, leve como um pássaro.

Várias semanas se passaram desde que recebemos aquelas diretrizes, que pareciam uma corda ao redor de nosso pescoço. Logo que começamos a absorver o choque de nosso mundo limitado, mais ordens vieram: os alemães queriam que estivéssemos claramente marcados e rotulados. Todos os judeus deviam exibir braçadeiras brancas com uma estrela de Davi azul, com largura mínima de seis centímetros, na manga direita das roupas. A braçadeira devia estar costurada na peça, ser claramente visível, e, é claro, nós mesmos teríamos que produzi-las. Desse momento em diante as coisas seriam sempre desse jeito: os alemães criavam as leis e depois nos forçavam a fazer as cordas com as quais seríamos enforcados. Não demorou muito até que houvesse mascates apregoando aquelas odiosas braçadeiras em todas as esquinas.

Logo depois, tivemos que nos registrar para conseguir o *Kennkarten* – carteiras de identidade carimbadas com um enorme J de JUDEU. E como uma simples letra era capaz de mudar tudo... Precisávamos dessas carteiras para conseguir as cadernetas do racionamento de comida, mas nossas rações eram pífias – uma fração minúscula do que era concedido à população não judia. Dois pães para o alemão, um pão para o polonês, uma fatia para o judeu. As sopas de minha mãe ficavam mais aguadas a cada dia que passava. Não conseguíamos comprar leite ou ovos, e era impossível comprar carne. Ficou claro que o principal plano alemão era nos matar de fome aos poucos, quilo por quilo.

Para escapar da fome inclemente, muitos tentavam conseguir os *Kennkarten* arianos. Mas, se fossem apanhados com eles, eram mandados para a prisão de Pawiak. Os rumores sobre as torturas e assassinatos que aconteciam naquela fortaleza monstruosa me causavam tantos pesadelos que eu acordava encharcado de suor.

Em outubro de 1940, quando pensávamos que as coisas não podiam ficar piores, eles nos deram duas semanas para deixarmos nossos apartamentos e a maioria de nossos pertences para trás. Devíamos nos mudar para uma pequena área da cidade que os alemães chamavam de *Jüdische Wohnbezirk*, o distrito residencial judaico. A palavra "gueto" era um tabu, mas os sussurros corriam por toda a nossa vizinhança, e nós sabíamos que aquilo não seria nada além de uma imensa prisão.

Imagine nosso pânico e desespero. Era possível sentir o cheiro do medo por toda a parte; invadindo nossas casas como uma névoa, pairando sobre nós; espesso e pegajoso como uma tempestade prestes a desabar. Como seria possível fazer tanta gente caber naquela área minúscula? Havia quase 400 mil de nós – um oceano de pessoas tentando caber numa lagoa, cercada por um muro de três metros de altura encimado por arame farpado e cacos de vidro.

Em 31 de outubro os alemães nos enfiaram naquele pequeno segmento do mapa de Varsóvia, na parte mais ao norte da cidade, delimitado a oeste pela Rua Okopowa e pelo velho cemitério judaico. Aquela sempre fora uma parte muito populosa da cidade, e, embora muitas das casas fossem prédios imponentes de três andares adornados com sacadas de ferro, a maioria das ruas era estreita e escura. Os alemães obrigaram todos os não judeus a deixar a área para abrir espaço para nós, e, quando nos mudamos para o gueto, fomos saudados por um silêncio perturbador.

Minha mãe levou muito tempo para decidir o que levaríamos conosco. Ainda consigo vê-la em nosso velho apartamento, decidindo-se entre aquele castiçal ou aquele livro, forçada a escolher entre uma panela e um porta-retrato. No final, ela escolheu as coisas mais práticas e mais preciosas: um álbum de fotografias, alguns livros, os castiçais de prata que foram presente de casamento, duas panelas, roupas, lençóis e cobertores. Ela embrulhou tudo, e nós nos juntamos à marcha. Nossa pequena unidade, nossa pequena família: minha mãe, Tatus e eu.

Marchamos em silêncio, levando conosco os pertences que nos restavam em malas surradas e mochilas improvisadas às costas. Pessoas puxavam carroças ou empurravam carrinhos de bebê abarrotados com caixas, cobertores, almofadas e panelas, e algumas chegavam mesmo a equilibrar seus objetos preciosos sobre a cabeça. As ruas estavam cheias de poloneses cristãos que observavam nosso êxodo com curiosidade ou pena, e alguns com aquele sorriso típico que os alemães chamam de *Schadenfreude*: a alegria à custa dos outros, de almas menos afortunadas como nós. Nós, judeus, fomos transformados em bodes expiatórios por muito tempo, e a propaganda ideológica antijudaica, com pôsteres feios e espalhafatosos que nos comparavam a piolhos transmissores de febre tifoide, cuidava do resto.

A maioria das pessoas em nossa marcha melancólica andava com a cabeça baixa. Mas por quê? Eu queria encarar aqueles observadores, ainda que o meu olhar de rebeldia e ódio fosse a única coisa que eu pudesse jogar de volta naqueles que estavam prontos para tomar nossos apartamentos e nossos pertences. Procurei por Bolek e Henryk no meio da multidão. Eles não iam a nosso apartamento desde que eu fora expulso da escola, e agora eu não conseguia mais vê-los em lugar algum. Como podiam se virar contra mim, como podiam acreditar que éramos cidadãos de segunda classe? Covardes. Cerrei os punhos, mas a lembrança de Bolek, que não tinha um dos dentes da frente, e de seu sorriso torto atingiu o meu coração como uma punhalada.

Quando entramos no gueto pelo lado leste, na Rua Nalewski, dei uma última olhada para trás. Estava sendo forçado a abandonar não somente meus amigos e minha escola, mas também as lembranças do *chlopek*, amarelinha; da *zoska* e muitas outras brincadeiras que fazíamos; de nossos piqueniques no Parque Krasinski, passeios aos lagos com a minha mãe e Tatus, e nosso belo apartamento. Quando passei pelo portão do gueto, toda a minha infância e tudo que eu mais amava foram arrancados de mim.

Mesmo assim, de certa maneira, acabamos tendo muito mais sorte que várias outras pessoas. Um ex-colega de meu avô era membro da *Judenrat*, o conselho judaico, e conseguiu encontrar um apartamento relativamente decente para nós: uma pequena residência no primeiro andar na Rua Gęsia, 19, a rua do ganso. Tentei pensar naquilo como um bom sinal, já que meu aniversário é no dia 19 de maio.

Enquanto nos acomodávamos num apartamento com dois quartos, muitas famílias grandes tinham somente um dormitório, ou uma situação ainda pior: tinham que ficar pelas ruas até que um pequeno espaço pudesse ser encontrado para elas. Às vezes, nove pessoas dividiam um único cômodo. Sabíamos que havíamos tido sorte, mas será que nosso espaço não deveria ser ocupado por uma família maior?

Em 16 de novembro os alemães terminaram de construir o muro e isolaram completamente o gueto.

Eu tinha 14 anos.

Foi nessa época que o casaco mudou. Vovô, que não era apenas inteligente, mas também um homem muito prático, decidiu que, se lhe acontecesse de ser levado para outro lugar – porque fugir de Varsóvia agora era algo que estava fora de questão –, ele precisaria ter seus pertences mais preciosos consigo. Bolsos eram uma excelente solução: pequenos, grandes ou minúsculos, escondidos nas profundezas de seu sobretudo. O primeiro foi um pequeno bolso no lado esquerdo, logo acima do coração. Mais uma fenda que um bolso visível, mas, mesmo assim, era um bolso para seu relógio de ouro, a única coisa que lhe restava de seu pai e que ele ainda guardava. Com o passar do tempo ele foi acrescentando cada vez mais bolsos: um bolso interno bem fundo, na altura do fígado, para guardar fotografias: meu pai quando menino e aquelas em que ele segurava orgulhosamente o filho, eu e o rosto de minha mãe brilhando com um enorme sorriso. Fotografias que eu pedia para ver várias e várias vezes.

Eu sentia muita saudade de meu pai, especialmente naquelas noites escuras e frias de inverno durante o primeiro ano no gueto. Eu era ainda muito pequeno, com apenas três anos de idade, e não me lembrava da morte dele. Minha mãe dizia que eu brincava com meus brinquedos enquanto meu pai morria no quarto ao lado, devido a uma pneumonia que não fora diagnosticada corretamente.

– O médico pensou que o seu pai estivesse com um resfriado e uma infecção na bexiga – dissera ela certa vez, quando lhe perguntei sobre o assunto vários anos antes. – Ele morreu alguns dias depois, queimado como se fosse um monte de brasas.

Eu sei que ela nunca perdoou o médico nem a si mesma.

– Ele teria sobrevivido se nós o houvéssemos levado ao hospital. Depois que ele morreu, você parou de falar e passava dia e noite agarrado ao seu velho trem vermelho de brinquedo – dissera ela. O trem foi o último presente que ele me deu.

Agora, as lembranças de meu pai haviam se esmaecido, e tudo que restava eram fragmentos de aromas e sons: um sabonete com cheiro forte, suor, tabaco e aquilo que, mais tarde, vim a reconhecer como uma leve baforada de álcool misturada a uma voz grave e gentil que me acalmava na hora de dormir. "Meu bom menino, durma", uma vaga lembrança, escondida em meu corpo, que eu tentava revisitar sempre que podia. Desejava ter a presença de meu pai por perto, a segurança daqueles cheiros que me abraçavam. Quando herdei o casaco, nada mais do que ele parecia me dar a sensação de estar seguro.

Meu avô acrescentava bolsos e mais bolsos ao sobretudo. Certo dia, ele pensou em criar bolsos menores dentro dos maiores. Assim, mesmo que um bolso fosse revistado, eles não encontrariam aquelas camadas extras. Aos poucos, aquele casaco se tornou um imenso labirinto: este bolso era conectado com aquele, mas não com este aqui; aqui havia uma rota sem saída, e este outro levava da esquerda para a direita.

Enquanto algumas pessoas arriscavam suas vidas para conseguir passaportes falsos ou cavavam túneis entre o gueto e outras partes da cidade, Vovô descobria maneiras incrivelmente inteligentes de acrescentar mais bolsos a seu casaco, até que apenas ele sabia onde estavam todos. Ele selecionava os seus livros favoritos e os acrescentava às costuras. Uma cueca extra enfiada sob o lado direito. Um segundo par de óculos, abotoaduras e lenços no esquerdo.

Ele vestia o seu sobretudo com orgulho, e, à medida que o tempo passava e nossa situação piorava, ao perdermos peso por causa de nossa dieta minguada, às vezes eu tinha a impressão de que o casaco era a única coisa que o mantinha em pé.

Ele passava cada vez mais tempo em sua pequena oficina, onde não permitia que eu e minha mãe entrássemos. Na realidade, não passava da despensa do apartamento e não era muito maior que um armário grande, mas ele dizia que era o seu "refúgio". Perguntei várias vezes o que ele fazia ali dentro, mas ele simplesmente sorria e não dizia nada.

O casaco e Vovô eram inseparáveis, a mão e a luva. Até que, em julho de 1941, dois dias antes de seu 73º aniversário, tudo mudou.

Quando cheguei à rua do lado de fora de nossa casa, ele ainda estava vivo. Uma vizinha subiu as escadas correndo para nos chamar, esbaforida e pálida, com a voz tomada pelo pânico.

– Atiraram nele! Venham, rápido, rápido!

O medo comprimia como uma prensa de aço. Lembro de uma pausa, um vazio perene no qual eu não conseguia me mover. A vizinha mal conseguia balbuciar algumas palavras, seu peito arfava.

– Ele não conseguiu ficar de boca calada, foi aquela garota outra vez. Ele não conseguiu aguentar. Venham, rápido.

Por mais gentil e reservado que fosse, Vovô não conseguia ficar calado diante de toda a brutalidade que nos cercava: pessoas recebendo pontapés e cusparadas, sendo agredidas, provocadas ou recebendo um tratamento ainda pior, alvejadas como cães no lugar onde estavam, como numa espécie de jogo. Ele se recusava a se acostumar com a ocupação, com a violência diária e imprevisível.

Naquela manhã, os soldados atormentaram novamente a jovem que morava na casa em frente à nossa. Eles a arrastaram para fora, apontaram as armas para a cabeça dela e mandaram que tirasse a roupa. Meu avô andava na direção dela, abrindo seu casaco, pronto para colocá-lo ao redor da moça e protegê-la, quando os soldados atiraram nele. Exatamente assim, à queima-roupa. Meu Tatus, o homem mais gentil que eu já conheci.

A garota já sumira quando eu cheguei. Mais tarde, soube que ela gritara, juntara rapidamente as roupas e depois fugira. Quando alcancei meu avô e me curvei sobre seu corpo, os olhos dele se entreabriram.

– Cuide bem do casaco, Mika, meu garoto... – Não foi mais do que um sussurro. Sua pálpebra pesou, e sua cabeça pendeu de lado, repousando em meu colo.

– Levem-no daqui – bradou um dos soldados. Ele deu mais uma olhada para meu avô e hesitou.

– Espere, é um belo casaco. Tirem esse homem de dentro dele. Entregue-o para mim, garoto.

Foi então que minha mãe se moveu. Ela estava a meu lado, petrificada como a esposa de Ló, uma estátua de sal, segurando minha mão com força. Subitamente, ela me soltou e começou a chorar e gritar, erguendo as mãos e batendo-as contra o peito, sem parar. Ao fazê-lo, ela se afastou de vovô e começou a se aproximar das outras casas.

– *Halt's Maul*! Cale a boca, mulher. Quieta – gritou o soldado. Ela bateu na primeira porta.

– Pare com isso, sua vadia, ou nós vamos atirar em você! – Ela não se virou.

Na confusão, com a ajuda dos vizinhos, nós tiramos o casaco de meu avô. Outras pessoas se juntaram a nós. Um grupo de homens ergueu o corpo de Tatus e o levou para dentro da casa, e, em meio à multidão, eu vi Nathan. Não fazia ideia de onde ele surgira, mas as mãos ossudas do velho alfaiate rapidamente ajudaram a pegar o casaco e vesti-lo em mim. Sentia-me rígido e sem vida, como um dos manequins de madeira de Nathan, enquanto deixava que ele envolvesse meu corpo com o sobretudo.

Era a primeira vez que eu vestia aquele casaco. Já havia pedido ao meu avô, mas ele se recusara a deixar. "Dá azar, Mika. A sua vez ainda não chegou".

O peso do casaco era incrível. Eu mal conseguia respirar com a carga dos objetos de meu avô. Mas eu precisava andar logo, precisava correr para honrar seu último desejo. O casaco me engolia tal como um ser quente e pesado; e, como se o sobretudo houvesse injetado em mim uma dose de energia, consegui me afastar da vista do soldado e subi as escadas que levavam de volta a nosso pequeno apartamento.

Desmaiei entre nossos bravos vizinhos, que arriscaram tudo para me proteger. Temia muito pela vida de minha mãe e, por um longo momento, fiquei imóvel e em silêncio na cozinha, tentando ouvir o barulho de gritos e de botas pesadas castigando as escadas, mas ali havia apenas silêncio.

Minha mãe voltou para casa muito tempo depois, branca como um fantasma, desgrenhada e amparada por Anna, nossa vizinha. Eu corri até onde ela estava e a abracei com força, mas seu rosto permaneceu inalterado. Ela olhava para mim por trás de uma máscara vazia e inexpressiva, afastando-me gentilmente. Não falou nada. Passou o resto da tarde sentada diante da mesa da cozinha, olhando para as mãos trêmulas como se perguntasse a si mesma a quem elas pertenciam. Anna sentou-se com ela e a encorajou a tomar um pouco de chá – água quente com algumas folhas, já fervidas pela segunda vez.

Eu vi minha mãe na rua, ouvi quando os soldados a insultaram, mas, para mim, ela era uma heroína.

Só mais tarde eu compreenderia a natureza da vergonha e as coisas terríveis que esse sentimento pode fazer com você. Deixei minha mãe sentada à mesa e enterrei o amor feroz que sentia por ela e por meu avô bem fundo naquele casaco. Eu o coloquei sobre a cama e me deitei sobre ele, procurando pelo cheiro de meu avô, por qualquer resquício de sua vida. Mas tudo o que consegui sentir foram as minhas lágrimas e a lã áspera contra as minhas bochechas.

Naquela noite, eu me senti como uma criança e, ao mesmo tempo, como um velho.

Não podíamos dar a meu avô um funeral como faríamos no passado, mas suponho que tivemos sorte por ele ter conseguido ao menos uma pequena sepultura. Apesar do medo que nos dominava, nos reunimos em público no cemitério judaico. Um bom número de pessoas apareceu para se despedir dele. Eu carreguei o caixão simples com Nathan, o alfaiate, um vizinho e dois colegas com quem meu avô trabalhava na universidade e que também haviam sido mandados para o gueto. O sol brilhava com força sobre nós naquele dia de julho, mas eu insisti em vestir o casaco de vovô, e o suor escorria pelo meu pescoço enquanto levávamos o caixão até o velho cemitério na Rua Okopowa. Os homens da *Chevra Kadisha*, a sociedade fúnebre, envolveram o corpo de Vovô numa mortalha branca, e ele foi enterrado com seu velho xale de orações.

Tudo aconteceu muito rápido – 48 horas é pouco tempo para dizer adeus. Enquanto o rabino entoava suas preces, eu permaneci ali, imóvel, como as árvores nodosas do cemitério, olhando para a sepultura aberta como se houvesse um véu ou um vidro translúcido diante de meus olhos. Algumas pessoas jogaram um punhado de terra sobre o caixão de meu querido Tatus, mas, quando chegou minha vez, aquilo acabou comigo. Minha mãe colocou os braços ao redor de mim, mas eu tremia e soluçava, inconsolável.

Meses depois, não havia mais nenhuma sepultura disponível: em vez disso, os mortos eram deixados nas ruas durante a noite e recolhidos no outro dia, sendo levados para longe em carroças que quase transbordavam com tantos corpos e depois jogados numa cova profunda. Lá eles jaziam, sem nenhuma identificação, numa vala comum, amontoados com todos os outros que haviam morrido naquele mesmo dia.

CAPÍTULO 3

Passei os dias seguintes à morte de meu avô sozinho, tendo apenas o casaco e seus segredos como companhia. Vivi dentro daquela obra-prima da alfaiataria, inalei seu odor forte, deixei que me sufocasse e me abraçasse. Sentia a presença de Vovô em seu abraço áspero e pesado, e passei horas sentado dentro dele, até que o mundo exterior deixasse de existir. Minha mãe me deixou em paz durante esse momento, e fiquei feliz por isso. Ela sofria silenciosamente, à sua própria maneira.

Mas, por fim, meu estômago roncou e apertou. Detestei a mim mesmo por isso, mas uma pontada aguda de fome começou a tomar conta de mim. Assim, explorei os bolsos do casaco, esperando encontrar algo comestível sem que precisasse deixar a proteção que ele oferecia. E, conforme minhas mãos tateavam o labirinto dos bolsos, muitos tesouros passaram por meus dedos: um cachimbo de madeira, um par de óculos, um pequeno livro de poemas. Nunca imaginei que Vovô se importasse com esse tipo de coisa. Pedrinhas, doces grudentos, uma caneta-tinteiro e objetos cuja utilidade eu não conseguia imaginar, como um pedaço de pele de animal, retalhos coloridos de tecido, uma flor de papel.

De repente, os dedos encontraram uma superfície curvada e fria, com fios metálicos presos a ela. Eu a retirei do meio das costuras e puxei-a pelo túnel da manga. Era um pequeno e perfeito violino.

Nunca ouvi meu avô tocar, mas ali estava eu com uma miniatura nas mãos. Parecia ter sido construída para um anão ou para ser o brinquedo preferido de uma criança. Segurei cuidadosamente o instrumento, testei as cordas e continuei revistando o casaco em busca do arco. Encontrei-o em outro pequeno bolso, comprido e estreito, logo atrás da fileira de botões.

Estendi o sobretudo no chão, sentei-me no meio dele e tentei tocar minhas primeiras notas com aquele arco pequeno. Imaginei as mãos de Vovô segurando aquele violino em miniatura como a um bebê recém-nascido, mas os sons que produzi estavam muito distantes de qualquer coisa que pudesse ser chamada de música.

Algum tempo depois, naquela mesma tarde, descobri outro bolso na altura dos rins. Dentro dele, encontrei algumas cartas. Uma pequena coleção delas, habilidosamente organizadas e presas com uma fita acetinada azul-clara, eram frágeis e desbotadas, como se houvessem sido escritas por um fantasma, alguém que mal pertencia a este mundo. A tinta desbotara e a caligrafia era difícil de compreender. Puxei lentamente a fita, e as cartas caíram no meu colo como traças.

Naquela noite, acendendo uma vela preciosa, curvado sobre as páginas, aprendi coisas que mudaram tudo o que eu sabia sobre meu pai e meu avô. Vovô não tinha aptidão somente para a matemática, mas também para as letras – ele escrevia belos poemas. Aquelas cartas haviam sido escritas para sua esposa, a avó que nunca conheci, durante a Primeira Grande Guerra. Ele despejava o amor e a dor da separação por meio de imagens e metáforas, e, embora quase não mencionasse a guerra, o papel fino e amarrotado, manchado de lama, mostrava um pouco do horror e das dificuldades das trincheiras. Encheu o papel até as bordas com pequenas e caprichadas palavras, pois sofria da mesma escassez de papel que agora acometia o gueto.

Minha avó, por sua vez, escrevia uma prosa firme, particularmente relacionada a seu menino, meu pai: dias letivos interrompidos, um corte no joelho e a sede insaciável por histórias de aventura.

Eu lia com os olhos arregalados, ansioso por aprender tudo o que pudesse sobre meu pai. Quando a escuridão se transformou numa manhã cinzenta, voltei a embrulhar as cartas e as escondi outra vez nas profundezas do casaco. Exausto, voltei para a cama.

Durante várias semanas eu saí de casa o mínimo possível. O casaco se tornou meu segundo lar, minha caverna, meu companheiro silencioso. Enquanto isso, o mundo exterior ficava cada vez mais desesperado e hostil. Os dias em que eu brincava com Bolek e Henryk nas ruas onde morávamos ou no Parque Krasinski haviam se tornado uma lembrança distante. A vida de menino que tivera fora arrasada. Eu não tinha amigos com quem pudesse me divertir, e, sempre que minha mãe me mandava para uma tarefa nas ruas, para tentar comprar ou vender alguma coisa ou para entrar em alguma fila quando surgia algum boato sobre legumes frescos, eu via quanto as coisas estavam horríveis: o mau cheiro, a aglomeração humana e uma aura cinzenta e esmagadora ameaçavam nos engolir por inteiro.

Dentro do casaco, eu observava o gueto como se estivesse num sonho: o que eram essas hordas de humanos, vestidos com trapos sujos e puídos, sempre correndo, empurrando, abrindo caminho por entre a multidão como se estivessem tentando alcançar o último trem que os levaria para casa? Uma massa cinzenta de pessoas misturadas aos riquixás, motoristas que gritavam enquanto tentavam atravessar o caos e uma ou outra pequena carroça puxada por cavalo. O único e superlotado bonde que ainda passava pelo gueto, uma triste lembrança do passado, transportava montes de pessoas penduradas a suas laterais como refugiados num barco. Em vez de um número na parte da frente, o bonde exibia a estrela de Davi. Era a única linha de bonde reservada para nosso uso.

Naquela época, todo mundo estava vendendo alguma coisa; crianças de rua esfarrapadas vendiam as detestáveis braçadeiras brancas; mulheres espalhadas pelas esquinas estavam agachadas diante de pequenas batatas, cuidadosamente dispostas em grupos de quatro unidades como se fossem pedras preciosas. Elas competiam com homens que vendiam escovas de cerdas ralas ou outros tesouros – um pacote de camisas aqui, um casaco, um precioso par de botas ali. Um rapaz vigiava um carrinho de bebê carregado de livros, enquanto outros sentavam-se ao chão, vendendo as poucas coisas que conseguiam dispensar – uma panela, um vestido, pratos e talheres –, esperando conseguir trazer alguns zlotis para comprar pão, alguns pedaços de peixe seco e fétido ou legumes miúdos.

Algumas lojas ainda estavam abertas no gueto, e o mercado negro funcionava a todo o vapor. Na verdade, se você tivesse dinheiro, ainda podia comprar de tudo. Havia até uma loja de doces, para nos provocar. Mendigos esqueléticos ficavam sentados do lado de fora das padarias e mercearias, com os frágeis braços estendidos, enquanto o interior do estabelecimento exibia pão branco ou mesmo bolos. O que aconteceu conosco, com nossa bela cidade? As pessoas definhavam bem diante de nossos olhos, cadáveres vivos encostados em paredes ou simplesmente jogados no chão enquanto os passantes tentavam ignorar aquela situação.

Alguns pedintes tocavam música, com um violino ou uma gaita de fole. O velho Marek, homem grande como um urso e com uma barba longa e desgrenhada, levava uma pequena orquestra consigo num carrinho de bebê. Sempre atraía uma pequena multidão para ouvi-lo, mas muito poucos zlotis.

O pior de tudo eram as hordas de crianças órfãs sentadas nas calçadas, observando tudo com olhos arregalados. Já haviam até desistido de tentar roubar alguma coisa. Eu tentava não olhar para elas.

Foi então que minha mãe começou a trabalhar em seus jardins. Depois que construíram o muro para nos isolar, pequenos jardins começaram a surgir por todo o gueto. Jardins desafiadores; talvez esse fosse o nome que devêssemos dar a eles. Espaços onde as pessoas cultivavam flores e legumes mesmo com todas as dificuldades e contra todo o desespero.

A princípio, não era possível enxergá-los em meio a todo o cinza sobrepujante, mas logo eles apareciam em todos os lugares: pequenos lotes de terra bem cuidada, protegidos como se fossem bebês. As pessoas trocavam sementes e mudas; plantavam, regavam, abrigavam e até faziam suas orações diante deles. A "*Sociedade Toporoal*" estimulava a agricultura, e os pequenos jardins conseguiam manter as pessoas vivas por mais algum tempo. Um repolho era capaz de alimentar uma família inteira por vários dias, e algumas beterrabas manteriam uma pessoa respirando por algum tempo. Em dado momento, o velho estádio Skra foi transformado numa enorme plantação de repolhos – qual era a utilidade do esporte agora que estávamos todos morrendo de fome?

Minha mãe insistiu para que colocássemos algumas floreiras nas janelas. Ainda sofrendo pela morte de Vovô, ela precisava da terra mais do que de qualquer outra coisa para confortá-la, para lhe garantir que a vida continuaria a existir. Aos poucos, enfrentando o cinza do gueto, flores bonitas surgiam. Como ela conseguira aquelas sementes?

– Guardei algumas em outubro, quando tivemos que decidir o que iríamos trazer para o gueto. Não eram tão importantes quanto as panelas e frigideiras? – disse ela quando perguntei.

Depois das floreiras nas janelas, minha mãe construiu um pequeno jardim em nossa sacada. Eu ri daquilo – um jardim na sacada do terceiro andar? Mas ela trouxe balde após balde de terra do quintal; lentamente o piso de pedra ia sendo coberto por uma bela camada de terra. Alguns meses depois, quando conseguimos comer salada de folhas e pequenos rabanetes vermelhos, eu já não ria mais.

As notícias a respeito da morte de meu avô e de seu sobretudo cheio de bolsos internos se espalhou rapidamente, e não demorou até que Nathan recebesse vários pedidos para alterar algumas peças de roupa. Ele havia trazido sua máquina de costura para o gueto. Noite após noite, ele trabalhava sem parar em seu pequeno quarto na rua de cima, alterando os forros dos casacos e as partes internas de camisas e calças, acrescentando-lhes bolsos secretos para guardar as coisas mais preciosas das pessoas, os pertences de suas vidas.

Certo dia, enquanto examinava o casaco em busca de outras coisas escondidas, dedilhando suas passagens secretas, acabei tocando em algo estranho, não muito familiar: um objeto duro, leve e quase redondo. Ele se encaixava em minha palma. Removi aquilo com bastante cuidado e percebi que estava olhando para um rosto. Uma pequena cabeça moldada com papel machê, pintada audaciosamente com olhos enormes, lábios vermelhos e cabelos louros. Parecia tão viva que eu senti vontade de beijá-la.

Meu coração quase parou. É claro, a despensa! O pequeno cômodo onde meu avô nunca permitiu que eu entrasse. Por que não pensei nisso antes? Naquela mesma manhã eu havia encontrado uma pequena chave num bolsinho perto da barra do casaco. Agarrei a cabeça, mexi nos bolsos à procura da chave e corri para aquele pequeno cômodo. A chave se encaixou perfeitamente, e a porta se abriu quase sem fazer ruído. Quando acendi a luz, soltei um gemido de surpresa: um exército de pessoas pequenas olhava para mim.

A despensa estava cheia de fantoches e marionetes de todas as formas e tamanhos e em diferentes estágios de construção: havia um rei, uma garota, um bobo da corte e muitos animais – um crocodilo cujos dentes haviam sido pintados pela metade, um macaco e um cavalo sem rabo. Alguns dos bonecos pareciam estar prontos para saltar da prateleira; outros não tinham braços nem pernas, ou mesmo roupas. Um barbante atravessava o cômodo, cheio de pequenas pernas e braços pendurados, esperando até que pudessem encontrar os verdadeiros donos.

Roupas minúsculas ainda em processo de confecção estavam dispostas numa pequena mesa, cuidadosamente costuradas a partir de retalhos de tecido. Reconheci o avental de minha mãe transformado no vestido de uma menina, e um de nossos guardanapos virara uma pequena camisa. Aquele quarto empoeirado tinha forte cheiro de verniz. Uma prateleira de madeira exibia pequenos potes de tinta e alguns pincéis ressecados num recipiente de vidro; ao fundo, avistei um palco pintado, feito com tamanho esmero que tinha até cortinas de veludo.

Logo adiante, empoleirado numa estante, havia um príncipe. Envolto num manto carmim e adornado com um pedaço de pele de coelho.

Ali estava o segredo de Vovô. Aquelas pequenas pessoas, fantoches que ele mesmo construíra, faziam-lhe companhia. Mas por que ele nunca os mostrara a mim? Será que todo aquele tempo ele se estivera se preparando para algo especial, para uma apresentação elaborada? E por que ele deixou somente aquele fantoche inacabado em seu bolso?

A lembrança de uma tarde especial com meu avô apenas dois meses antes, em maio de 1941, voltou com toda a força – no dia de meu aniversário de 15 anos, quando vovô me levou para passear. Era um dia quente e ensolarado, extremamente bem-vindo após um inverno que levara milhares de vidas em suas garras geladas. Nós caminhávamos ao longo da Rua Leszno, apelidada jocosamente de Broadway do Gueto. Não era uma rua glamourosa, mas muitos lugares ali ainda ofereciam algum tipo de entretenimento. Cafés onde ainda se ouvia música de piano, alguns pequenos teatros, um cabaré e até um cinema. Pôsteres cobriam as paredes por todos os lados, anunciando concertos e espetáculos em letras grossas. Os anúncios não apenas colocavam um pouco de cor naquelas paredes cinzentas como prometiam afastar nossas mentes da situação terrível em que vivíamos, mesmo que fosse apenas por uma tarde.

A Rua Leszno oferecia uma pausa bem-vinda na pobreza esmagadora que havia à nossa volta. Era possível ver sorrisos no rosto das pessoas e o caminhar rápido de passantes, animados com a possibilidade de assistir a uma apresentação musical em vez de serem perseguidos pela polícia ou correrem para os primeiros lugares na fila quando alguém resolvesse distribuir legumes frescos. É claro, esse tipo de diversão não estava disponível para todos, mas algumas pessoas ainda tinham dinheiro e roupas em boas condições; e, embora as braçadeiras brancas identificassem a todos da mesma maneira, a qualidade superior dos casacos, chapéus e sapatos dos ricos fazia a distinção que sempre existiu entre nós.

Minha mãe ficara em casa para que meu avô pudesse me levar ao passeio. Eu absorvi a atmosfera e, por um momento, me esqueci dos corpos esquálidos pelos quais passávamos no caminho. Já haviam se tornado uma imagem muito familiar por todo o gueto.

– Sei exatamente do que você vai gostar, Mika. Venha. – Dizendo isso, meu avô me levou até um café. Eu quis protestar. Ele não me prometera um espetáculo? E foi então que vi, no canto oposto do salão, um pôster que anunciava *O Ladrão de Bagdá: um Espetáculo de Fantoches*.

Meu avô se aproximou da mulher que estava atrás do balcão e, para meu constrangimento, anunciou:

– Este é o meu neto, Mika. Por favor, quero os melhores ingressos da casa para celebrar o aniversário dele. *Mazel Tov*! – Ele sorriu, primeiro para a mulher e depois para mim.

– É claro. A apresentação começará em uma hora, na sobreloja. Tenho certeza de que ele vai gostar muito. Feliz aniversário, Mika!

Eu não sabia muito bem o que iria acontecer. Coisas como essa não eram feitas para crianças? Afinal de contas, eu já estava com 15 anos agora. Será que ele não devia me levar a um espetáculo teatral mais sério? Meu avô e eu sentamos um ao lado do outro no café, esperando, e, embora a limonada que tomamos tivesse um sabor excelente, eu suspirei aliviado quando a mulher anunciou, com o som forte de uma sineta, que o espetáculo começaria em cinco minutos.

Subimos pela escada estreita e íngreme com a pequena multidão que se reunira ali, e entramos numa sala minúscula, com um palco ainda menor. Todos os assentos estavam ocupados. Acomodamo-nos como se estivéssemos numa sala de estar, mas com pessoas que não conhecíamos e sem nenhuma outra distração além do palco luxuoso com seus rebordos de ouro. As luzes se apagaram, e as cortinas se abriram para revelar o mundo exótico de Bagdá, um pano de fundo detalhadamente pintado com mesquitas, luas crescentes e casas coloridas que se estendiam diante de uma cordilheira.

Foi então que os bonecos apareceram: marionetes, movendo-se rapidamente, como se imbuídas por algum tipo de magia, suspensas por cordões invisíveis por um mestre de marionetes que podíamos apenas imaginar. O mundo do ladrão me encantou de tal maneira que deixei para trás todas as minhas reservas. Olhei para Vovô e vi o mais doce de todos os sorrisos estampado em seu rosto. Pelo menos durante aquele curto espaço de tempo, todo o medo e o terror haviam nos deixado em paz. Meu avô ria e suspirava, aplaudia e mordia o lábio, como se fosse ele a criança no passeio de aniversário, absorto pela magia que se desfraldava naquela sala minúscula acima do café na Rua Leszno, no gueto de Varsóvia, Polônia, na primavera de 1941. Foi nosso último passeio juntos.

Uma coisa no canto da oficina atraiu minha atenção, arrancando-me de meus devaneios. Numa mesa havia um pedaço de veludo vermelho cuidadosamente cortado em dois pedaços, o mesmo tecido do qual o esplêndido manto do príncipe fora feito. Um pequeno vestido, com a linha e a agulha ainda presas a ele – como se Vovô fosse retornar a qualquer minuto, pegar a agulha e concluir o trabalho.

Mas fui eu quem se sentou ali e terminou de costurar o pequeno vestido naquela tarde. Escolhi braços, mãos, pernas e pés, afixei-os da melhor maneira que consegui e costurei cuidadosamente a cabeça que encontrei no bolso do casaco ao delicado corpo do fantoche.

Deslizei a mão por baixo do vestido e movimentei todo o fantoche, com os braços magros, as pernas e a bela cabeça. Olhando para mim com seus enormes olhos negros, a boneca se curvou para mim.

– Olá, meu garoto. Qual é o seu nome? É um prazer conhecê-lo. Eu sou a Princesa Sahara – disse eu em voz alta.

E assim começou meu aprendizado com os fantoches de Vovô.

CAPÍTULO 4

Guardei o segredo dos fantoches comigo e comecei a passar cada vez mais tempo na oficina. Minha mãe não perguntava o que eu fazia ali dentro, e nós mal conversávamos. Talvez ela soubesse a respeito dos fantoches, mas a tristeza a engoliu por inteiro, como um leão a um carneiro. Mesmo assim, todas as noites ela ainda nos preparava uma sopa com qualquer coisa que fosse capaz de comprar ou trocar.

Enquanto eu me refugiava no mundo dos fantoches de meu avô, a situação da porta para fora continuava a se deteriorar. Casas eram marcadas com um enorme "T" onde o tifo se espalhara, rua após rua, e o gueto transbordava de pessoas arrastando os poucos pertences que conseguiam resgatar em busca de um novo lugar para viver. Muitas pessoas chegavam do interior do país, sussurrando histórias cheias de um horror que eu não era nem capaz de imaginar: vilarejos inteiros massacrados, todos levados para a floresta, e uma única mulher que foi deixada viva para contar a história. Eu não conseguia olhar para todos aqueles refugiados, que não tinham nada além de um vazio nos olhos.

Antes da invasão alemã, tínhamos um enorme apartamento na cidade velha. O pé-direito era alto e a sacada, enorme. Nosso apartamento no gueto tinha um quarto do tamanho do anterior. Depois que Vovô foi morto, eu fiquei com o quarto dele. Só havia espaço para uma cama e um pequeno guarda-roupa, mas, ainda assim, era meu. Três semanas depois, duas famílias vieram morar conosco. Os primeiros eram pessoas de todo desconhecidas que bateram à nossa porta no momento em que minha mãe, totalmente exausta após passar o dia em busca de comida, não conseguiu mais resistir aos apelos dos estranhos. Aquela era a quinta família que vinha pedir refúgio durante o tempo que minha mãe levava para preparar a sopa rala. Ela os conduziu em silêncio pelo apartamento.

– Mika, por favor, junte suas coisas. Você vai ficar comigo – disse ela, olhando para mim de um jeito que deixava claro que eu devia simplesmente ficar quieto e obedecer. Joguei os poucos livros e roupas que tinha na cama de minha mãe. Como ela podia se atrever a dar meu quarto àquelas pessoas?

E foi assim que Marek, Diana e seus três filhos – um menino de colo e duas gêmeas de quatro anos, Sara e Hannah, idênticas e com tranças pretas amarradas com enormes laços cor-de-rosa – se refugiaram em nossa casa, dividindo meu pequeno quarto e a cama. Eu me recusei a conversar com eles por alguns dias, e o choro do bebê não me deixava dormir à noite. Às vezes eu ouvia as meninas chorarem também.

Foi então que, quando decidi ser gentil com as gêmeas, mais problemas chegaram. Dessa vez foi a irmã de minha mãe, Cara, que bateu à nossa porta certa tarde e trouxe meus dois primos, Ellie e Paul. Eu me lembrava deles porque havíamos passado um verão juntos no campo, perto de Cracóvia, havia uns quatro anos. Meu avô, minha mãe e eu tínhamos tomado um trem e um ônibus para encontrá-los.

Naquela época, Ellie era uma garota pequena e ágil de 11 anos, e suas peraltices me faziam rir muito. Paul, por outro lado, apesar de ter apenas seis anos, tinha um quê de melancolia bastante adulto que eu não conseguia entender. Hoje em dia eu me pergunto: de algum modo, ele já sabia o que o esperava?

Naquele verão escaldante, nós saímos da cidade e fomos para os lagos. Enquanto os adultos, sentado sobre cobertores, tomavam goles de vinho e limonada, fazendo um piquenique de petiscos, nós nos entretínhamos construindo uma pequena jangada de madeira, mergulhando, nadando, jogando água e subindo nos ombros uns dos outros. Engoli muita água, bem mais do que os outros, mas nos divertimos bastante. Quando estava na companhia dos meus primos eu sentia fazer parte de algo maior, algo vivo e repleto de boas sensações.

Meu tio Samuel ainda estava vivo naquela época. Relojoeiro de uma longa dinastia de artesãos extremamente habilidosos, ele era um homem corpulento, tinha um belo par de óculos de aro de ouro e compartilhava com meu avô um enorme interesse por astronomia. Eu os ouvia comentar sobre as novas descobertas, ponderar se o homem algum dia chegaria à lua, enquanto Cara e minha mãe apoiavam suas cabeças uma na outra de maneira fraternal, rindo e se divertindo feito crianças.

Lembro-me de quando nos despedimos – eu estava tenso e agindo de maneira formal, cumprimentava todos com apertos de mão e não queria que Ellie percebesse que eu sentiria saudades dela. Prometemos que trocaríamos cartas, mas nunca chegamos a fazê-lo. Um ano depois, Ellie estava lutando por sua vida. Tudo começou com uma dor de cabeça e uma febre baixa antes que suas pernas se transformassem em geleia, e, dois dias mais tarde, ela não conseguia mais andar. Tinha dificuldade para respirar, e os adultos correram para levá-la ao hospital infantil de Cracóvia, onde ela ficou várias semanas internada, pálida e magra, numa cama enorme, como se fosse uma boneca esculpida em cera. Poliomielite – foi assim que chamaram a doença que ela tinha.

Foi uma batalha dura para Ellie, mas ela conseguiu se recuperar. "Uma menina durona, essa sua prima", dissera minha mãe, mas soubemos que ela precisara usar muletas por vários meses. Com uma enorme força de vontade, ela conseguiu recuperar os movimentos das pernas, mas a esquerda estava enfraquecida, e, por causa disso, ela mancava. Os médicos lhe disseram que a perna esquerda sempre seria fraca, mas ela estava determinada a provar que estavam errados.

A menina pequena das minhas lembranças desapareceu, e ali, em nosso pequeno e feio apartamento no gueto, no verão de 1941, estava uma garota de 15 anos com uma expressão determinada no rosto, trazendo uma enorme mala marrom bastante desgastada, cheia até quase estourar os zíperes e olhando para mim com um enorme sorriso, que ia de uma orelha a outra. Por um momento, aquele sorriso mostrou seus dentes excelentes e bem alinhados. Não vi nenhuma muleta ou bengala.

– Mika! Como está? Você cresceu bastante! – Ela podia estar falando de si mesma. Crescera como se fosse um pé de feijão, e estava a meio caminho entre a menina que conheci naquele verão quente nos lagos de Rosnowskie e uma mulher adulta. Continuei a olhá-la fixamente, até que ela começou a rir.

– O gato comeu sua língua, Mika? Sou eu, Ellie, sua prima. Lembra?

– É claro, sua boba. Entre. Você deve estar exausta.

Ela passou por mim enquanto puxava seu irmão, Paul, que, embora fosse alto para os seus 10 anos de idade, parecia pálido e magro como uma vela. Exceto pela tosse constante e um tímido "olá", ele ficou em silêncio. Dei uma olhada nas pernas de Ellie, que apareciam abaixo do seu vestido azul. A perna esquerda era mais fina do que a direita e arrastava um pouco enquanto ela andava. Constrangido, desviei o olhar, contente ao me dar conta de que Ellie não percebera que eu a observava assim.

Tia Cara era tão magra quanto Paul, mas não tossia. O rosto pálido, com olheiras que mais pareciam hematomas sob os olhos e a boca descorada mostrando o esforço e a exaustão de tentar entender o que acontecera com sua família e com o resto do mundo – todos os nossos mundos.

Os alemães haviam declarado que Cracóvia seria a capital do seu *Generalgouvernement* no início de 1940 e planejavam criar uma cidade onde não houvesse nenhum judeu. Como todos os judeus da cidade, meus primos e seus pais receberam ordens para procurar outro lugar para viver e foram para o interior, não muito longe dos lagos. Não demorou muito até que a fome os levasse para Varsóvia, na esperança fútil de conseguirem transformar alguns dos relógios de Samuel em pão. Tentaram nos encontrar no gueto, mas não tiveram sorte. Mesmo assim, sem que soubéssemos, eles passaram a morar num pequeno quarto na Rua Sliska havia alguns meses. Bem perto de nós.

Duas semanas antes, Tio Samuel não voltou para casa. A polícia o prendeu por fazer negócios no mercado negro e o levou para a prisão de Pawiak. No dia anterior, Ellie, Paul e minha tia haviam sido despejados do quarto onde moravam.

Ouvi a história enquanto Cara e minha mãe conversaram naquela primeira noite.

– Não tive mais nenhuma notícia desde que o levaram. Estou muito assustada, Halina. – Era estranho ouvir o nome de minha mãe; até Vovô a chamava de "mãe".

Não tínhamos mais espaço, então meus três parentes se acomodaram na cozinha. A chegada deles mudou tudo. Eu não conseguia parar de pensar em Ellie. Ela havia crescido tanto, era mais alta do que eu e ainda era cheia de vida e espírito de aventura, mesmo numa situação tão grave. O fogo e a ousadia em seus olhos verdes me atraía e me provocava um frio na barriga. Mas, se eu me aproximasse daquele fogo, será que acabaria me queimando? No começo, tentei ignorá-la.

Quando eles finalmente se acomodaram, percebemos que Paul estava muito doente. Ele passava o tempo todo deitado na cama, imóvel e pálido como giz. Ninguém conseguia dormir direito, pois sua tosse cortava a noite e o sono de todos naquele apartamento.

Pela manhã, bem cedo, eu ia até a oficina e me trancava lá dentro. Sentia uma enorme vontade de estar, pelo menos por algum tempo, no mundo silencioso de meus fantoches, onde eu podia lutar meus combates, encontrar amor e um pouco de paz.

Foi Ellie quem acabou me apanhando. Ela me colocou contra a parede enquanto eu saía silenciosamente do quarto numa manhã. Agarrou a manga de minha camisa e me encarou com aqueles olhos magníficos. Eu sabia que Ellie tinha intenções sérias, mas ela sorriu. Meu Deus, eu adorava aquele sorriso amplo.

– Para onde você está indo, Mika? Qual é o segredo?

– Nada. Não há nenhum segredo. Só preciso de um pouco de espaço.

– Ah, então o mocinho precisa de espaço. Vamos lá, Mika, me conte. Estou morrendo de tédio aqui.

Não creio que tenha sido o pequeno pedaço de chocolate que Ellie me ofereceu que me fez revelar meus segredos, mas o fato de perceber, de repente, o quanto eu me sentia solitário. Embora estivesse acostumado a brincar sozinho por ter crescido cercado por adultos, quando eu via as gêmeas brincarem, brigarem e rirem uma com a outra e observava a gentileza com que Ellie cuidava do irmão tinha um forte desejo de poder compartilhar algo assim. Além disso, eu tinha somente duas mãos e estava cansado das mesmas cenas repetitivas em que dois fantoches se encontravam para conversar no pequeno palco. Sempre dois: o rei e a menina, o príncipe e o crocodilo, o bobo da corte e o cavalo.

Decidi trazer Ellie para meu mundo.

– Feche os olhos. – Peguei na mão dela, e Ellie cuidadosamente entrou na oficina escura. E eu acendi a luz.

– Mika, isto é maravilhoso! Achei que você estivesse construindo trens de brinquedo, mas estes fantoches são lindos. Olhe aquela ali! – Ela pegou a princesa, enfiou a mão por debaixo da saia do fantoche, encaixou os dedos nas pernas e braços da boneca e fez com que ela saltasse de um lado para o outro no palco.

– Olá, meu garoto. Por que não baixa a cabeça diante de mim, a Princesa de Tebas? – disse ela, falando comigo.

– Na verdade, o nome dela é Princesa Sahara.

– Tudo bem. Olhe só este jumento, ele é tão fofo!

Por um momento, senti uma onda de alegria se espalhar pelo meu corpo. Ellie ficara encantada com meus fantoches. E assim, a partir de então, todos os espetáculos incluíam dois importantes protagonistas: a Princesa Sahara e o jumento, manipulados por Ellie, enquanto eu me encarregava de todos os outros fantoches. Uma dupla perfeita e um espetáculo a quatro mãos nascia ali, e não havia como voltar atrás.

Naquele momento, inúmeras oportunidades se abriram para nós, e pela primeira vez desde que nos enfiaram no gueto eu me sentia feliz. Nós ríamos, brincávamos e brigávamos naquela oficina pequena e empoeirada. Mostrei os segredos do casaco a Ellie também, e o sobretudo de Vovô nos abrigava. A companhia dos fantoches nos ajudava a esquecer o mundo adulto por alguns momentos. Um mundo onde as pessoas criavam coisas feias, como um gueto para judeus. Um mundo que não conseguíamos entender.

Éramos uma oficina bastante criativa. Ellie e eu passávamos horas naquele pequeno espaço, construindo navios e florestas inteiras com papel machê, pintando paisagens com castelos e rios e confeccionando pequenas roupas com quaisquer pedaços de tecido que conseguíamos encontrar, pedindo a nossas mães que nos dessem mais um lenço ou guardanapo. Criamos mais fantoches para nossa trupe – piratas e bandidos, um médico – e deixamos que o bobo da corte tocasse o pequeno violino. Foi então que Kaninkudum, o vilão das profundezas da floresta, apareceu. Sua especialidade era sequestrar a princesa, mantendo-a refém na toca do crocodilo até que o príncipe – *tchan-tchan!* –, ajudado pelo bobo da corte e pelo jumento, viesse resgatá-la.

Encenávamos uma batalha após a outra naquele pequeno palco, e eu até consegui meu primeiro beijo. Bem, na verdade foi o médico, interpretado por mim, que conquistara o coração da princesa, enquanto o macaco aplaudia.

Em março, o aniversário das gêmeas se aproximava. Pelas paredes finas eu as ouvi implorar a seus pais para que lhes dessem chocolates quando chegasse o grande dia, e os pedidos foram seguidos por soluços abafados e sussurros dos adultos. No dia seguinte, peguei na mão de Ellie e a trouxe para nosso quarto secreto.

– Ellie, vamos fazer uma apresentação especial para o aniversário das gêmeas. Elas não ganharão nada no dia da comemoração. Podem ser nossas convidadas de honra. O que você acha? – Ela também estava bastante animada com a ideia. Nós preparamos convites e contornamos suas bordas com tinta dourada, e os entregamos orgulhosamente uma hora depois. A surpresa no rosto das gêmeas fez meu coração se alegrar, e mesmo Paul, que lutava mais a cada dia, abriu um enorme sorriso. Tatus ficaria orgulhoso. Convidamos também os vizinhos, e, naquela tarde, minha mãe me puxou para uma conversa reservada.

– Quer dizer que é isso que você esteve aprontando durante todo esse tempo? Você é um garoto muito esperto e misterioso.

Ela me envolveu num enorme abraço, e ficamos os dois ali, rindo.

Na véspera da apresentação, misturamos papel e cola para fazer papel machê e criamos uma segunda menina-fantoche para que houvesse um par de gêmeas em nosso espetáculo. Dissemos que ficaríamos na oficina durante o resto do dia para ensaiar, e, pouco a pouco, na escuridão reservada da oficina, a peça começou a tomar forma. Discutimos e brigamos muito para conseguir definir o enredo, mas, no final, tudo acabou dando certo.

O grande dia chegou. Escolhemos a cozinha para ser nosso teatro, e, com os rostos corados e correndo por toda a parte como se fôssemos duas doninhas, colocamos tantas cadeiras e caixotes quantos pudemos encontrar. O palco, com suas cortinas de veludo vermelho, ficou sobre a mesa da cozinha, e eu vesti o casaco de Vovô, abrigando todos os nossos preciosos fantoches enquanto eles esperavam impacientemente por sua grande entrada. Então a cozinha mergulhou na escuridão, com exceção de duas fracas luminárias que destacavam o palco. Ellie se agachou por detrás das cortinas. Eu respirei fundo e dei um passo à frente.

– Senhoras e senhores, sejam bem-vindos à primeiríssima apresentação de *Os Perigos e Aventuras de Polly e Holly* – um espetáculo em dois atos em homenagem a nossas convidadas especiais, Hannah e Sara! Feliz aniversário. Esperamos que gostem da apresentação.

Muitos aplausos, e depois o silêncio. Seria realmente possível escutar o tilintar de um alfinete ao cair no chão. Enfiei-me atrás do palco e abri as cortinas. Eu mal podia ver o rosto de Ellie, mas sentia seu perfume – picante, com um toque de alfazema. Seu braço tocava o meu suavemente, como se fosse o rabo de um gato. Um enxame de borboletas levantou voo em meu estômago.

Enfiei a mão por dentro do corpo do crocodilo. Ellie fez as duas gêmeas dançarem e brincarem no palco, como duas irmãs fariam. Logo ouvimos risos, gritos e aplausos. Em seguida, Hannah gritou quando o crocodilo bateu seus enormes e afiados dentes de madeira, capturando as bonecas gêmeas pelo pescoço e arrastando-as para longe. Quando dei uma olhada para a plateia, Sara estava com os punhos fechados sobre a boca, mordendo-os.

Foi uma tremenda aventura: fizemos as bonecas gêmeas descerem um rio numa jangada e depois fugirem para o deserto e as escondemos no ninho de um pássaro no alto da mais alta montanha, antes que a Bruxa do Norte as capturasse, prendendo-as dentro de um iglu. Mas, no final, elas conseguiram voltar para casa em segurança, ajudadas pelo príncipe e pelo macaco. Traziam consigo uma cesta com os tesouros mágicos que encontraram em suas viagens: uma flor que nunca murchava e que continha o dom da felicidade eterna; uma pena de águia que dava a seu portador o dom de voar; e uma estalactite de gelo que nunca derretia, e que tinha um brilho mais intenso que o da luz mais brilhante.

Fechamos as cortinas do palco e demos um passo à frente para agradecer ao público, com a mão de Ellie segurando a minha, quente e suada. Tenho certeza de que vi uma lágrima rolar pelo rosto de minha mãe, mas as gêmeas correram até nós, pegando a pena de pombo, a flor – um presente da floreira da janela de minha mãe – e a estalactite feita com um lenço.

Nos agarramos à mágica daquela tarde como se ela fosse uma joia preciosa, mas não demoraria muito até que nossa pequena alegria fosse estraçalhada.

—

Algum tempo depois a tosse de Paul piorou; agora era uma tosse seca e contínua que cortava os dias e as noites em tiras que causavam em todos nós muito medo. Eu sentia meu próprio peito doer quando escutava a luta de Paul para respirar, dia após dia. Tia Cara tentou encontrar alguma comida mais nutritiva e remédios no mercado negro, mas não conseguiu quase nada. Chegou mesmo a vender seu vestido de casamento para comprar um frasco pequeno de um xarope duvidoso, mas Paul ficava ainda mais magro e pálido, definhando a olhos vistos. Desesperada, tia Cara o levou ao hospital, mas as enfermeiras mandaram que voltasse para casa. Crianças que estavam num estado ainda pior que o de Paul já haviam ocupado todos os leitos, disseram elas.

O único remédio que restava eram nossos fantoches, e Paul pedia a toda hora que encenássemos alguma coisa com o vilão e o bobo da corte. E era o que fazíamos, pequenos espetáculos para Paul e as gêmeas. Às vezes, tia Cara e minha mãe se juntavam a nós por algum tempo.

Certa manhã acordei cedo. Me virei e vi que minha mãe estava sentada na beira da cama. Percebi a tensão em suas costas – estava rígida como um arco pronto a disparar uma flecha. Como se pressentisse que eu acordara, ela se virou em minha direção. Seus olhos estavam vermelhos.

– Mika, Paul... se foi. Morreu durante a noite. Eu não quis acordar você. – Ela desviou os olhos e encostou o rosto nas mãos.

O aniversário de Paul seria na semana seguinte. Não se ouvia nenhum som vindo da cozinha.

– O que está acontecendo, Mika? O que eles estão fazendo conosco? – Permaneci em silêncio. Não havia nada que eu pudesse dizer. Queria ver Ellie, reconfortá-la, segurar-lhe a mão, e, ao mesmo tempo, sentia medo de fazer isso. Ela provavelmente estivera com Paul, a seu lado, durante toda aquela última noite. Eles dormiam em colchonetes, um ao lado do outro. Seu irmão menor, a quem ela queria tão bem. Eu não queria pensar nele da mesma maneira que pensava nos muitos cadáveres que via nas ruas do gueto. Aquele era Paul, nosso Paul.

Acho que ele sabia que estava morrendo. Mais ou menos uma semana antes, depois de mais um espetáculo de fantoches, Ellie foi até a oficina para guardá-los e, por um breve momento, eu e ele ficamos a sós.

– Você tem um dom, Mika. Você precisa mostrar isso a todas as crianças do gueto. Quando eu morrer, espero que possa me juntar a você, mesmo que apenas como um espírito. Talvez eu possa me transformar num dos fantoches, um dos que fazem parte de seu grupo. Talvez o bobo da corte, ou então o cavaleiro.

– Não seja bobo, Paul. Você está melhorando. Quando estiver mais forte vai poder me ajudar também, manipulando alguns dos outros fantoches. Agora você precisa descansar um pouco. Acho que o deixamos exausto. – Essa foi nossa última conversa a sós.

Nos dias que seguiram, a vida em nossa casa ficou em suspenso. Ficávamos juntos na cozinha como se fôssemos gado em meio a uma névoa espessa, assustados demais para dar mais um passo. Todos estavam presos em seu próprio mundo. No final, não encontrei palavra para dizer a Ellie, e simplesmente a abracei. Ela deixou que eu o fizesse. Também abracei Tia Cara, tão rígida que não se moveu um milímetro – se eu abraçasse uma árvore, talvez ela fosse mais macia. Quando voltamos do funeral com o rabino, todos se reuniram ao redor da mesa da cozinha. Ellie puxou minha manga e sussurrou:

– Vamos buscar os fantoches. Paul não iria querer que ficássemos sentados chorando em cima de nosso chá. Vamos encenar a apresentação de que ele mais gostava.

E assim, naquele momento, ali mesmo em nossa cozinha, apresentamos uma encenação tola em homenagem a Paul. Não contei a Ellie sobre a conversa que tivera com Paul, mas eu mal fui capaz de manipular o bobo da corte. Ele queria estar em evidência em todas as cenas, do começo ao fim, para resgatar e beijar a princesa, lutar contra o mago malvado. E, ao final, ele se curvou cinco vezes diante da nossa pequena plateia.

Ellie mudou depois da morte de Paul. A garota tagarela e segura de si desapareceu. Em vez disso, ela passava o dia inteiro sentada em nossa única poltrona, da qual se apossara como se fosse sua nova casa, e debruçava-se sobre seus livros, em particular *As Mil e Uma Noites*, lendo todos os mil e um contos, um por um. Mal conversava com quem quer que fosse. Somente quando eu conseguia convencê-la a se juntar a mim e aos fantoches, escondida atrás do palco, é que Ellie voltava à vida.

E assim continuamos: os fantoches eram nossos companheiros, e, embora fossem nossas mãos que os animassem, eles também tinham sua própria vida – e ficávamos maravilhados com alguns fragmentos de sabedoria que saíam da boca dos bonecos.

A notícia sobre nós rapidamente se espalhou, e os vizinhos não demoraram a nos procurar e pedir que nos apresentássemos em aniversários, *bar mitzvás* e qualquer outra ocasião especial que pudessem imaginar. Acho que Ellie continuou a fazer aquilo por causa de seu irmão. No momento em que ficava sabendo que tínhamos mais um pedido, ela fechava o livro que estava lendo e se levantava da cadeira.

– Certo, vamos ensaiar. Precisamos pensar numa nova história. Qual é a ocasião desta vez?

Geralmente voltávamos para casa com pequenos presentes: lápis, lenços ou mesmo algum pão. Mas, quando chegávamos, Ellie sentava-se outra vez em sua poltrona, abria o livro e, como um mergulhador que se joga em águas profundas, desaparecia num lugar onde eu não poderia alcançá-la.

De repente, pessoas de outras partes do gueto começaram a despencar até nosso apartamento. Batiam na enorme porta de entrada e, quando um de nós enfiava a cabeça pela janela, gritavam:

– Queremos falar com o garoto dos fantoches. Precisamos de um espetáculo.

Eu preparava minha voz mais profissional, grave e um pouco rouca. Corria até o térreo e depois os trazia para cima para continuar as negociações. Minha voz adolescente oscilava como uma montanha-russa, alta e clara num dia, rústica e arrastada em outro. Era um instrumento pouco confiável, mas eu me divertia muito deixando que os vilões falassem com meus tons mais graves e malvados, enquanto o bobo da corte usava os tons mais agudos.

Sentávamos à mesa da cozinha e começávamos a negociar os preços: um show de fantoches com pelo menos cinco personagens em troca de meio pão de centeio. Para uma segunda apresentação, pedíamos algo especial: um pouco de manteiga, um ovo ou legumes frescos. Muito poucas pessoas eram capazes de conseguir aquelas coisas, mas nós sempre trazíamos um pouco de pão para casa, e às vezes, apenas às vezes, um pouco mais.

—

Um dia, exatamente quatro semanas depois que Paul morrera, encontrei um bilhete que fora colocado por debaixo da porta de entrada.

Prezado manipulador de fantoches. Ouvimos falar de suas maravilhas e gostaríamos de convidá-lo a apresentar um espetáculo de fantoches para o aniversário de nosso querido filho. Podemos oferecer geleia e um pouco de açúcar como pagamento.

Sinceramente,

Marek Wonderblum

Corri para cima, reuni todos ao redor da mesa da cozinha e fiz o bilhete circular entre eles. Quando chegou às mãos de minha mãe, ela não sorriu.

– Olhe o endereço. Fica no gueto pequeno. Ouvi dizer que é ainda mais pobre e cheio de gente do que a área onde moramos.

Os alemães haviam dividido o gueto em duas partes: a maior delas no noroeste da cidade, e o "gueto pequeno" ao sul. Não queriam perder a Rua Chlodna para nós; assim, construíram uma pequena ponte de madeira entre as duas partes.

– Não sei, Mika. E se for uma armadilha? Por que a pessoa que trouxe o bilhete não bateu na porta? E se for um informante?

Ouvíamos muitas histórias sobre informantes naqueles dias, traidores que vendiam suas almas por um pedaço de pão ou alguns privilégios extras. Sim, precisávamos ter cuidado, mas aquele convite não me parecia ser nada do tipo.

– Mamãe, eles estão prometendo nos pagar com açúcar e geleia. Quando foi a última vez que você sentiu o sabor de alguma coisa doce?

Ela desviou o olhar.

– Preciso ir, mamãe.

– Eu vou também – disse Ellie, levantando-se de sua cadeira.

– Isso está absolutamente fora de questão. Ellie vai ficar aqui – interveio Tia Cara. Algo se endurecera dentro dela desde a morte de Paul. Não acho que ela tenha chegado a chorar por ele; em vez disso, simplesmente andava pelos cômodos como se estivesse vestindo uma velha e pesada armadura. Além disso, ainda não recebêramos nenhuma notícia sobre meu tio. Cara frequentemente caminhava todo o percurso até Pawiak, e era simplesmente mandada de volta para casa.

Ellie não disse nada. Sabia que não podia discutir com a mãe. Voltou a largar o corpo em sua poltrona, pegou o livro pesado e desapareceu em seu mundo de histórias, como se nada mais tivesse importância.

CAPÍTULO 5

Saí cedo de nosso apartamento no dia seguinte. Com o sobretudo de Vovô ao redor dos ombros, coloquei as mãos nas partes mais fundas dos bolsos para sentir a presença reconfortante dos fantoches. Decidi não levar comigo o palco ou muitos acessórios. Dessa vez, o próprio casaco seria o palco.

Superficialmente, parecia que eu era um garoto como qualquer outro, mas, encorajado pelo casaco, eu caminhava a boa velocidade, pronto para minha jornada heroica pelo gueto. Qual maldade seria capaz de penetrar nas defesas de meu casaco mágico?

Avancei pelo gueto, andando rapidamente em direção à Rua Gęsia. Com a mente ocupada por pensamentos em Ellie e nos fantoches, eu não percebi que aquela região se tornara muito pior nos últimos meses. Assim como nosso apartamento, o gueto também estava prestes a explodir. Nunca houve espaço suficiente, mas agora eu passava por famílias inteiras sentadas na calçada, um pedaço de tapete com malas dos dois lados, marcando seu pequeno território como se fossem ilhas. Muitas pessoas, enroladas em farrapos, esmolavam com vozes tímidas, estendendo suas mãos esquálidas. Até mesmo nossos fantoches tinham roupas melhores do que elas. Quanto mais eu me aproximava do "gueto pequeno", mais as coisas pioravam: não apenas havia centenas de pedintes ladeando as ruas, como também cadáveres magros jaziam nas calçadas e sarjetas, cobertos por folhas finas de jornal ou seminus e expostos, muitos deles descalços. Sapatos, assim como pão e roupas quentes, estavam entre os objetos mais preciosos do gueto. Os mortos não precisavam mais de sapatos, mas ninguém deveria entrar descalço no outro mundo. Contei cinco cadáveres enquanto caminhava, dois deles de crianças que talvez não tivessem sequer completado seis anos.

Alcancei a ponte de madeira que conectava o gueto grande e o gueto pequeno. Quando cheguei à metade dela, parei. Era proibido, mas não consegui impedir que meus olhos observassem a cidade que havíamos perdido. Aquele era o único lugar de onde podíamos avistar o que havia além do gueto, até a Rua Chlodna, onde os bondes cheios de poloneses cristãos atravessavam nosso bairro. A Rua Chlodna ficava bem perto dali, mas, ao mesmo tempo, era inalcançável. Acelerei o passo.

—

Quando entrei na Rua Krochmalna, vi um braço fino estendido por baixo de um jornal como se fosse um galho seco. Meu estômago revirou, e eu comecei a correr o mais rápido que pude. O que iria acontecer com todas aquelas pessoas? Será que alguém iria jogar um punhado de terra em sua sepultura, dizer algumas palavras gentis? Ou elas acabariam sendo jogadas num buraco qualquer, junto com vários outros corpos, cobertos com cal e sem que ninguém se lembrasse de seus nomes?

Todas as noites nós víamos as carroças de madeira atravessando o gueto, puxadas por homens magros que recolhiam os corpos e os jogavam nas carroças como se fossem sacos vazios. Durante o dia, os corpos ficavam onde haviam morrido, e as pessoas passavam ao redor ou por cima deles. Apenas mais um obstáculo, mais uma característica irritante da vida do gueto. No que havíamos nos transformado?

Arrepiado até os ossos, apertei ainda mais o casaco ao redor de mim. Multidões se reuniam ao torno de pequenas fogueiras, outros formavam filas longas, esperando receber uma concha de sopa nas cozinhas comunitárias que surgiam por toda a parte. As sopas eram ralas, e ninguém era alimentado adequadamente, mas, por um momento, ou talvez uma hora, a fome inclemente era aplacada, servindo para manter aquele animal selvagem e furioso a distância.

E todas aquelas crianças! Vestidas com trapos sujos, descalças e com os cabelos emaranhados, com uma crosta de sujeira cobrindo seu rosto pequeno, sentavam-se imóveis ao lado dos pais, ou, pior ainda, ficavam abraçadas umas às outras: grupos de almas perdidas com olhos redondos e embaçados. Olhos tão grandes em rostos tão pequenos. Eu não queria olhar mais. Minha mão buscou o príncipe que estava guardado com toda a segurança num dos bolsos do casaco.

O fedor da miséria e do desespero estava por toda a parte: uma mistura de cheiros – repolho, sujeira, esgoto e morte; o cheiro de multidões aprisionadas, amontoadas e sem qualquer possibilidade de escapar.

Ergui o colarinho do casaco e cobri o nariz. De qualquer maneira, o que eu poderia fazer com meu tolo espetáculo de fantoches? Não seria melhor estar numa das cozinhas comunitárias, tentando fazer algo de útil? Tentei passar pelas ruas como um cavalo com tapa-olho, mas, mesmo se eu estivesse vendado, seria impossível ignorar o mau cheiro e os sons: a súplica chorosa dos pedintes, os gemidos baixos daqueles que estavam fracos demais para se levantar, pessoas morrendo bem diante de mim, a voz desesperada de um mascate tentando vender seus últimos tesouros; os pertences de uma vida inteira pelo preço de um pedaço de pão.

Eu estava perto do final da Rua Sliska, próximo da esquina do endereço que estava anotado em meu convite, quando algo pequeno chamou minha atenção: envolvida em panos sujos, ia de porta em porta como um cão nervoso, procurando comida. Aproximei-me da figura, mas, antes que pudesse dizer alguma coisa, ela avançou sobre mim, sibilando e rosnando, depois gritando e agitando aqueles pequenos braços.

– Vá embora, me deixe em paz! – Uma menina pequena olhava para mim com olhos grandes e vidrados, e com a determinação de um lobo. Devia ter uns cinco anos.

– Certo, certo, não precisa se assustar – disse eu, tentando acalmá-la. Fiquei imóvel por um momento, e depois coloquei a mão no bolso esquerdo. Bem devagar, de modo a não assustá-la, provocar outro acesso de gritos ou, pior ainda, uma mordida, retirei a princesa do bolso do sobretudo.

– Oh! – Ela ficou imóvel, as mãos pequeninas cobrindo a boca.

– Olá, menininha. Qual é o seu nome? – falou a Princesa Sahara, com a voz baixa.

– Hannah.

– E o que você está fazendo aqui sozinha, Hannah?

– Oh, só procurando....

– E o que você está procurando, minha querida?

Ela hesitou por um momento, desconfiada.

– Nada.

– Quer que eu a ajude a procurar? Tenho olhos muito bons. Consigo ver o que há dentro das casas e no coração das pessoas.

– Oh, não sei... Talvez.

– Talvez eu consiga encontrar alguém que possa nos ajudar a procurar. – Com a mão direita, peguei o macaco. Por um momento ela olhou, e, em seguida, algo mudou no rosto da menina: indícios bastante sutis de um sorriso.

O macaco saltou sobre o braço dela.

– Também quero ajudar! Onde temos que procurar? O que vamos procurar?

– Meu irmão; eu o perdi. – Agora, as palavras saíam de seus lábios como uma torrente de bolas de gude.

– Como ele é?

– É parecido comigo, mas maior.

– Maior? Maior quanto?

Ela colocou a mão acima da cabeça, erguendo-a o máximo que conseguia.

– E qual é o nome dele?

– Janusz, igual ao do homem com quem eu moro agora.

– E quando você viu o seu irmão pela última vez? – perguntei, curvando-me para ficar da mesma altura dela.

– Não sei. Já faz algum tempo.

– E onde estão sua mãe e seu pai?

Silêncio. O rosto da menina voltou a ficar sério, e ela voltou a se esconder dentro de si mesma. Deixei a princesa tomar sua mão.

– Hannah, você quer vir comigo e assistir a um espetáculo de fantoches? Depois nós podemos ir procurar seu irmão.

A menina não respondeu, mas começou a caminhar a meu lado. Era um começo, e eu já tinha um plano.

– Geralmente uma amiga minha, Ellie, me ajuda. Mas hoje ela não pôde vir. Seria muito bom se alguém me ajudasse um pouco com os fantoches. Você acha que consegue fazer isso? – Olhos enormes outra vez, e depois um leve gesto afirmativo com a cabeça. Dei o macaco e a princesa para Hannah, e ela os guardou cuidadosamente em suas roupas.

Encontrei a casa indicada e toquei a campainha. Rua Sienna, 9. Uma cabeça surgiu à janela acima.

– Viemos para o espetáculo dos fantoches.

A porta se abriu com um clique e nós entramos. Um homem com um sorriso tão enorme e gentil quanto um dia de verão nos cumprimentou. Senti uma dor forte no coração, lembrando-me de meu Tatus. O homem nos levou até uma sala de estar à meia-luz onde estavam dispostas algumas cadeiras, todas viradas na mesma direção, prontas para nosso espetáculo.

Eu me senti um pouco desajeitado sem poder contar com o palco de sempre, mas estendi o casaco sobre duas cadeiras e disse a Hannah para se esconder atrás dele, junto com a princesa e o macaco.

A sala se encheu, e o pai sorridente que enviara o convite sentou-se ao lado de seu filho, o aniversariante de nove anos, que estava bem diante de nós.

Anunciei o espetáculo, depois me agachei, ficando atrás do casaco, e sussurrei a Hannah para que começasse. Ela ergueu a mão e fez a princesa aparecer por cima da beirada do casaco, movendo-a para cima e para baixo como se estivesse passeando num dia bastante alegre. O macaco se juntou a ela, e os dois começaram uma brincadeira de esconde-esconde, acompanhados por gracejos e palavreados infantis. Era inegável que Hannah tinha talento.

Em seguida, com um tinido alto, um de meus efeitos sonoros favoritos – uma tampa de panela que batia no chão –, eu exibi o vilão, que logo capturou a princesa, fazendo com que Hannah gritasse e com que o macaco saltasse de um lado para o outro. Foi um espetáculo bastante tumultuado: em determinado momento, parecia que o príncipe, o médico e o bobo da corte iriam vencer, mas logo o vilão levava a melhor novamente. E, no final, foi o bobo da corte quem resgatou a princesa diante de uma plateia entusiasmada.

Hannah sorriu quando se curvou diante dos aplausos a meu lado, e mais ainda quando o homem me entregou um pequeno saco de açúcar e um pote de geleia de morango.

Saímos da casa e, depois de nos distanciarmos um pouco, desenrolei cuidadosamente o celofane e abri o pote. Um aroma esquecido havia muito tempo veio nos saudar: doce e pungente, um verão feliz inteiro guardado dentro de um pote.

– Vamos, Hannah. Pegue um pouco.

Num instante, ela se transformou novamente na garota tímida que eu conhecera algumas horas antes.

– Está tudo bem, Hannah, você merece, você me ajudou. – Eu sorri para ela e segurei o pote debaixo de seu nariz.

Ela enfiou o dedinho na geleia e o deixou ali por um momento, sem ter certeza de que devia confiar naquela deliciosa substância pegajosa. Seria algum tipo de truque? Talvez não fosse realmente geleia. Quem saberia?

Então ela flexionou o dedo, puxou-o para fora do pote e enfiou-o rapidamente na boca. Não foi capaz de esconder o prazer. O doce era tudo que prometia ser.

Agora, a luz do dia já diminuíra. Não demoraria muito até o horário do toque de recolher.

– Deixe-me levá-la até a sua casa.

– Mas o meu irmão... Você prometeu!

– Podemos procurar por ele no caminho.

Segurei aquela mão pequena na minha – não pesava quase nada, era tão leve e fina quanto a asa de um pássaro – e ela me conduziu rapidamente por entre o labirinto de ruelas até que a rua se abriu diante de um prédio grande, de três andares – uma criatura caiada de branco e benevolente, com muitos olhos e uma boca enorme que servia de entrada.

– Você mora aqui?

Hannah fez que sim com a cabeça.

– Sim, e muitas outras crianças também moram. – Havia um toque de orgulho em sua voz. Ela soltou a minha mão, foi até a varanda e tocou a campainha. Ouvimos o som ecoar pelas profundezas da casa. Passos apressados e, em seguida, a porta foi aberta com força.

– Hannah! Onde você estava? Achamos que havíamos perdido você.

Uma mulher, o rosto corado contrastando com seu uniforme branco engomado, com um par de óculos dourados emoldurando o rosto magro, tomou Hannah nos braços e a ergueu por cima da soleira. Sua alegria ao ver a menina me fez sorrir, e ela a abraçou como se fosse um tesouro perdido havia muito tempo que acabara de ser reencontrado.

Só então ela me notou.

– E quem é você, meu jovem?

– Ele é o moço dos fantoches. – Hannah estava pulando alegremente, os cachos escuros do cabelo balançando. – Eu o ajudei. O nome dele é Mika.

– Que lugar é este? – perguntei.

– É um orfanato, meu querido, e Hannah é um de nossos pequeninos. Gostaria de entrar? Como você trouxe nosso anjo de volta, acho que lhe devemos pelo menos uma xícara de chá.

E foi assim que Margaret, a tutora do orfanato, se apresentou. Não demorou até que houvesse um grupo de crianças de vários tamanhos, bocas e mãozinhas puxando meu casaco, agrupadas ao meu redor.

– Mostre os fantoches! Nós queremos vê-los, por favor – gritavam eles.

Em pé no meio daquela plateia que gritava sem parar, improvisei um espetáculo de mágicas, pois os fantoches já haviam aprendido alguns truques maravilhosos após todo esse tempo. De dentro do labirinto dos bolsos eu puxei uma flor de papel, um pequeno coelho, que fiz com o que sobrou do pelo que encontrei, e o pequeno violino. E, pela primeira vez em muito tempo, cercado por aquele mar de crianças que gritavam e me agarravam, me senti feliz. Hannah ria e ria, e, quando o macaco perseguiu o crocodilo, ela cutucou a criança a seu lado, dizendo:

– Aquele é o meu macaco. Eu interpretei o macaco!

Ao final do espetáculo, as crianças imploraram para que eu as deixasse pegar os fantoches, e eu entreguei um por um. A algazarra se espalhou quando os fantoches foram entregues: enfiados nas mãozinhas, eles pulavam, gritavam, riam e perseguiam uns aos outros, atacando e abraçando, reunindo-se em pequenos grupos e partindo outra vez para encontrar novos companheiros.

Enquanto eu me afastava lentamente do centro daquele espetáculo frenético, percebi um homem mais velho com uma barba branca bem aparada, encostado no canto do salão, sorrindo. Ele se aproximou e estendeu a mão para me cumprimentar.

– Olá, meu garoto, e obrigado, que espetáculo maravilhoso. As crianças aqui têm muito pouco, mas hoje elas conseguiram esquecer todos os seus problemas por algum tempo. Não tenho palavras para agradecê-lo. Qual é o seu nome? – A voz do homem era grave e quente como o som de um violoncelo, e seu sorriso se estendia até quase tocar os olhos.

– Meu nome é Mika. As crianças sempre adoram os fantoches. E quem é o senhor?

– Janusz. Janusz Korczak. É um prazer conhecê-lo, Mika. Já faz alguns anos que eu cuido das crianças, mas o orfanato cresceu demais desde que nos enfiaram no gueto, especialmente nestes últimos meses. Já estamos lotados, mas como podemos recusar abrigo a uma criança que vem bater à nossa porta? Não temos comida suficiente para alimentar todas essas boquinhas.

O sorriso de Janusz se desfez, e eu percebi o quanto ele parecia tenso. Ele balançou a cabeça.

– Mas deixe-me mostrar o lugar, Mika, para que você possa ter uma ideia do que fazemos aqui.

Enquanto as crianças continuavam a brincar com os fantoches, Janusz me conduziu por aquela casa enorme. Tudo parecia estar bastante limpo e ordenado, ainda cheirando a limpeza, mas meu coração ficava mais pesado a cada novo andar: tantas crianças e tão poucas coisas com que brincar. Os quartos estavam cheios de camas simples apertadas umas contra as outras, e os quadros nas paredes eram os únicos indícios da presença de cor. Alguns brinquedos de madeira estavam espalhados por entre a mobília, e havia também um pequeno fogareiro para queimar madeira no meio de cada quarto. Janusz me levou até uma sala de aula: cerca de 50 pequenas carteiras de madeira, todas enfiadas no mesmo espaço amplo.

– Precisamos nos virar com as coisas que temos. As crianças são felizes aqui, mas estão sempre com fome, e está ficando mais difícil a cada dia. Temos mais de 200 pequeninos agora.

Ele tirou os óculos e esfregou os olhos. Parecia estar cansado, desgastado.

– Sabe, Mika... Elas ainda querem aprender. Tenho certeza de que você também quer. São curiosas em relação à vida. Os alemães tiraram tudo o que podiam de nós, mas nós ainda as ensinamos e agimos como se fôssemos uma família, da melhor maneira que conseguimos.

Senti a garganta apertar, e as lágrimas ameaçaram sair pelos meus olhos. Eu admirava aquele homem. Mais tarde ele se tornou muito famoso – Janusz Korczak –, mas, mesmo naquele momento, consegui ver que ele era uma pessoa muito especial. Lentamente voltamos até o saguão de entrada.

De longe, observei o grupo de crianças brincando com os fantoches. Então me dei conta do quanto aquelas crianças eram desesperadamente magras e pálidas. E, embora as crianças e os fantoches animassem uns aos outros por um intervalo curto de tempo, emprestando-se mutuamente cores e alegria, quando comecei a recolher os bonecos a cor e a alegria sumiram, até parecer que eu estava olhando para uma fotografia velha e desbotada. Eu tinha que ir embora.

– Voltarei logo, prometo. – Abracei Hannah, que se agarrou a mim, com as mãozinhas segurando firmemente meu casaco como se fosse um salva-vidas em alto-mar.

– Eu prometo, Hannah.

Depois me desvencilhei cuidadosamente dela e saí para a noite, correndo para voltar a nosso apartamento. Não conseguiria chegar antes do toque de recolher. E se eu fosse apanhado? Cobri-me com o sobretudo, apertando-o ao redor de meu corpo, fingindo que ele poderia me tornar invisível. Mas, naquela noite, eu tive sorte e não encontrei nenhum policial ou soldado no caminho de volta.

Estava ansioso para contar a Ellie o que acontecera, mas, quando cheguei, ela me ignorou completamente, entretida com seu livro. Assim, acabei ficando com minha mãe em nosso quarto, bebendo um chá aguado enquanto lhe contava sobre Janusz e seu orfanato, sobre a tutora Margaret e a superlotação que existia no gueto pequeno.

Ela escutava, soltando um suspiro aqui e ali.

– Estou orgulhosa de você, Mika. Você fez com que eles sentissem alegria por alguns momentos. – Ela desviou os olhos, e eu ouvi um soluço abafado. – Seu pai ficaria muito orgulhoso.

– Orgulhoso de quê? – Uma onda imensa de raiva impotente se ergueu dentro de mim como água fervente. – Fazer alguns truques com fantoches de papel machê enquanto milhares de pessoas morrem de fome? Por que alguém ficaria orgulhoso disso?

Saí do quarto pisando forte e me escondi no canto da oficina. O elogio de minha mãe fizera com que tudo ficasse pior. Tínhamos apenas o suficiente para continuar vivos com as rações extras que ganhávamos com os fantoches, e mesmo assim passávamos o tempo todo famintos. Mas o que dizer de todas as pessoas que eu vi nas ruas naquele dia? E os órfãos? O que é que os meus fantoches idiotas podiam fazer por eles? E Ellie? Qual era o problema com ela? Será que não se importava mais? Joguei o casaco para longe e enterrei a cabeça entre os cotovelos. Sentia saudades de Vovô, e, sim, também sentia saudades de meu pai, uma presença masculina forte que me dispensaria daquela nova responsabilidade que pesava como chumbo em minhas costas e em meu peito. Eu precisava que alguém tomasse as rédeas da situação, ou pelo menos que me dissesse o que fazer.

Deitei-me no chão e olhei para o teto, mantendo os olhos abertos para conter as lágrimas. De repente, um lampejo de cor chamou minha atenção onde o casaco estava amontoado como um animal alvejado. O príncipe. Levantei-me devagar e coloquei a mão por baixo do tecido.

– Então você quer desistir? – A voz bela e prateada do príncipe me assustou.

– Bem, isso não faz nenhuma diferença, não é mesmo? Fantoches como vocês não podem dar comida a todas aquelas crianças ou nos tirar daqui. A única coisa que vocês podem fazer por elas é ajudá-las a esquecer de seus problemas por algum tempo.

– Mas você sabe que isso não é verdade. O que você faz é muito precioso. Não percebeu que elas estavam realmente rindo?

– É verdade, mas para que serve o riso? Não se pode morder uma risada e comê-la, não é mesmo? Talvez nós devêssemos revidar, conseguir algumas armas e atirar em todos eles, nos policiais corruptos e nos soldados. Estamos definhando, dia após dia, e eles simplesmente ficam olhando, não precisam fazer mais nada. E você sabe o que eles fizeram com Vovô. O que importa se eu consigo fazer com que as pessoas se esqueçam disso por algum tempo? Talvez não seja algo tão bom. Talvez fosse melhor se eu dissesse a todo mundo para pegar em armas, seu eu fizesse algo em vez disso.

– Bem, eu nunca disse que você não é capaz de fazer isso.

– O que foi que você disse? – Uma pausa.

– Eu nunca falei que você não poderia dizer às pessoas para lutar. – Ao dizer isso, o príncipe se curvou e parou de falar.

Eu estava em choque. De onde surgira tudo aquilo? Eu já havia ouvido rumores sobre outras pessoas, combatentes rebeldes escondidos nas florestas explodindo trilhos ferroviários, atirando em soldados e informantes. Pessoas que arriscavam suas vidas falsificando documentos, ajudando outras a fugir do gueto e as escondendo nas partes da cidade dominadas pelos arianos, bem na cova dos leões. Havia rumores também de que algumas pessoas no gueto estavam reunindo e escondendo armas para uma luta ainda maior.

Olhei para o príncipe, com seu sorriso inocente, e depois me forcei a voltar a nosso quarto. Deitei na cama mas fiquei acordado, agitado e aterrorizado demais para me permitir dormir. Minha mãe ainda estava com Cara e Ellie na cozinha, e, quando ela veio para a cama, fingi estar dormindo.

– Durma bem, meu príncipe. – A mão dela acariciou meu rosto, leve como uma pena. Minha mãe não fazia ideia do ninho de vespas em que aquele príncipe acabara de mexer. Eu quis colocar meus braços ao redor do pescoço dela e lhe contar tudo, mas não me movi.

As imagens da noite passaram diante de meus olhos como nuvens voando através de um céu tempestuoso. Ali estava eu, escondido, disparando uma pistola e com a mira certeira, policiais e soldados tombando como latas vazias no estande de tiro de um parque de diversões. Aplausos soavam ao redor de mim, trovejando como uma chuva de granizo. Mas, em seguida, enquanto eu me curvava em agradecimento, pelos negros, focinhos e garras me cercavam: os soldados haviam se transformado em ratos gigantes, com as orelhas pequenas e redondas aparecendo por baixo de enormes capacetes de ferro. Subindo as escadas rapidamente, eles derrubavam a porta de nosso apartamento a pontapés, me arrastavam para fora e rasgavam meu casaco em pedaços com suas garras compridas. Em seguida, me espancavam sem piedade, me deixando para morrer no meio da rua de pedras do gueto.

Minha mente devaneou por esses cenários durante toda a noite, herói e vítima, enquanto eu dormia e acordava repetidamente.

Quando a luz sutil e cinzenta da manhã iluminou nosso quarto, eu estava exausto, mas, ao mesmo tempo, transformado. Olhei para minha mãe, que ainda dormia, protegida por um curto espaço de tempo de toda a preocupação e medo.

Havia uma expressão intensa de carinho em seu rosto, e ela parecia bem mais jovem. Ela significava muito para mim, e eu mal lhe dera atenção em todos esses meses; ainda assim, era minha mãe que mantinha tudo funcionando. Era ela quem conseguia colocar uma panela de sopa na mesa todos os dias e deixava nossas roupas tão limpas quanto possível. Ela impedia meu espírito de se embrutecer, de modo que meu coração não ficasse duro e frio como os lagos gelados do Parque Krasinski. Havia bem pouco tempo, nós costumávamos patinar naqueles lagos. Logo atrás do muro estava o Parque Krasinski com seus lagos e outros lugares onde as pessoas podiam se divertir, e todos eles eram inalcançáveis agora.

Minha mãe era gentil, mas também muito corajosa – enfrentara a vida com a coragem de um soldado e com o coração partido depois que meu pai morrera, sem nunca reclamar. E arriscara a vida para honrar o último desejo de meu avô – que eu ficasse com o casaco. Tirei o príncipe do bolso do sobretudo e coloquei o fantoche colorido, com sua capa forrada com pelo de coelho ao lado de seu rosto; queria que aquilo fosse a primeira coisa que ela visse ao acordar.

Naquele mesmo dia, mais tarde, encontrei o príncipe novamente no bolso de meu casaco com um bilhete ao seu redor:

Obrigada, meu querido. Sempre amarei você, meu príncipe.

Depois daquela noite de insônia e visões, tive a noção exata do quanto os fantoches me preenchiam com energia, propósito e até mesmo com momentos de alegria – pepitas de ouro em meio às trevas e ao caos do gueto. Daquele dia em diante, nunca mais saí sem meu casaco e os fantoches, e lentamente um plano começou a crescer dentro de mim como uma semente germinando no escuro – uma semente que sabe instintivamente que algum dia irá romper a terra, expor-se ao sol e crescer até atingir seu tamanho pleno.

Conforme o tempo passava, eu recebia cada vez mais convites para apresentar os shows com os fantoches, e um dia, nove meses depois de meu último passeio com Vovô na Rua Leszno, um bilhete passou por debaixo da porta, enviado pelo mesmo teatro de fantoches onde vi meu primeiro espetáculo. Entrei correndo na cozinha.

– Ellie, eles querem que apresentemos uma de nossas histórias no teatro de fantoches. Não consigo acreditar! É um lugar tão bonito. Eu adoraria se você me ajudasse. – Por um momento esqueci minha timidez costumeira quando estava perto dela. Tomei suas mãos nas minhas e a tirei daquela maldita poltrona. Ela me olhou com aqueles olhos tão bonitos, e eu a abracei.

– Espere, Mika. Do que você está falando?

Respirei fundo e contei a ela sobre o dia que passei com Vovô na Rua Leszno: a cafeteria, o teatro, os fantoches.

– Tudo bem, tudo bem. Vou com você. Tem razão, não posso ficar nesta poltrona para sempre. – Ela sorriu; foi a primeira vez que eu a vi sorrir desde que Paul morrera.

– Vamos lá, então.

Era assim que as coisas funcionavam com Ellie: era sempre tudo ou nada. Se estivesse feliz, brilhava como uma chama, e seu entusiasmo contagiava a todos ao seu redor.

Passamos aquela tarde juntos na oficina. Ellie pegou a princesa, enfiou-lhe a mão por baixo do vestido e com a outra removeu uma pequena coroa que estava na cabeça da boneca. Pegou uma escova em miniatura e a brandiu como se fosse uma espada.

– Por que não encenamos Ali Babá e os Quarenta Ladrões?

Imaginei que essa era uma história do livro grosso que ela vinha lendo.

– Sobre o que é essa história? Acho que não a conheço.

– Bem, é a história de Ali Babá, que é resgatado de quarenta ladrões sanguinários por uma mulher, uma única mulher. Não apenas uma vez, mas várias, até que, no final, todos os ladrões acabam sendo mortos. Um grupo pequeno e despreparado consegue levar a melhor sobre um exército de ladrões. Acho que essa história poderia alegrar um pouco nosso povo. Que tal?

Ela fez o fantoche agitar a escova como se estivesse no meio de um combate. Tive que admitir que parecia uma ideia excelente. Não podíamos criar 40 ladrões com papel machê, apenas alguns poucos fantoches novos – alguns usando uniformes de soldado, incluindo a detestável cruz suástica. Era arriscado, mas, mesmo assim, o que não era arriscado nos dias de hoje?

Naquela noite eu me apresentei como se Vovô estivesse nos assistindo. Tinha muita vontade de vê-lo nas cadeiras da plateia quando saíssemos para agradecer ao público. Meu único conforto era ter Ellie a meu lado, que estava de volta à ativa com os fantoches e nossas apresentações. Todos riram e aplaudiram quando os ladrões foram mortos e despedaçados, e a apresentação foi um enorme sucesso.

Eu visitava o orfanato tanto quanto podia, fazendo pequenas apresentações com os fantoches para as crianças na enfermaria, para um menino ou menina que estivesse fazendo aniversário, ou como forma de entretenimento no final da tarde, sobre a escadaria de mármore. Hannah sempre me ajudava, criando reviravoltas para minhas histórias ou fazendo vozes engraçadas, e, quando eu olhava para ela, independentemente dos horrores que houvesse testemunhado no caminho até o orfanato, ela sempre fazia meu coração se agitar. Havia se tornado uma espécie de irmã para mim.

Também consegui conhecer Janusz um pouco melhor, e, apesar da época terrível que vivíamos, ele sempre conseguia me contar algo animador. Ele adorava música, e frequentemente colocava seus discos para tocar no gramofone. O som enchia a casa.

Certo dia, ele me puxou de lado para uma conversa.

– Mika, você precisa ouvir mais música. Eles podem ter nos trancafiado neste lugar nauseabundo, mas olhe para nós: ainda temos orquestras sinfônicas no gueto, tocando toda essa música incrível, corais, peças teatrais e mesmo um cabaré.

Falei a Janusz sobre a tarde que passara com meu avô na Rua Leszno e o show de fantoches que tanto nos encantou.

– Ah, sim, ouvi falar daquele pequeno teatro. Sabe, Mika, todos esses músicos, atores e cantores ainda são capazes de tocar nossos corações, mesmo em tempos tão difíceis como estes. É algo tão importante quanto pão ou lenha. Sempre penso no que o poeta Leopold Staff dizia: "Mais do que pão, a poesia é necessária em épocas em que não há nenhuma necessidade de ouvi-la". Sei que é difícil lembrar disso quando estamos com fome o tempo todo, mas não podemos nos esquecer do poder da música, e dos seus fantoches.

– Sim, mas não podemos comer música, nem os fantoches. Que utilidade eles têm no meio de tanta adversidade?

Ele olhou para mim com olhos penetrantes, mas colocou gentilmente sua mão quente sobre meu ombro.

– Meu caro rapaz, se pessoas como você não existissem, os alemães já teriam vencido, já teriam nos destruído nos lugares que realmente importam. – Ele apontou para seu peito, seu coração. – Eles já teriam entorpecido nossos corações, assassinado nosso espírito, roubado nossas almas. Seus fantoches trazem uma fagulha e uma luz que nos mantêm vivos. Isso é muito precioso, Mika. É tudo que podemos fazer neste momento.

– Mas, Janusz... – Embora não houvesse ninguém por perto que pudesse ouvir nossa conversa, ainda assim baixei a voz. – Há pessoas lá fora arriscando suas vidas, lutando com armas em vez de fantoches, e que realmente estão fazendo a diferença.

Ele me puxou para perto de si e colocou um dedo sobre meus lábios. Seus olhos se escureceram.

– Sim, meu caro, mas eu não quero que você seja um deles. Preciso de você aqui. Pessoas desaparecem todos os dias. São apanhadas e depois cuspidas nas ruas feito um saco de carne ensanguentada quando a Gestapo termina de interrogá-los. Não quero ouvir nada do tipo em relação a você. Enquanto isso – ele foi até uma pequena escrivaninha e revirou o conteúdo de uma das gavetas –, quero que vá assistir a esse concerto amanhã à tarde. Um amigo querido me deu dois ingressos, mas não posso simplesmente deixar as crianças para trás.

Ele me entregou os ingressos. Estavam devidamente impressos em papel-cartão rosado.

– É um concerto de Mozart. Não sei se você vai gostar disso, mas acho que não há nada mais emocionante que a música de Mozart. É algo muito maior do que tudo isso. – Com um movimento de braço, ele descreveu um grande semicírculo no ar.

– Não, sim, eu gostaria de ir. Muito obrigado. Tem certeza? – Aquele presente me deixou um pouco encabulado.

– Sim, absolutamente. Por que não aproveita e leva sua bela amiga? – Ele piscou para mim.

Eu lhe contei a respeito de Ellie, e, sim, seria parecido com um encontro romântico. Levantei-me rapidamente, vesti o casaco e fui até a porta. Como sempre, tentar me afastar das crianças era como tentar abrir o Mar Vermelho.

Eu mal sabia, quando coloquei os ingressos no bolso, numa fenda pequena dentro do forro, reservada para papéis importantes, que aquela tarde mudaria tudo para mim.

Era 14 de outubro de 1941. Eu não chegaria ao concerto.

CAPÍTULO 6

Aconteceu na Rua Ciepla. Perdido em pensamentos ao imaginar qual seria a melhor maneira de surpreender Ellie, virei uma esquina e logo fiquei paralisado. Dois policiais poloneses e um soldado da Wehrmacht estavam apontando para uma mulher idosa que segurava uma enorme cesta de palha nos braços.

– *Stehenbleiben*! Pare! – A mulher congelou.

– O que há em sua cesta, mulher? – disse um dos policiais em polonês, com um tom de acentuado desprezo.

A cesta parecia estar pesada, e a mulher estava envolvida num casaco escuro que cobria como uma tenda seu corpo magro. O terror estampado em seu rosto – um animal em pânico procurando uma maneira de fugir. Subitamente, ouvi a voz racional e tranquila do médico:

– Mas, cavalheiros, o tempo urge, e tenho certeza de que esta mulher está apenas tentando voltar para casa antes do toque de recolher para preparar o jantar.

Todas as pessoas que estavam ali – os policiais, o soldado, a mulher e até mesmo eu – ficaram imóveis, como se houvessem sido atingidos por um míssil estranho. E todos os olhos estavam no médico, e também em mim.

No dia anterior eu entortara um pedaço de arame para fazer um belo par de óculos, e os colocara na pequena cabeça de fantoche do médico. Os óculos lhe deram um ar tranquilizador de autoridade, e eu o exibi orgulhosamente para Ellie. E ali estava ele agora, conversando educadamente com as pessoas que haviam matado meu avô como se aquilo fosse a coisa mais natural do mundo.

– O que é isso? – esbravejou o soldado. Mas o médico não parecia estar intimidado. Ele não vira meu avô cair, e manteve a postura profissional.

– Permita que eu me apresente. Meu nome é Doutor Shiverwick, e posso curar praticamente qualquer coisa com meus medicamentos. Gostaria de dar uma olhada em minha valise também? – Uma pausa seguiu aquele comentário. Juro que consegui ouvir meu coração batendo, parar por um momento e, em seguida, parar por outro momento. A fisionomia do soldado mudara. Assim como o tempo imprevisível da primavera, a expressão dele se movia e se contorcia em pequenos espasmos, sem saber ao certo o que fazer. Seus olhos eram de um azul cinzento, arregalados pela surpresa, e uma pequena mecha de cabelo loiro, de um tom escuro, saía por debaixo do capacete de metal. Feições suaves: nariz e boca pequenos e uma tez muito pálida, clara como o leite. De repente, em minha mente, aquele rosto assumiu um tom vermelho alarmante. Será que ele me deixaria em pedaços, bem ali e naquele momento? Meus pesadelos com os ratos-soldados devoradores reapareceram bem diante de meus olhos. O suor escorreu por entre minhas omoplatas, e eu senti uma tontura, a mesma que sentiria se estivesse no carrossel do Parque Krasinski. Nunca conseguira ficar naquele brinquedo sem me sentir enjoado por várias horas depois. Achei que poderia desmaiar a qualquer momento.

Em seguida, ouvi um barulho estranho. Quando olhei, a boca do soldado havia se transformado numa espécie de careta, e um som gutural saía de seus lábios. O soldado estava rindo.

Pelo canto do olho, vi a velha aproveitar a ocasião e começar a andar na direção oposta, segurando a cesta com força contra o peito. O médico e eu nos curvamos. Minhas pernas estavam tremendo, e eu me sentia muito fraco e sozinho.

– Venha aqui, garoto, *wie heißt du*? Qual é seu nome? – Os dois policiais poloneses olhavam fixamente para o soldado, e eu fazia o mesmo.

– Mika – respondi. Minha voz estava estranha, aguda e estridente demais.

– Bem, isso é o que eu chamo de surpresa. Tem outros escondidos nas suas mangas? – O soldado apontou para o Dr. Shiverwick, que ainda cobria a minha mão.

– Mais fantoches? Sim. Tenho alguns.

– Bem, é melhor vir comigo, então. Quero ver todo o espetáculo.

– Mas…

Ele me interrompeu e deu um passo em minha direção.

– Nada de "mas". *Komm,* siga-me.

Ele agarrou minha manga e me puxou para acompanhá-lo. Santo Deus! Meu coração estava aos pulos, e o suor escorria em rios pelas minhas costas, apesar do frio do fim da tarde. Seria um truque, algum tipo de piada cruel? Seria essa a minha última caminhada? A mão do soldado segurava meu casaco com força, arrastando-me pela Rua Nowolipie como se eu também fosse um fantoche, uma marionete puxada por cordões invisíveis.

Chegamos ao portão de Nalewki, onde soldados fortemente armados vigiavam o ponto de contenção, formado por portões de ferro encimados por arame farpado. Eu nunca antes fora até ali. Ouvíramos uma boa quantidade de histórias horríveis sobre aquele lugar – soldados que esperavam as crianças do gueto rastejarem de volta pelos buracos do muro depois de terem passado o dia pedindo esmolas no lado ariano, atiravam nelas como se fossem pardais e depois riam, cumprimentando uns aos outros com tapinhas nas costas a cada criança que tombava. Nunca se incomodavam em remover os corpos. As crianças simplesmente jaziam ali, mortas ou feridas, até que os soldados se cansassem de suas brincadeiras. Mais tarde, sob a proteção da noite, seus familiares viriam recolher as crianças nos braços para levá-las para casa – não sem também arriscarem a própria vida. Se fosse encontrado nas ruas após o toque de recolher, os soldados atirariam e o matariam como se você fosse um cão vadio.

– Ele está comigo. – O soldado apontou para mim de maneira casual. Senti que ia desmaiar, e minhas pernas pareciam feitas de gelatina. Passamos pelo portão como se fosse a coisa mais natural de todas.

E então eu estava caminhando dentro do lado ariano, com um soldado alemão a meu lado, tão perto que eu quase podia sentir seu cheiro. Lembrei-me de tudo o que havia ali. Essas eram as ruas de minha infância. Eu crescera a poucos quarteirões dali, e não fazia nem um ano que os alemães cercaram o gueto, embora eu tivesse a impressão de que aquilo já acontecera havia vários anos. As ruas eram muito mais silenciosas, e muito limpas. Onde estavam todas as pessoas? Mas, claro, era assim que as coisas costumavam ser antes do mau cheiro do gueto. Antes que precisássemos abrir caminho por entre a multidão como se atravessássemos águas barrentas; pessoas que empurravam e se arrastavam, riquixás, carroças, cavalos, pessoas tropeçando e caindo umas sobre as outras, tentando não pisotear aqueles que haviam sido deixados para morrer ou os que já estavam mortos, deitados no chão.

Aqui existia um mundo diferente, um mundo do qual eu me esquecera e que se esquecera de nós. Como isso podia acontecer? As pessoas desfilavam num passo tranquilo, vestidas com roupas de que eu mal me lembrava, muito limpas e alinhadas. E o que acontecera com Bolek e Henryk, meus velhos amigos da escola? Será que ainda se sentavam a suas carteiras, entediados, bocejando, fazendo as mesmas brincadeiras de antigamente durante a tarde? Essas pessoas continuavam a levar suas vidas, cuidando de seus interesses, enquanto nós mal conseguíamos sobreviver. Será que meus amigos ainda pensavam em mim? Meu peito doía, eu sentia dificuldade para respirar.

Respingos de cores brotavam por toda a parte: legumes e verduras de todos os tipos ainda estavam à venda ali, exibidos em estantes finamente decoradas, e havia até flores. Tive vontade de agarrar um arranjo e trazer uma flor para casa, para minha mãe, e uma especial para Ellie. Eu me esquecera do carmim, do laranja e do roxo, exceto pelos fantoches e pela flor ocasional que surgia na floreira de minha mãe, diante da janela.

A cor que dominava o gueto era o cinza, em todos os seus múltiplos tons; cinza-fuligem, cinza-chuva, cinza-rato, cinza-osso. Essas eram nossas opções. Cores vivas eram um deleite para os olhos, mas não estavam mais disponíveis para nós, não para judeus como nós. Mais do que as ruas limpas e as pessoas, essas cores que existiam tão perto de nós, logo do outro lado do muro, me causavam dor.

Ah, e aqui eu reconheci a confeitaria onde meu avô e eu costumávamos comprar pão: fôrmas grandes e macias de pães doces assados à perfeição, pontilhados com uvas-passas. Espirais de canela, também. Juro, eu podia sentir o cheiro de pão recém-assado, mas, quando ergui os olhos, a confeitaria continuava abandonada e com as janelas cobertas por tábuas, e a fachada, coberta com tapumes enormes e toscos. Seu proprietário, assim como nós, fora forçado a deixar a loja e se mudar para o gueto. Será que ainda estava vivo? Será que sua profissão o salvara de nossa dolorosa falta de pão? Eu nunca o vi no gueto.

Continuei avançando como se estivesse num sonho estranho, colocando um pé diante do outro. Eu tinha certeza de que acordaria a qualquer momento, emergindo como um mergulhador que sai de águas profundas para tomar ar, inalando o ar fresco e rejuvenescedor. Ainda conseguia ouvir meu coração batendo com força. Subitamente, senti que meu avô caminhava a meu lado. Senti sua presença com a mesma intensidade com que sentia o casaco que envolvia meu corpo. Mantive os olhos fixos no chão, mas tudo estava bem ali: a sensação inegável da terna presença de meu avô. As calçadas pareciam muito diferentes; não havia mendigos nem sujeira, nem corpos quebrados e contorcidos. Apenas os velhos paralelepípedos usados na construção das ruas e calçadas, polidas por séculos de pés que passavam por elas.

Mas havia os sapatos. Meu estômago se contorceu como se fosse um punho. Os sapatos não eram os mesmos. Em vez dos sapatos macios de couro marrom de meu avô, com suas pregas e cadarços escuros, havia botas militares que chegavam à altura dos joelhos, engraxadas até estarem brilhando e negras como uma noite sem lua.

– *Komm schon, Junge* – a voz forte do soldado me arrancou do transe em que eu me encontrava. Meu avô desapareceu. Subitamente, eu me senti mais frio e mais sozinho do que no dia em que atiraram nele.

O soldado me conduziu por uma das esquinas em direção a um prédio enorme. Antigamente era uma escola para meninos, mas, conforme nos aproximamos, eu vi aquela maldita bandeira alemã, com uma suástica negra sobre um fundo branco e vermelho, hasteada no topo do prédio, confiante, como se estivesse plantada ali havia vários anos. Estremeci. Estávamos indo diretamente rumo à boca do leão.

O soldado pressionou levemente sua arma contra minhas costas. Apenas com pressão suficiente para me lembrar de que eu era seu prisioneiro.

– Continue andando e fique quieto. – Ele me obrigou a subir um lance de escadas. Entramos no prédio.

– *Heil Hitler!* – latiu o soldado, com o braço direito estendido firmemente na saudação do *Führer*.

– *Heil Hitler!* – a mesma saudação, embora sem o mesmo ânimo, ecoou por trás de uma grande escrivaninha de madeira.

– *Herr Sturmführer Barke* – disse o soldado ao homem que estava sentado atrás da escrivaninha. – *Dieser junge Mann hier hat Talent*. Este rapaz tem talento. *Ein Puppenspieler,* ele é um manipulador de fantoches. Você sabe que sempre precisamos de mais atrações para o cabaré. Posso trazê-lo para o espetáculo desta noite. E, antes disso, ele pode entreter nossos soldados, que trabalham tão duramente. Que tal uma pequena matinê?

Sturmführer Barke me olhou da cabeça aos pés como se eu fosse um cavalo surrado de circo. Seu quepe preto, adornado com uma caveira de prata e as runas da SS, repousava sobre sua cabeça num ângulo estranho, e meus olhos perceberam o broche com a suástica em seu uniforme. Para variar, ali estava um alemão de olhos verdes em vez de azuis. Ele não sorriu.

– Bem, faça como quiser, mas a responsabilidade é sua. Fique de olho nele e não desperdice mais meu tempo.

– Muito bem, obrigado. *Heil Hitler*. – Com isso, o soldado colocou a mão em meu ombro e me guiou para fora da sala. Ele me fez descer as escadas, mantendo-me firmemente ao alcance de suas mãos, até voltarmos à rua. Pelo menos não estava mais pressionando uma arma contra minhas costas.

Acho que eu devia estar prendendo a respiração durante o tempo inteiro em que estávamos dentro do prédio e continuava a sentir a mesma tontura e falta de ar. Mas isso, como logo percebi, era apenas o começo.

CAPÍTULO 7

Após me exibir diante do *Sturmführer Barke*, o soldado agora me olhava da cabeça aos pés, demorando-se em me examinar.

– Meu nome é Max. Max Meierhauser. Agora, venha comigo, *und keine Faxen*.

Ouvir o nome dele não me deixou menos ansioso – na verdade, foi exatamente o contrário. Não dizem por aí que se deve falar mansamente com um cachorro antes de lhe jogar uma rede sobre a cabeça? O soldado me fez virar uma esquina até chegarmos a um grande prédio de tijolos que fora convertido em quartel.

– Aqui estamos, garoto. – Ele abriu a porta e, com um leve empurrão, me fez entrar.

O barulho e o fedor quase me empurraram de volta – nós realmente havíamos chegado à toca do diabo. Por entre a fumaça espessa consegui perceber que havia mais ou menos cem soldados ali, os ratos de meus devaneios mais sombrios. Aqui eles se misturavam, estirados ao longo de mesas compridas, sem os capacetes de metal sobre suas cabeças e com os casacos jogados descuidadamente sobre os encostos das cadeiras. Muitos jogavam baralho, segurando punhados inteiros nas mãos antes de bater uma carta depois da outra sobre o tampo da mesa com gargalhadas estrondosas. O cheiro de suor e fumaça de cigarro empesteava o ar, vindo de 100 bocas que fumavam, das guimbas espalhadas pelo chão ou que pendiam dos cantos das bocas.

Os soldados gritavam e falavam palavrões, e aquela sala abarrotada cheirava ao suor de vários dias e cerveja. Muita cerveja! Os ratos agarravam seus copos como se fossem o Santo Graal. Muitos engoliam o líquido amarelo escuro num gorgolejar contínuo, sob os aplausos de seus amigos, seguidos por berros que pediam mais.

– *Komm hier, Kleine, mehr Bier.* – Uma garota morena e rechonchuda correu para encher outra jarra imensa com o líquido inebriante. Quando ela colocou a jarra na mesa, o soldado apertou-lhe o traseiro. Era uma das quatro garçonetes que serviam aqueles homens: todas tinham uma grossa camada de maquiagem cobrindo os olhos e bochechas e vestiam menos roupa do que eu jamais vira numa mulher. Fiquei impressionado com aqueles lábios tão vermelhos. Um vermelho de maçã brilhante. Algumas gargalhadas brotaram de várias partes da sala. *Atirar neles ou ser apanhado?* Minha cabeça trabalhava em alta velocidade. *Aqui está a sua chance de dar o troco neles.* Mas, é claro, era eu quem estava preso ali. Tudo que eu podia fazer era tentar manter a cabeça no lugar; uma tarefa difícil, enquanto meu crânio se enchia de um medo frio e pegajoso. Foi então que um dos soldados percebeu nossa presença.

– Ora, ora, quem foi que você encontrou, Max? Não acha que o nariz dele está um pouco pálido?

Um soldado corpulento, com o rosto vermelho, se aproximou de nós, e, antes que eu pudesse virar as costas, apertou meu nariz com seus dedos grossos como salsichas. Ele cheirava a cerveja e cambaleava um pouco enquanto andava.

– Não mais, hã! Está vermelho como um repolho-roxo agora. Ainda existe esperança para você, garoto. – E bateu as palmas nas coxas enquanto ria.

– Deixe-o em paz. – A voz de Max cortou o ar, surpreendentemente ríspida. – Vejam por si mesmos. – Com isso, Max se curvou e se aproximou de minha orelha, sussurrando logo em seguida: – Esta é a sua chance, garoto. Se conseguir fazê-los rir, eu o levo de volta são e salvo. Se você nos entediar, já sabe para onde vai. Se gostarmos de você, haverá um jantar e uma plateia ainda maior esta noite.

E foi assim que, naquela tarde, eu me apresentei para meu inimigo, tentando salvar minha vida. Max me levou até a frente, e eu tentei agitar meus braços e pernas para afastar a sensação de paralisia. Seria isso que os fantoches sentiam quando eu os tirava do casaco? Pedi duas cadeiras, estendi o casaco entre elas e desapareci por trás do palco improvisado. E, novamente, ali estava a presença de Vovô, quente e doce como mel. Seria porque o casaco protetor estava estendido entre mim e a multidão como uma barreira, ou por causa do cheiro familiar e tranquilizador do casaco? Minha mente estava me pregando peças ou era simplesmente meu coração com saudades de Vovô, ansiando para me levar para longe?

Acariciei o tecido sedoso no interior do casaco, como se eu pudesse alcançar Vovô através do tempo, por entre os bolsos que ele projetou de maneira tão cuidadosa. Desejei poder desaparecer num daqueles bolsos, um truque de mágica que deixaria os soldados abismados.

A voz profunda de Max me tirou daquele dilema.

– *Ruhe im Haus! Ruhe! Nun zu ihrer Unterhaltung, Mika, der Puppenspieler*, para entretê-los, Mika, o manipulador de fantoches do gueto.

Lentamente, a sala ficou menos ruidosa. Eu tinha todos os bolsos internos para trabalhar, abarrotados com toda a minha trupe de fantoches, mas não fazia a menor ideia de por onde começar. Enfiei a mão no bolso direito e puxei o primeiro fantoche que encontrei: a princesa.

Coloquei minha mão por dentro dela e fiz a delicada boneca andar de um lado para o outro diante do casaco estendido. Ah, mas ela parecia ser apenas uma garota comum, sua coroa característica desaparecera. A princesa parou, como se houvesse acabado de perceber isso. Ela suspirou e ergueu as pequenas mãos no ar. Preparei a voz mais aguda, fiz com que ela chorasse e baixasse a cabeça sobre o colo. Era arriscado, sem dúvida – aqueles soldados certamente queriam truques e coisas mais empolgantes, e não uma princesa chorona. Mas aqui, preso atrás de meu sobretudo, as coisas ficaram mais claras do que nunca: eram os fantoches que davam as ordens, não eu. Era eu quem os seguia, e não o contrário. Depois que eu escolhia o primeiro, os fantoches decidiam como o restante do espetáculo iria prosseguir. E isso parecia terrível. Prendi a respiração. Será que eles sabiam o que estava em jogo?

De repente, entrando em cena com bastante estardalhaço, o bobo da corte apareceu. Era um fantoche espalhafatoso, que exibia orgulhosamente sua fantasia colorida feita com vários retalhos de tecidos diferentes e um chapéu de feltro verde pontudo, adornado com um pequeno guizo. O bobo da corte se apresentou com alguns saltos e acrobacias ousadas; em seguida, com um gesto confiante e audacioso, curvou-se diante da menina.

– Ora, ora, olá, bela dama, o que aconteceu com você? – Com um movimento rápido e confiante, ele tirou um enorme lenço de detrás da orelha da menina e fez com que ela assoasse o nariz.

– Pronto, pronto, vamos limpar esse seu belo nariz. – Quando fiz um barulho alto e masculino que indicava que o nariz da princesa estava sendo assoado, ouvi os primeiros risos surgirem na plateia. Hannah iria adorar aquele truque do bobo da corte; ele era seu fantoche favorito – talvez por causa de suas roupas coloridas, de seus movimentos bruscos ou porque ele nunca tremia diante de nada nem de ninguém. Eu precisava dele agora mais do que jamais precisara antes.

– E o que é que está fazendo seus olhos lacrimejarem tanto, minha querida?

– Perdi minha coroa e a chave de minha arca de tesouros. Eu sou uma princesa de verdade, mas ninguém acredita em mim.

– Bem, onde você viu a chave pela última vez?

– Eu sempre a deixo pendurada ao redor do pescoço, mas, na manhã de hoje, ela desapareceu! – Mesmo por trás do casaco, eu pude sentir a atenção dos soldados se dispersando.

– Ah, isso deve ter sido obra de Hagazad, o feiticeiro maligno. Deixe-me dar uma olhada. Ele sempre deixa alguma coisa para trás.

Dizendo aquilo, o bobo da corte se colocou no chão como um cachorro. Com ruídos altos, como se estivesse farejando alguma coisa com o nariz, ele foi de um lado do casaco até o outro, e depois cheirou a garota da cabeça aos pés. Ouvi alguns risos.

– Ah, como eu pensava! – O bobo da corte tirou uma pena do cabelo da menina.

– Ele se transformou numa águia e provavelmente levou sua chave até a montanha mais alta. Mas não se desespere; podemos invocar Hagazad em pessoa se agitarmos a pena. – Com isso, o bobo da corte balançou a pena pelo ar e, num passe de mágica, o feiticeiro se materializou ali mesmo, abrindo sua capa negra diante do palco. Até eu fiquei surpreso com aquela voz retumbante.

– Seu verme insolente, como ousa me invocar?

Essa era a primeira vez que eu usava Hagazad. Trabalhara nele durante várias semanas e terminara de confeccionar sua capa no dia anterior. Uma semana depois de ter testemunhado mais um ato de violência despropositada – dessa vez, um soldado que cortava brutalmente a barba de um velho para depois cuspir nele –, eu sabia que precisava de um fantoche em minha trupe que, embora tivesse uma aparência medonha, eu sempre conseguiria derrotar. E foi assim que criei Hagazad, com tudo o que eu desprezava nos ratos: olhos azuis penetrantes, cabelos loiros, rosto pálido e um capacete de metal igual ao que os soldados alemães do exército de ocupação usavam.

Com a entrada de Hagazad, eu finalmente consegui atrair a atenção dos soldados.

– Bem, meu caro Hagazad! Esta bela garota precisa que você lhe devolva algo que, pelo que imaginamos, talvez tenha levado acidentalmente consigo. Você sabe, apenas uma pequena chave. Nada que possa lhe ser útil, de maneira alguma.

A gargalhada alta e ameaçadora de Hagazad me surpreendeu.

– E por que eu faria isso?

– Porque, há muito tempo, você amou uma princesa igual a esta, não é mesmo? Mas ela se apaixonou por outra pessoa, e desde então você passou sua vida inteira buscando vingança, tirando tudo de quem encontra pela frente. Você deve estar cansado disso. Deixe-me livrá-lo desse fardo pesado.

– Silêncio, seu verme, ou quebrarei suas costas. – Hagazad agitou sua capa como se fosse um toureiro diante do touro, mas o bobo da corte não se deixou impressionar.

– Hagazad, eu o desafio para um jogo, e, se você perder, terá que devolver a chave para a princesa.

Houve uma pausa, e então o feiticeiro explodiu numa gargalhada maligna.

– É claro. Por que não? Será divertido devorá-lo vivo e depois cuspir seus pedaços, um a um. Farei um belo colar com seus ossos. Vamos começar!

Como foi o bobo da corte que sugeriu o desafio, ele precisava pensar no jogo que iria propor. Escolheu algo simples, um enigma matemático. Meu avô me ensinara algumas equações bastante complicadas, e álgebra sempre foi fácil para mim. Assim, o bobo da corte desafiou o feiticeiro para uma disputa de álgebra. Eu trazia um pequeno pedaço de lousa no bolso e um pouco de giz também, então o bobo da corte anotou uma longa equação na lousa.

– Aí está, meu caro Hagazad. Se conseguir resolver isso, a chave será sua. E eu também.

Não demorou muito até ficar claro que Hagazad não tinha nenhum talento para a álgebra, e ele lentamente se transformou num bufão ainda mais espalhafatoso que o próprio bobo da corte. Ele batia os pés, bufava, rosnava e girava de um lado para o outro, mas, no fim, o bobo da corte venceu. Soltando um chiado feroz, Hagazad saltou, deu uma pirueta e desapareceu por trás do casaco, sumindo das vistas do público.

O bobo da corte começou a mostrar à princesa alguns passes de mágica e então orgulhosamente lhe apresentou a chave – a chave dourada de meu avô, que eu sempre mantinha guardada em segurança, escondida num pequeno bolso bem perto do coração. O espetáculo terminou com uma dança alegre entre a princesa e o bobo da corte, que foi regiamente recompensado.

Eu me deixei levar totalmente pela apresentação, mas agora a situação precária voltava a tomar conta de mim, e eu senti o suor frio se formar em minha testa. Aplausos – não eram efusivos, mas, ainda assim, eram aplausos. Saí de detrás de meu palco improvisado, curvei-me em agradecimento, tirei o casaco das cadeiras e o coloquei novamente ao redor do corpo.

Max saiu do meio da massa de soldados e se aproximou de mim, dando-me um forte tapa no ombro.

—

– Não foi ruim, garoto. Mas eu espero que você ofereça aos oficiais algo um pouco mais animado, mais ao estilo de Punch e Judy. Você sabe que nós adoramos o teatro de Kasperl.

Eu me lembrava vagamente de uma ocasião em que meu avô me falara sobre os fantoches alemães e Kasperl, o bufão com nariz longo e chapéu pontudo.

– Mas eu preciso voltar para casa – disse.

– Nunca responda para mim, garoto. *Verstanden?* – O rosto de Max ficou sério.

– Sim.

Em seguida, ele me deu um pedaço de pão e um copo de cerveja. – Aqui está, *Milchbube*. Isso aqui vai colocar pelos em seu peito. Beba tudo num gole só! – Ele riu e me deu alguns tapinhas nas costas.

– *Na, mach shon.*

Eu não queria tomar a cerveja, mas um grupo de soldados se reunira como uma multidão empolgada ao redor de um urso de circo, ansiosos para vê-lo fazer alguns truques. Encostei o copo nos lábios e tomei a cerveja de uma só vez. O gosto era amargo, e meu estômago reagiu. Max fez um gesto para uma das mulheres, mandando-lhe encher o copo outra vez.

– Mais um, *mein Bursche*!

– Arfei, mas não tive escolha. Com o segundo copo, minha cabeça começou a girar. Eu só provara cerveja uma vez, quando meu avô permitira que eu tomasse um gole certa noite. Agora, quando a minha fome e o medo impediam que eu erguesse qualquer barreira contra o álcool, ele me subiu direto à cabeça: um balão flutuando na direção do teto, separada do restante de meu corpo. Em seguida, senti a sala começar a rodar, gargalhadas que ecoavam pelo lugar me cercavam, e os rostos dos soldados se mesclaram numa enorme massa indistinta. Fiquei em pé por alguns momentos, mas logo deixei o corpo cair pesadamente numa das cadeiras.

– Ah, você ainda tem um longo caminho pela frente antes de se tornar um bom bebedor de cerveja. *Komm*, os oficiais estão esperando.

Com isso, Max me puxou da cadeira e me levou à sala adjacente. Talvez a cerveja tenha sido minha salvação, mas o resto da noite se transformou numa série de imagens borradas. Lembro-me de terem me forçado a tomar mais cerveja, o que deixou minha camisa úmida e malcheirosa; nuvens de fumaça de cigarro ao redor de mim e os cinco oficiais sentados bem diante de meu palco improvisado, rindo e participando de minhas piadas grosseiras.

Aquele espetáculo de fantoches regado a cerveja foi mais parecido com um campo de batalha do que com uma história. Tudo de que me lembro é que o crocodilo tentava morder todo mundo; o bobo da corte corria de um lado para o outro freneticamente, fazendo acrobacias diante do casaco; Hagazad foi catapultado a uma altura considerável, caindo e se estatelando como um pássaro morto atrás do palco, e tudo aquilo foi acompanhado pelos meus vários efeitos sonoros e pelo riso bêbado dos oficiais. Deve ter sido algo muito bom, pois eles agradeceram pelo show com aplausos entusiasmados.

Lembro-me de, ao sair de detrás do sobretudo, ter pedido a Max que me mostrasse onde ficava o banheiro e de implorar a ele que me levasse para casa. Sentindo muita náusea, fraqueza e tontura, não havia mais nada em mim – com certeza, a pouca inocência que restara desde que os alemães haviam me obrigado a ir para o gueto já desaparecera.

Eles queriam que eu voltasse na semana seguinte para entretê-los novamente depois de todo o trabalho duro que faziam no gueto. A postura e as gargalhadas dos soldados e dos oficiais me causava asco. Eu os vi enfiar armas na barriga das mulheres, cuspir num velho e atirar em pessoas como meu avô sem nenhum motivo. E ali estavam aqueles mesmos monstros, se divertindo sem se importar com nada no mundo, entretidos por mim.

Sim, tive que encenar aquele espetáculo para sobreviver, mas eu não estaria traindo meu próprio povo? Sentia nojo de mim mesmo e dos fantoches, que estavam tão contaminados e implicados naquelas ações quanto eu. O que Vovô acharia de mim agora? E de seus fantoches? Eu não conseguia nem pensar nele. A vergonha tomou conta de meu corpo como um exército de formigas.

Naquela primeira noite fora do quartel, antes de me levar de volta ao gueto, Max me puxou para perto de si e olhou diretamente em meu rosto. Meu estômago se revirou com o hálito dele, uma mistura de cerveja e cigarro.

– Não diga a ninguém onde você esteve, entendeu? Vou buscá-lo novamente na semana que vem, na mesma hora, no *Wache*[3]. Espere por mim e eu o trarei até aqui, entendeu?

Eu não conseguia me mover. Havia esgotado toda a minha energia e coragem. Tudo que restava era uma casca – vazia, suja e

[3] Posto de policiamento. (N.T.)

desbotada. A qualquer momento eu iria desabar. Sentia que não era nada mais que um fantoche sem vida.

– *Verstanden*? – Aquela voz ríspida me atingiu como um raio, fazendo com que eu voltasse a prestar atenção, e, como uma marionete erguida pelos cordões que a sustentam, meu corpo todo ficou rígido e ereto.

– Sim, sim, eu entendi. Daqui a uma semana. Aqui.

– Bom garoto. – Dizendo isso, ele colocou a mão por dentro do uniforme, tirou um bom pedaço de pão de centeio e o colocou em minhas mãos.

– *Komm jetzt*, vou levá-lo de volta.

Enquanto ele me conduzia de volta ao *Wache*, nós não conversamos, e eu mantinha os olhos fixos no calçamento de pedra das ruas de uma Varsóvia perdida para mim. No lado ariano as pedras ainda refletiam a luz da lua, enquanto no gueto elas estavam cobertas por várias camadas de sujeira e miséria.

Chegamos aos portões, e Max trocou algumas palavras com os guardas.

– *Na, komm schon, Junge, los.* – Os guardas abriram o portão e apontaram na direção do gueto com suas armas. Dei alguns passos e atravessei a barreira, sem olhar para trás. Respirei fundo. Como seria possível sentir alívio ao voltar para a prisão? Mesmo assim, foi o que aconteceu naquela noite.

Já era quase meia-noite, muitas horas depois do toque de recolher. Se os soldados me pegassem ali, eles atirariam em mim. Assim, corri de volta para casa. Mais do que com a impressão de que seria morto, eu estava preocupado com minha mãe. Ela estaria desesperada de angústia. E eu tinha razão – no momento em que entrei no apartamento, os punhos dela caíram com força sobre mim. Bem ali, diante do corredor, para que todos ouvissem. Ela devia ter passado a noite inteira esperando por mim, no corredor frio. Eu nunca a vira tão alterada, agredindo-me com toda a sua fúria e soluçando o tempo todo. Recebi os golpes com certa alegria, pois eles serviam para aliviar um pouco o ódio que eu sentia de mim mesmo, mas logo a força dos golpes arrefeceu e ela me puxou para perto de si.

– Pensei que havia perdido você, Mika. Nunca mais faça isso comigo, está ouvindo? Você está com um fedor horrível. Estou sentindo o cheiro de cerveja e cigarros. Onde você estava? Fiquei aqui morrendo de preocupação enquanto você estava enfiado em algum lugar, bebendo?

– Desculpe, mãe. Por favor, não pergunte. Estou bem. Eu trouxe pão.

Ela olhou para o pão em suas mãos com uma mistura de fome e desgosto. Era um pão de boa qualidade, até eu fui capaz de perceber isso, diferente do pão mirrado e murcho que tínhamos no gueto. Ela percebeu instintivamente que eu o conseguira com mais do que apenas meus talentos de manipulador de fantoches.

– Onde você estava, Mika? Por favor, me diga. Eu sou sua mãe! – Os olhos dela penetravam em mim com força, mas sua voz estava mais suave agora. Continuei em silêncio.

Ela colocou o pão numa pequena mesa que estava no corredor. Ele ficou entre nós, uma testemunha vívida e silenciosa. Em seguida, ela simplesmente se retirou para o único cômodo onde poderia ter alguma privacidade, o quarto. E ela tinha que dividir até aquele lugar comigo.

Naquela noite, fiquei na oficina. Abri meu sobretudo no canto do cômodo e me deitei sobre ele, tentando permanecer o mais confortável possível. Sentia o frio me castigar até os ossos, e não consegui dormir enquanto os eventos do dia se desfraldavam diante de meus olhos, sem parar, como um toca-discos que sempre retorna ao início.

Quando a manhã se aproximou, eu provavelmente caí no sono, porque os pesadelos estavam mais vivos do que nunca. Os ratos estavam por toda a parte.

Acordei faminto e, mesmo assim, não comi nada durante todo o dia seguinte. E foi somente no final da semana, quando todas as outras coisas que tínhamos para comer haviam terminado, que minha mãe cortou aquele pão.

Será que eu realmente voltaria para perto daqueles animais, seguindo a ordem do soldado? E que escolha eu tinha? Muitas pessoas no gueto já haviam visto meus espetáculos àquela altura. Mesmo que eu tentasse me esconder, os soldados poderiam me encontrar se quisessem. Eles me matariam assim que pusessem os olhos em mim, ou pelo menos me levariam ao Pawiak. Isso se não levassem também minha mãe, Ellie e Cara. E eu não podia arriscar.

Com Ellie, meu segredo não durou tanto. Na manhã seguinte ao espetáculo que fui forçado a encenar, ela me encurralou.

– O que há com você, Mika? Você está com uma cara horrível.

– Nada. Estou bem. – Não consegui soar convincente nem mesmo a meus próprios ouvidos.

– Você não sabe nem mentir direito. Está com uma aparência horrível, está pálido e com enormes olheiras. E está cheirando mal. Você está diferente, está mudado. Por favor, fale comigo.

– Acorde, olhe ao seu redor. Todos nós estamos mudando, tudo mudou. – Aquelas palavras saltaram de dentro de mim como flechas flamejantes. Fiquei surpreso com minha rispidez. Mesmo assim, eu realmente tinha a intenção de magoá-la. Precisava afastá-la de mim.

Mas Ellie persistiu.

– Vamos lá, Mika. Sou sua amiga. Você não confia em mim? O que está acontecendo?

– Não é questão de confiar ou não, Ellie. Deixe-me em paz. Preciso apenas ficar sozinho.

Dessa vez ela realmente parecia estar magoada.

– Tudo bem, mas nunca mais me peça para ajudá-lo com seus preciosos fantoches. – Ela saiu da sala pisando duro. Fiquei parado ali feito um cachorro que levara um banho de água gelada.

Eu realmente gostava de Ellie. Frequentemente me apanhava olhando para ela, com vontade de puxar o elástico que prendia seus cabelos num rabo de cavalo, de sentir meus dedos deslizarem por eles, imaginando qual seria a verdadeira sensação de um beijo. Qual seria o sabor.

Agora, até nossas aventuras na oficina haviam terminado.

Naquela manhã me dei conta de que Ellie era a primeira garota que eu realmente desejara. Eu a quis com toda a vontade e o desespero de meus 15 anos, bem ali, naquele apartamento abarrotado de gente, naquela manhã tristonha. No meio de toda a miséria do gueto. E eu nunca tinha me sentido tão solitário e tão carente de sua companhia e do conforto que ela me trazia quanto naquele momento. De repente, ouvi uma risada alta e feia dentro de minha cabeça, enquanto uma voz aterrorizante dizia: “Muito bem, garoto. Você mandou aquela vadia embora”.

Era isso que eu havia me tornado, um artista especializado em entreter nazistas, um covarde que via ratos e ouvia vozes. Peguei meu casaco e saí de casa. Passei o dia inteiro andando pelas ruas, sem rumo.

———

Por alguns dias, Ellie e eu não conversamos. Até que, certa noite, ela me encontrou sozinho na cozinha. Eu estava sentado na mesa, olhando fixamente para uma xícara de chá aguado e frio, sem dizer nada. Ela puxou uma cadeira, inclinou-se para a frente e, antes que eu pudesse respirar outra vez, tomou meu rosto nas mãos. Como suas mãos eram delicadas: bonitas, quentes e macias. Naquele momento, eu podia ter colocado todo o meu ser naquelas mãos. Como se as mãos dela tivessem conseguido derreter a camada de gelo que se formara ao meu redor, tudo o que estava guardando dentro de mim começou a transbordar.

– Desculpe, Ellie. Eu tive que me apresentar para eles. Eles me levaram para o outro lado, e eu tive que entretê-los. Ele mandou que eu não contasse a ninguém.

Era a primeira vez que Ellie me via chorar. Ela não tirou as mãos de meu rosto.

– Calma aí. Quem são eles, e quem é ele?

– Os soldados, os oficiais alemães, Max.

– Quem é Max? – Eu não conseguia acreditar no quanto ela era gentil, olhando diretamente para mim, sem medo. Com olhos tão belos.

– Ele me viu na rua... é um soldado alemão. Eu não consegui evitar. Eles estavam abordando uma senhora e o médico interveio.

– O médico?

– Sim, o fantoche. Foi sem pensar. Em seguida aconteceu algo pior, o soldado gostou do que eu tinha feito. Ele me levou para o outro lado, para nosso antigo bairro, para um dos quartéis dos alemães. Você devia ver como as coisas são do outro lado. Tudo é tão normal. As ruas são vazias e limpas, como se eles as encerassem todos os dias.

Ellie colocou o braço ao redor de meu ombro. Seu abraço era como uma ponte entre meu segredo solitário e sua presença gentil.

– Tive que fazer dois shows para eles, e agora terei que voltar lá outra vez. Havia muitos deles ali, Ellie, até oficiais da SS. E eles me obrigaram a engolir toda aquela cerveja.

Por alguns minutos ela simplesmente ficou sentada ali, ouvindo tudo enquanto eu absorvia sua gentileza. E acho que foi exatamente naquele momento e naquele lugar, naquela mesma noite, de maneira lenta e inexorável, que acabei me apaixonando por ela.

– Deve ter sido horrível. Você teve muita coragem, Mika. Por favor, não seja tão duro consigo mesmo. Isso me faz lembrar do que você me falou sobre seu avô, quando ele tentou defender aquela jovem mulher. Ele não teve a mesma sorte que você. Você ainda está vivo.

Eu não sabia o que dizer. Será que eu realmente poderia me comparar a Vovô? Mas as palavras gentis de Ellie conseguiram me fazer parar de chorar.

– Você vai me ajudar de novo na oficina, então? Não acha que eu sou um maldito traidor?

– Não seja bobo. Não havia nada que você pudesse fazer. E, sim, vamos pensar num novo espetáculo. Por falar nisso, quero lhe mostrar uma coisa.

E foi ali mesmo, sob a luz fraca da oficina, que Ellie me mostrou como conseguira montar dois fantoches simples usando coisas que encontrara no apartamento e nas ruas: alguns pedaços de madeira, a tampinha de uma garrafa, pedaços de arame e retalhos de tecido. Dois novos fantoches me cumprimentaram.

Com a aproximação da semana seguinte, senti meu coração afundar no peito. Eu detestava aqueles soldados e oficiais com uma intensidade tão grande que não me dera conta antes. Ser o responsável por entretê-los fez com que eu detestasse a mim mesmo. Que tipo de espetáculo eu poderia fazer agora? Incluir elementos da vida no gueto e fazer um apelo a seus corações? Eu ri alto ao perceber no que estava pensando. Que corações? Depois de ver tudo que acontecera desde que nos haviam forçado a morar no gueto, eu nunca seria capaz de associar a palavra "alemão" com "coração".

O terror de sua presença diária nos cercava por toda a parte. Como balas disparadas a esmo, a brutalidade dos alemães podia custar nossa vida a qualquer momento, sem qualquer motivo. Num momento, você poderia estar andando pela Leszno ou por qualquer outra rua, e, no momento seguinte, poderia estar morto. E havia também as humilhações diárias: soldados cortando as barbas de nossos idosos e rabinos com tesouras cegas, forçando as pessoas em volta a atirar ovos, chutando e cuspindo nos rostos deles enquanto passavam o tempo inteiro rindo.

Na semana anterior eu vira os soldados obrigarem as pessoas a dançar descalças nas ruas enquanto lhes apontavam armas até elas desabarem de exaustão ou humilhação. Uma mulher que segurava seu bebê nos braços, alguns homens e duas mulheres idosas. No final, eles simplesmente se viraram e atiraram no violinista que fora forçado a acompanhar a dança.

Quando via algo assim, eu ficava abalado por vários dias. Eu estava vagando pela rua quando um garoto de mais ou menos 14 anos virou a esquina que desembocava em nossa rua. Ele mantinha a cabeça baixa para não atrair a atenção, mas eu percebi que ele estava carregando alguma coisa sob seu casaco. Não era óbvio, mas, se você tiver alguma noção sobre casacos, como eu tenho, e as coisas que eles são capazes de esconder, é possível notar.

Dois soldados se aproximaram pelo lado oposto. O mais alto interpelou o garoto, erguendo-se sobre ele como uma sombra maligna. Os soldados alemães eram treinados para perceber qualquer atitude suspeita.

– *Aufmachen*, abra isso aí, *was hast du da untem Mantel?!* – vociferou o soldado.

O garoto ergueu os olhos, pálido como a lua. Lentamente, ele abriu o casaco, um botão após o outro. O soldado deu um passo à frente, agarrou o casaco e o abriu bruscamente com um puxão. Três botões rolaram pela rua.

E ali estavam eles: dois belos e redondos pães. O soldado pegou o pão e o jogou no chão, pisoteando a carga preciosa com as botas pesadas até fazê-la em pedaços.

– *Aufheben*, recolha isso aí – gritou o soldado.

– Por favor. O pão é para minha mãe. Ela está doente – suplicou o garoto, com a voz baixa e fina. Lentamente, ele pegou alguns fragmentos grandes do que, havia poucos instantes, eram pães perfeitos.

– Abra a boca.

O garoto hesitou.

– Abra essa boca maldita.

A boca do garoto tremeu, mas ele lentamente a abriu.

O soldado pegou mais alguns dos maiores pedaços do pão e os enfiou violentamente na boca do garoto, um após o outro.

– Aí está. Coma, agora.

O garoto tossiu e se contorceu, e seu rosto ficou vermelho. Percebi que ele estava lutando para respirar, engasgado com o pão. Fiquei preocupado com a possibilidade de o soldado não parar. Mas ele soltou uma risada cruel, jogou os últimos pedaços de pão no garoto e se afastou. O garoto ficou imóvel por alguns momentos, e, em seguida, agachou-se para pegar os últimos pedaços de pão da calçada antes de sair correndo. Desejei poder intervir, mas os fantoches e eu permanecemos em silêncio. Talvez não tivéssemos tanta sorte dessa vez.

E esses não eram nem mesmo os piores incidentes. Ouvi falar sobre outro garoto que foi morto a tiros no ato por contrabandear um único pão. E tantos outros contrabandistas, frequentemente crianças com menos de seis anos de idade, arriscavam suas vidas todos os dias, espremendo-se por entre as fendas e buracos do muro do gueto. Ninguém conseguiria sobreviver no gueto sem aquela bravura toda, e, mesmo assim, muitos haviam sido mortos.

Finalmente, o dia temido chegou, e Max veio me encontrar no *Wache*. Eu estava ali com as mãos enfiadas nos bolsos, apertando os punhos com força quando o vi se aproximar. Talvez ele estivesse por perto quando atiraram em meu avô. Os ratos pareciam todos iguais em seus uniformes. Quanto sangue ele teria nas mãos?

– Então, *Bursche*, espero que tenha alguma novidade. – Ele olhou para mim de cima a baixo. Não consegui identificar sua expressão.

– Sim. – Decidi que diria apenas o mínimo, somente o que fosse absolutamente necessário. O que aquele soldado queria de mim? Não era o bastante roubar nossa cidade e nos trancafiar no gueto? Ainda assim, ali estava eu, sendo separado dos outros para receber tratamento especial. O que ele pediria a seguir? Olhei para ele com uma expressão que provavelmente poderia matar alguém, mas Max não percebeu. Não parecia estar a fim de muita conversa, então não trocamos palavra até chegarmos ao quartel.

Ali, a mesma situação voltou a acontecer: uma apresentação curta para todos os soldados e depois, quando os oficiais e os membros da SS se juntaram a nós, um espetáculo mais longo e mais movimentado ao estilo de Punch e Judy. Depois de se divertirem e me obrigarem a beber cerveja, Max me levou de volta ao *Wache*.

– Você é bom. É engraçado. Aqui, tome. Isto é para você. – Como da outra vez, ele me entregou um belo pedaço de pão. Um sorriso fino cruzou seus lábios.

– Quantos anos você tem, garoto?

– Treze – menti. Não era da conta dele.

– Eu tenho um filho chamado Karl. Ele tem 12. – Por que ele estava me dizendo aquilo? Eu não me importava. Passei rapidamente pelo portão e não olhei para trás.

Aquele era o começo de uma rotina terrível: eu saía de nosso apartamento dizendo que ia fazer uma apresentação com os fantoches em algum lugar do gueto, encontrava-me com Max no *Wache* e atravessava os portões até chegar ao lado ariano. Minha mãe nunca mais perguntou sobre o pão, mas sempre o pegava quando eu lhe entregava o alimento e o envolvia em folhas de jornal para que se mantivesse fresco.

Conforme as semanas e meses passavam, outro incidente feio aconteceu, e sua lembrança me atormentou durante algumas noites, como a picada de uma cobra. Os alemães haviam desenvolvido um passatempo bastante popular: entrar no gueto em suas horas de folga e tirar fotografias para seus álbuns particulares, como retratos durante um passeio por um país estrangeiro. Eu os vi em algumas ocasiões quando eles fotografavam nossas lojas, nosso único bonde ou o mercado miserável ao ar livre. Mas agora havia equipes de filmagem inteiras visitando o gueto, preparando cenários que retratassem a vida gloriosa dos judeus – mais uma mentira suja para enganar o resto do mundo.

Sob a mira de armas de fogo, eles forçavam as pessoas a se sentarem ao redor de mesas cobertas com copos e taças de cristal e jarras cheias de água, fingindo desfrutar alegremente da comida que os alemães serviam. Mas ninguém conseguia comer mais que um ou dois bocados. Quando a filmagem terminava, a comida desaparecia.

Na casa ao lado, eles transformaram um quarto imundo numa escola improvisada. Os ratos haviam proibido todo tipo de educação formal no gueto, mas para aquele filme eles vestiram um grupo de crianças com roupas decentes e lhes disseram: "Finjam que esse é seu professor. Deem a impressão de que são inteligentes e que estão ansiosos por aprender. *Macht schon*. Vocês ganharão pão depois. *Brot*".

Encheram também um hospital com os pacientes de melhor aparência, penduraram quadros nas paredes e mandaram que as enfermeiras cuidassem de todos os que estavam ali com medicamentos e bandagens em abundância. Enquanto o tifo se alastrava pelo gueto e milhares de pessoas morriam por falta de comida e medicamento, os ratos mostravam ao mundo a bela qualidade de vida que os judeus tinham em seu gueto. E talvez o mundo acreditasse neles.

Certo dia, enquanto estava à caça de alguns legumes no mercado, esbarrei num grupo de crianças que formavam uma fila diante das cozinhas comunitárias, vestidas com trapos sujos e magras como gravetos. Em vez de uma calça, um garoto tinha apenas pedaços de tecido amarrados ao redor de suas pernas nuas com um pedaço de barbante. As crianças avançavam pela fila lentamente, arrastando os pés, olhando diretamente para a frente, sem sequer conversar umas com as outras. Aproximei-me daquele grupo miserável e tirei o bobo da corte de meu bolso, estendendo o braço em seguida.

– Ora, ora, olá! Qual é o seu nome? – O garoto se virou e olhou para mim como se eu houvesse lhe dado um tapa. Eu sorri. De outro bolso surgiu o macaco, que não tinha medo de pular por cima das crianças. Logo, conforme a fila avançava vagarosamente, uma pequena multidão se formou ao meu redor, acompanhando atentamente meu pequeno espetáculo. O garoto finalmente sorriu, expondo uma fresta enorme no lugar onde seus dentes da frente deveriam estar. Foi nesse momento que eu os vi chegar: três homens usando terno, gravata e chapéu, trazendo uma câmera grande e um tripé, acompanhados por um soldado.

– Ei, você.

Tentei ignorá-lo, mas sabia que ele estava falando comigo.

– Venha até aqui.

Por um momento eles debateram entre si.

– Vamos dar uma plateia de verdade a esse rapaz. Venha. – Assim como da outra vez, eu sabia que isso era um *Befehl*, um comando, não um pedido.

– *Komm.*

Eles me acompanharam por ruas estreitas. Após algum tempo, ao virar uma esquina, percebi que estava na Rua Leszno.

– Aqui. – Eles apontaram para o pequeno teatro onde eu vira meu primeiro espetáculo de fantoches com Vovô.

– *Jetzt zeig uns mal was.*

Naquela tarde, eles me obrigaram a exibir um espetáculo de fantoches para aquela câmera mentirosa. E, em lugar das crianças magricelas com olhos grandes e embaçados e barrigas inchadas pela fome, escolheram os membros da plateia a dedo para assistir ao alegre show.

– *Lachen! Hier, in die Kamera.* – O cinegrafista me disse para sair de detrás da cortina e sorrir para a câmera, mostrando ao mundo que tínhamos opções gloriosas de entretenimento por trás dos muros do gueto. Voltei para casa como um cão que levara uma surra.

Assim eram os dias de Mika, o menino dos fantoches do gueto, quando ninguém, a não ser Ellie, sabia sobre a minha vida dupla: Mika divertia as crianças e, ao mesmo tempo, alimentava o monstro que devoraria todas elas. Eu não conseguia dormir, e, de manhã, olhava para mim mesmo no espelho com uma sensação de nojo.

Mesmo assim, lentamente, a semente plantada pelas minhas visões de luta contra os ratos cresceu. Não demoraria muito até que as coisas tomassem um rumo diferente.

CAPÍTULO 8

Foi Ellie quem teve a ideia, tarde da noite, quando todos os outros estavam dormindo. Eu vinha fazendo apresentações para os soldados havia meses, mas pelo menos Ellie e eu ainda atuávamos juntos algumas vezes e havíamos acabado de preparar um novo espetáculo de fantoches. Ellie estava sentada numa cadeirinha com o crocodilo pousado sobre a mão. Ela olhou para mim, mas não disse nada. Apesar da luz fraca, eu conseguia ver os olhos dela, cheios de fogo e de algo mais. Quando sua voz ficou mais grave, e ela começou a sussurrar, mesmo que ninguém mais pudesse nos ouvir, comecei a me preocupar.

– Mika, eu pensei numa coisa. Por favor, apenas escute. Não diga nada ainda e espere até eu terminar.

Será que ela iria sugerir que eu me entregasse aos leões para que eles me devorassem ainda vivo?

– Você tem a proteção de um soldado alemão agora; eles o conhecem no *Wache* e sabem que você tem uma trupe inteira de fantoches dentro de seu casaco. Já confiam em você, e não há nada de suspeito sobre você. Você é apenas um garoto judeu inofensivo que os diverte depois do trabalho. – Ela se aproximou ainda mais. – Pense nisso. Você poderia usar essa oportunidade, trazer alguma coisa lá de fora debaixo desse seu casaco fabuloso. Você faz ideia de quantas pessoas arriscam suas vidas todos os dias para contrabandear remédios e comida? Até crianças fazem isso. – Ela falava tão rápido quanto um trem.

– Mas, Ellie... eu fico feliz por apenas conseguir voltar para casa são e salvo. Você tem noção do quanto eles são brutais? Você quer que eu seja morto?

– É claro que não, mas talvez isso seja algo que possamos usar a nosso favor. Não vou conseguir continuar a viver assim, Mika.

– Não existe "nós", Ellie. Sou apenas eu, eu sozinho e os fantoches. Eu e os malditos soldados. É isso. Não há ninguém para me proteger. – Meu coração batia como se eu estivesse lá com os soldados. Ela não fazia a menor ideia da sensação de estar com eles.

– Gostaria de poder ir. De qualquer maneira, todos nós estamos morrendo de fome aqui. Que diferença faz? Uma bala disparada rapidamente ou uma morte longa e penosa, é apenas uma questão de tempo. Todos nós vamos morrer aqui. – Ellie se levantou e começou a andar pela oficina como se fosse uma pantera enjaulada.

– Se eu pudesse, me esconderia do outro lado até que toda essa guerra sangrenta terminasse. E levaria comigo tantas crianças quanto pudesse. – Ela se sentou outra vez e agarrou minhas mãos. As dela estavam quentes e úmidas de suor.

– Sabe, há alguns dias, enquanto você estava fora, eu fui até o hospital infantil. Queria fazer algo de útil; estou ficando louca enfurnada aqui dentro. Mika, foi horrível. Eles não têm nada: nada para comer, quase não têm remédios ou bandagens, até mesmo lençóis são coisa rara. Vi algumas crianças deitadas sobre jornais, e a enfermeira me disse que eles estão tendo que colocar jornal por debaixo das cobertas. Os pequeninos pareciam estar sofrendo demais, olhos fundos nas órbitas e olheiras escuras ao redor. Tudo o que faziam era olhar para mim, deitados em suas camas. E estavam tão magros! E se você pudesse trazer remédios do outro lado? Ou mesmo esconder uma criança e levá-la para fora? Ouvi dizer que há algumas pessoas fazendo isso. Há comida lá fora. As crianças poderiam ficar escondidas.

Os pelos de meu braço se arrepiaram, e a sensação se espalhou pelo resto de meu corpo inteiro. Eu não era nenhum tipo de herói, e mesmo assim preciso admitir que também fiquei empolgado com a ideia. Ellie conseguiu alcançar algo dentro de mim, uma ideia que poderia devolver um pouco do respeito que eu tinha por mim mesmo. Será que isso poderia ser o remédio para minha vergonha, uma possibilidade de transformar minha situação infeliz em oportunidade?

Ainda assim, meu coração palpitante me lembrava de que eu também estava extremamente assustado. Todos nós já ouvimos falar de pessoas jovens que foram levadas à prisão de Pawiak e que apareceram alguns dias depois, mortas e mutiladas, jogadas em algum beco escuro. A idade não era nenhuma garantia de proteção contra a Gestapo, ou contra qualquer outro nazista.

– Você está louca, Ellie. Como vou fazer isso? Max está sempre a meu lado. Ele vem me buscar e me traz de volta. Tudo o que eu tenho é a droga do casaco.

– Mas você é o menino dos fantoches. Eles sabem que você tem um sobretudo cheio de bonecos, não vão revistá-lo. E, se isso acontecer, eles terão que encontrar apenas os fantoches. Pode-se tramar algo com todos esses bolsos. Você sabe, como um mágico. Tudo se resume à distração e ao momento propício.

Distração e momento propício? Ellie realmente era bastante atrevida. E, além disso, tinha razão.

– É perigoso demais, Ellie. Olhe, eu não quero ouvir mais nada a respeito. – Alguma coisa acabou se fechando dentro de mim, e eu tentei mudar de assunto.

– Você tem que vir comigo ao hospital, então. – Eu já deveria saber que Ellie não desistiria tão facilmente. – Lá, você vai ver por si mesmo.

– Já vi o que acontece no orfanato, muito obrigado, e vejo mais miséria do que consigo aguentar todos os dias quando ando pelas ruas. Não é o bastante?

– Não, Mika. Precisamos fazer uma apresentação para eles. As coisas são diferentes no hospital. Muitas crianças morrem todos os dias. São somente crianças. Às vezes há três delas num único leito.

Minha resistência desabou. Ellie venceu, e eu acabei concordando.

E foi assim que, alguns meses depois de minha primeira apresentação no lado ariano, Ellie e eu partimos para o Hospital Infantil Judaico na Rua Sienna. Assim como o orfanato, o hospital tinha três andares e uma enorme escadaria que levava a pavimentos e alas diferentes. As enfermeiras andavam de um lado para o outro feito formigas, como se sua movimentação pudesse esconder a falta de recursos. Ver as enfermeiras vestidas com uniformes imaculadamente brancos e engomados nos ajudou, por um breve momento, a esquecer que aquele hospital ficava bem no meio do gueto – até que o fedor nos atingiu: nenhum uniforme era capaz de mascarar o cheiro das doenças e da morte, de feridas abertas e excrementos humanos.

A enfermeira-chefe, uma figura alta com expressão séria e voz grave, cabelos grisalhos presos num coque, comandava as enfermeiras ao seu redor, fazendo anotações sem parar com um toco de lápis numa prancheta que se projetava num ângulo agudo por baixo de seu seio esquerdo. Ellie se aproximou dela.

– Enfermeira-chefe, talvez a senhora se lembre da visita que fiz a este hospital na semana passada. Eu trouxe meu amigo Mika;

ele é o manipulador de fantoches de quem lhe falei. Viemos para entreter as crianças. – Ellie falava com um tom de voz bastante adulto e eficiente.

A enfermeira-chefe olhou para mim, e um pequeno sorriso se abriu em seu rosto.

– Ah, seja bem-vindo, rapaz.

– Gostaríamos de começar com as crianças mais doentes – prosseguiu Ellie. Outro sorriso se abriu no rosto pálido da mulher.

– Bem, todas elas estão bastante doentes, relativamente; nunca sabemos quais delas conseguirão sobreviver à noite. Mas alguns dos pequeninos nos surpreendem e conseguem resistir durante um bom tempo. Sugiro que comecem pela ala dos tuberculosos. Fica no terceiro andar, à direita. A maioria das crianças daquela ala está no hospital há muito tempo. – Dizendo isso, ela girou sobre os calcanhares para dar atenção a uma enfermeira que estava esperando. A voz da enfermeira-chefe era áspera, e, apesar do sorriso carinhoso, sua autoridade me intimidava.

Nós subimos pela escadaria de mármore. A cada andar meu coração afundava um pouco mais no peito. Será que eu teria condições de testemunhar mais doenças, pobreza e sofrimento? Eu não fazia ideia do quanto aquelas crianças seriam capazes de nos surpreender.

A ala dos tuberculosos tinha cerca de 20 camas apertadas umas contra as outras dentro de um quarto pequeno. Um fogareiro para madeira fora abandonado no meio do cômodo, quase incapaz de gerar qualquer calor. O reboco frouxo nas paredes se esfarelara, deixando pequenos montes de entulho branco no chão; mesmo assim, como se quisessem dizer que a cor e a vida ainda existiam, havia desenhos pendurados por toda a parte: gravuras simples feitas com lápis coloridos retratando jardins, casas, borboletas, animais ou pessoas de mãos dadas; um desenho belo e realista mostrava uma enfermeira curvada sobre uma criança. No fundo do quarto, uma ilustração em particular chamou minha atenção: uma gravura escura e densa, cheia de traços que se entrecruzavam nervosamente, mostrando uma rua do gueto apinhada com personagens indistintos e sem rosto, como se fossem fantasmas. Apenas uma figura se destacava: uma mulher com feições amigáveis que usava um vestido alegre e colorido.

A cama ao lado daquele desenho pertencia a um garoto que descobri ter 15 anos, a mesma idade que eu tinha; mesmo assim, provavelmente ele tinha a metade de meu peso. Suas bochechas estavam murchas e pareciam estar afundadas no rosto, mas ele sorriu quando me aproximei. Ele se apresentou como Kalim.

Assim como a maioria das crianças naquela ala, os olhos de Kalim queimavam, e não era por causa da febre inclemente; aquela chama vinha de algum lugar no fundo de seu ser que ainda estava dolorosamente vivo. Um lugar que se agarrava à vida, apesar de saber que não conseguiria se recuperar.

– Olá, Kalim. Eu sou Mika, e esta aqui é Ellie. Somos manipuladores de fantoches. Este desenho é seu?

Kalim fez que sim com a cabeça.

– É muito bonito. O que você quis mostrar?

– Ah, essa é minha mãe – disse Kalim, ficando animado. – Algum dia eu vou vê-la outra vez. Será que vocês a conhecem? Ela tem cabelos e olhos castanhos, e quase sempre usa esse belo vestido florido. Já faz algum tempo que ela não vem aqui, então estou perguntando aos visitantes se eles a viram. Nós moramos na Rua Leszno, logo em frente à cafeteria. Ela se chama Stefania. Stefania Goldstein.

Não conhecíamos a mãe de Kalim; o gueto nos transformara numa massa uniforme e cinzenta, um rio de águas turvas que escoava pelas ruas sujas, inchando mais a cada dia com os detritos de tantas vidas. Em algum lugar naquele rio flutuava a mãe de Kalim. Talvez estivesse faminta em seu apartamento, ou morta sobre a cama. Talvez tivesse enlouquecido – isso acontecia com frequência cada vez maior. Havia poucos dias uma de nossas vizinhas saíra correndo de sua casa, nua e gritando. Graças a Deus, nenhum dos soldados estava por perto naquele momento, e sua filha conseguiu arrastar a mulher de volta para dentro.

Senti-me miserável, em pé no meio das camas das crianças, mas aquelas que eram capazes de se levantar nos cercaram imediatamente, enquanto as outras gritavam. Todos exigiam que lhes deixássemos ver os fantoches. E aqui estávamos novamente, fazendo um espetáculo após o outro. Assim como aconteceu no orfanato, as crianças ficavam desesperadas para poder brincar com os fantoches em suas próprias mãozinhas, criando suas próprias histórias. Era uma multidão animada que gritava, cheia de empolgação.

Visitamos também outras alas: o ambulatório e a ala designada para o que chamavam de doenças "internas", mas sempre retornávamos para a ala dos tuberculosos.

Era um lugar especial, onde as crianças conheciam umas às outras e onde havia um verdadeiro espírito de camaradagem e apoio mútuo. Era a sua última parada – ninguém conseguia deixar aquela ala.

—

Certa tarde, Kalim nos disse que costumava tocar violino, mas seu instrumento fora trocado por dois pães quando ele ainda vivia com sua mãe e seu irmão na Rua Leszno. Foi aí que eu me lembrei do pequeno violino que estava adormecido nas profundezas do casaco desde aqueles primeiros dias, logo depois que haviam atirado em Vovô. Quando o retirei de dentro do forro, o rosto de Kalim se iluminou, e dentro de poucos minutos aquele pequeno quarto estava preenchido por uma melodia doce e alegre. O garoto tocava o pequeno instrumento com tanta delicadeza e tanta paixão que encantava todos que estavam ao seu redor. Juntei-me a ele com uma pequena flauta, enquanto os outros cantavam e batiam em tambores improvisados. Ellie e algumas das crianças dançaram ao som da música, e, por uma tarde, nós formamos uma bela trupe.

Naquele mesmo dia, Kalim pediu que eu me aproximasse de sua cama.

– Foi muito divertido, Kalim! Você toca muito bem. – Sorri para ele. Kalim ignorou o que eu disse e olhou em meus olhos com firmeza.

– Como eu posso saber se existe alguma coisa depois que morremos?

Aquela pergunta me pegou desprevenido.

– Acho que nós não sabemos verdadeiramente, mas acreditamos. Temos esperança. Rezamos. Embora eu tenha que admitir que não rezo muito.

– Estou com medo, Mika!

– Eu sei. – O que mais eu podia dizer?

– Você e Ellie são como dois anjos estranhos, aparecendo aqui quando ninguém mais se incomoda conosco, com exceção das enfermeiras. Eu sempre me sinto melhor quando vocês estão por aqui.

– Não estou muito certo em relação à parte do anjo, mas isso me lembra um verso do Talmude de que eu gosto: "Cada folha de grama tem seu próprio anjo que se curva sobre ela e sussurra: Cresça, cresça!". Todos nós precisamos uns dos outros, Kalim. Todos nós precisamos de esperança. Eu gosto muito de vir aqui visitar você.

– Você gosta de vir a este lugar?

Ele tentou se sentar na cama, mas parou antes de se erguer completamente. Eu percebi a exaustão em seu rosto.

– Sim, porque todos vocês são muito corajosos. Nunca ouço vocês reclamarem de nada. Se eu estivesse deitado aqui, eu gostaria de ter alguém para me entreter.

Kalim olhou para mim. Pude ver a febre em seus olhos, suas faces ardendo, avermelhadas.

– Eu queria poder crescer e tocar um daqueles enormes violoncelos. – Ele estendeu a mão esquerda, apoiou um instrumento imaginário sobre o ombro e fez um arco invisível deslizar sobre as cordas.

Por um momento, parecia que estava perdido em meio a uma música que ninguém mais era capaz de ouvir.

– E eu adoraria ouvi-lo tocar. Acho melhor você descansar agora, Kalim. A tarde foi bem movimentada. Nós voltaremos em breve.

– Você vai trazer o violino de novo?

– É claro que sim.

Kalim sorriu. Seus olhos se pareciam com duas luas escuras contra a pele pálida, e sua mão quente e seca pousou sobre a minha. Ellie, no canto oposto do quarto, acenou para ele. Ela estava sentada com algumas meninas numa das camas, deixando que o macaco se pendurasse nos ombros da princesa.

Na semana seguinte nós chegamos ao cair da tarde. Entramos na ala e, quando olhei para as camas, senti a perplexidade tomar conta de mim. Kalim encolhera até ficar do tamanho de um menino de uns seis anos. Levei um momento para entender: havia um menino diferente deitado na cama de Kalim, e o desenho na parede desaparecera. Estendi o braço para chamar a atenção de Ellie.

– Onde está Kalim? – Naquele momento, uma das enfermeiras entrou e nos chamou para fora do quarto.

– Kalim não está mais conosco. Ele morreu. Na noite seguinte à sua última visita. Faleceu durante o sono. Mas, naquela noite, ele me pediu que lhe entregasse o desenho dele caso ele não acordasse no dia seguinte. Eu disse a ele: "Não seja bobo!", mas você sabe que essas coisas às vezes são misteriosas, as crianças sabem quando sua hora está chegando.

Todos sentiam muitas saudades de Kalim, e, naquela tarde, nossas apresentações foram enfadonhas, sem nenhum entusiasmo. A cada morte uma chama ardia com mais força dentro de mim, mas, sempre que eu imaginava uma daquelas crianças dentro de meu casaco, bem debaixo dos narizes dos alemães, eu ainda estremecia, afastando a ideia.

CAPÍTULO 9

A rotina cruel continuava: todas as semanas eles me obrigavam a criar novos espetáculos para os oficiais e soldados. E sempre às sextas-feiras, na noite de nosso Shabbat; como se já não houvessem nos atormentado o suficiente, os ratos encontravam um prazer especial em utilizar nosso Shabbat para suas diversões depravadas, transformando a mim e a outros judeus em cúmplices. Eles aumentaram o número de apresentações no cabaré, em meio a mulheres que, cobertas com uma grossa camada de maquiagem e sorrisos forçados, tinham que erguer as pernas diante dos oficiais *Herren*, revelando uma boa quantidade de pele nua e deixando pouco a cargo da imaginação. Era confuso para mim. Eu detestava estar ali, embora, às vezes, meu corpo agisse contra mim. Eu ficava constrangido pelas reações que aconteciam dentro de minha calça, envergonhado pelo fato de uma parte de meu despertar sexual estar acontecendo daquela maneira.

Eu ainda ficava enjoado pela cerveja que eles me obrigavam a engolir e o sobretudo sempre fedia a fumaça, suor e álcool, mas minha mãe me deixou em paz e nunca mais perguntou para onde eu ia. Em vez disso, ela apenas embrulhava o pão e o guardava. Nós só o comíamos quando todo o resto da comida já tivesse acabado. Na manhã seguinte, minha mãe sempre me dava um chá um pouco mais forte e, às vezes, até um pouco de açúcar.

Era constante a sensação de que eu estava cambaleando, confuso e torpe, no meio de uma névoa grossa. Se não fosse por Ellie, eu estaria completamente perdido. Ela me ajudava a criar novos fantoches e pensar em piadas e truques toscos, tentando me fazer rir.

Os ratos esperavam que eu trouxesse novos truques e novos fantoches toda semana, mas Max se tornava mais relaxado, e às vezes era até amigável. Não esbravejava mais comigo, e, depois de cada apresentação, dava palmadinhas em meu ombro com um sincero "*gut gemacht Bürschchen* – muito bem, garoto!". Certa vez, quando dois de seus camaradas tentavam me obrigar a engolir uma terceira cerveja, ele afastou os soldados, me agarrou pelo braço e me levou até o quintal para tomar um pouco de ar fresco.

– Vejo que você não gosta de nossa cerveja. Não se preocupe – disse Max. Ele sorriu, deixando a mão em meu ombro por um momento. Embora eu ainda o odiasse, não consegui evitar sentir um pouco de gratidão também.

Naquela noite, quando me levou de volta ao *Wache*, Max me deu um pedaço de queijo junto com o pão. Fazia tanto tempo que não comíamos queijo que eu mal conseguia lembrar o sabor.

– Está com fome, garoto? – indagou Max. Que pergunta idiota. Enquanto os poloneses do lado ariano mal conseguiam sobreviver com suas rações, as cotas que os alemães davam aos judeus não seriam o bastante nem para satisfazer um gato. Matar-nos de fome sempre foi parte do plano deles. Eu não disse nada.

– Escute aqui. Diga-me do que você precisa, e eu verei o que posso fazer.

Do que eu precisava? Deixe-me pensar: liberdade, comida decente, remédios... Será que ele sentia prazer ao ver minha angústia? Como eu poderia confiar num rato?

– Remédios. – A palavra tombou pelos meus lábios antes que eu pudesse impedir. – Qualquer coisa. Não temos nada no gueto.

Contive-me antes de falar qualquer outra coisa. Pensar na miséria do hospital das crianças me causava náuseas. Max assentiu, mas não comentou.

– Encontro você aqui na semana que vem – murmurou simplesmente. Em seguida, virou-se e voltou a caminhar na direção do quartel, enquanto eu atravessava o portão.

Na próxima vez em que o vi, Max parecia estar tenso e mal conversou comigo – tanto no quartel quanto no momento em que me acompanhou até o *Wache*. Ele colocou o pão em minhas mãos, conforme o combinado, sem dizer palavra e foi embora. Nada de queijo naquele dia. Por alguma razão, senti certo alívio: de qualquer modo, não podia confiar num rato. Mas, quando nos aproximávamos do final da semana, enquanto Ellie e eu ensaiávamos mais uma apresentação na oficina, minha mãe bateu na porta.

– Mika, eu encontrei isto no pão. – Ela ergueu um pequeno frasco marrom, cheio de comprimidos brancos e pequenos. – O que está acontecendo? Onde você conseguiu aquele pão? – Arranquei o frasco das mãos dela.

– Por favor, mãe, não pergunte. Não posso lhe contar.

Fechei a porta.

– Aquele soldado escondeu os comprimidos no pão? – perguntou Ellie.

– Sim. Mas pode ser uma armadilha.

– Pode ser, mas parecem ser remédios de verdade. Aqui diz: "Aspirina". Ellie examinou o frasco, despejando os comprimidos na palma da mão. – Vamos levar isto ao hospital.

Nós ainda visitávamos o hospital infantil todas as semanas, e aqueles comprimidos, embora não representassem nada além de uma gota no oceano, seriam bem recebidos. A enfermeira-chefe confirmou que o medicamento era genuíno e não fez mais perguntas.

Certo dia, Ellie disse que estava sentindo uma dor horrível na perna esquerda. Assim, ela ficou em casa enquanto segui até o hospital. Passei a tarde na ala dos tuberculosos e, quando estava prestes a sair, a enfermeira-chefe se aproximou de mim, puxando-me pelo casaco.

– Venha aqui um momento, por favor, Mika. Quero lhe perguntar uma coisa. – A expressão no rosto da mulher era amistosa, mas eu fiquei alarmado. Ela me levou até seu escritório.

– Sente-se, querido. Temos muita sorte por tê-lo conosco. As crianças estão dizendo coisas maravilhosas a seu respeito. Seus fantoches fazem uma diferença enorme. Na semana passada, Ellie me contou algo, em segredo. Por favor, mantenha a calma e deixe-me concluir, pois eu sei que isso precisa ser mantido em segredo. Juro pela minha vida que continuará sendo.

Contorci-me na cadeira e enfiei as mãos nos bolsos. Sentia que o corpo inteiro formigava.

– Mika, preciso lhe pedir um grande favor. Há uma menininha que acabou de chegar. Ela completou dois anos há pouco tempo e é muito pequena. Foi deixada aqui com um bilhete ao redor do pescoço, com os dizeres "Por favor, perdoe-nos, mas não temos condições de alimentar mais uma. Por favor, cuidem dela. Seu nome é Esther".

Eu sabia o que a enfermeira-chefe iria me dizer, e não queria ouvir aquilo.

– Mika, não há nada de errado com ela, mas Esther está muito magra e eu não creio que conseguirá sobreviver se ficar aqui. Tenho alguns contatos do outro lado. Assim, tudo o que peço a você é que a leve para lá quando atravessar o portão num de seus "passeios" semanais. Leve-a para um lugar seguro. Ellie me disse que os soldados e os oficiais já o conhecem bem agora, e que não suspeitarão de nada. E você sempre usa esse sobretudo enorme. Esther é muito pequena. Podemos fazer os preparativos para que você se encontre com alguém do outro lado e a entregue. Assim ela poderá ser salva, Mika.

Fiquei sentado ali, rígido, entorpecido, não somente pela traição de Ellie, mas também por causa do que a enfermeira-chefe estava me pedindo. Como ela era capaz de fazer isso? Como eu poderia, sendo apenas um garoto, esconder outro ser humano debaixo de meu casaco? Era uma proposta absolutamente ridícula.

– Podemos dar alguma coisa que a faça dormir – prosseguiu a enfermeira-chefe com seu pedido. – Será que você consegue se afastar um pouco do lugar onde faz sua apresentação para respirar um pouco de ar fresco?

Era verdade que, às vezes, eu ia para os fundos do quartel para respirar ar fresco ou para vomitar depois de toda aquela cerveja. Os ratos já estavam acostumados com isso, e geralmente me deixavam em paz. Mas não era sempre que isso acontecia: às vezes eles iam checar o que eu estava fazendo. Aquela mulher pedia simplesmente algo difícil demais para mim: esconder um ser que vivia e respirava, uma garotinha, sob meu casaco enquanto eu marchava com um soldado alemão até o covil do diabo?

– Desculpe, senhora, mas não vou conseguir fazer isso. – Eu tinha a impressão de que minha garganta se fecharia a qualquer minuto, e minha voz parecia estar rouca e distante. – Simplesmente não vou conseguir.

O sorriso da enfermeira-chefe se desfez lentamente, e seu rosto retornou a ser a máscara amistosa, mas reservada, que eu vira antes.

– Tudo bem, mas quero que você venha conhecer a menina assim mesmo. – Ela tomou meu braço e me acompanhou pela enorme escadaria até o primeiro andar. Sentia-me tímido e não ofereci resistência.

Ellie e eu nunca fomos àquela ala. Estava ainda mais abarrotada do que a ala dos tuberculosos, cheia de crianças muito jovens, às vezes duas ou três na mesma cama. E eu senti náuseas ao sentir o cheiro forte de diarreia e vômito que empesteava o lugar. Os gemidos e o choro fizeram meu coração afundar ainda mais dentro do peito. A enfermeira-chefe olhou para o mar de camas e me levou até um pequeno leito que estava no canto.

A menina olhou para mim com olhos verdes enormes. Vestia uma camisola fina, e os cachos ruivos e desgrenhados de seus cabelos davam a impressão de que não eram penteados havia várias semanas. Estava sentada tranquilamente, segurando uma boneca loira e sem roupas. Era muito pequena.

– Esta aqui é Esther – disse a enfermeira-chefe, num tom casual.

– Olá, Esther. É um prazer conhecê-la. Eu sou Mika. – Eu não sabia o que devia dizer àquele ser tão frágil. A menina não respondeu. Havia alguma coisa no olhar dela que me deixava nervoso. Eu tinha certeza de que ela sabia o que estava acontecendo, e foi naquele momento que me dei conta: sim, era algo muito perigoso, mas a menina morreria se eu não a levasse.

– Vou pensar em seu pedido. – Eu me virei para encarar a enfermeira-chefe.

– Obrigada, Mika. – O sorriso dela retornou, como se soubesse que eu já me decidira. A garota estendeu sua boneca esfarrapada para mim. Coloquei a mão no bolso e peguei a princesa. O sorriso de Esther iluminou-lhe todo o rosto.

Naquela noite, Ellie e eu nos sentamos na oficina e começamos a preparar a fuga da menina como se estivéssemos montando um novo e elaborado espetáculo. Mas não antes de eu passar um longo sermão em Ellie, falando sobre segredos revelados, traição, confiança e amizade. Ela simplesmente ficou sentada, ouvindo tudo o que eu dizia, até que me cansei de falar.

– Tudo bem, então, vamos pensar. – Esforcei-me para ter a sensação de que estava no comando das coisas outra vez. – O tempo é crucial. Preciso entregar a garota antes de minha apresentação, antes de usar o casaco como palco.

Eu segurava a princesa numa das mãos e o feiticeiro na outra. Por ora, Hagazad teria que me representar, pois sua capa era a coisa mais parecida com o meu casaco que consegui encontrar.

– Sim. Ou você pode levar uma mala com objetos de cena e um palco feito a mão, para fazer uma surpresa. Assim, você pode ficar com o casaco e sair para os fundos do quartel na primeira oportunidade que tiver – propôs Ellie. Meu Deus, ela era muito esperta. Mesmo assim, eu não estava convencido.

– Mas eu não sei quando conseguirei sair. Quero dizer que... bem, a pessoa que vai receber a menina terá que esperar atrás do quartel, escondida nas sombras. Você tem noção do quanto isso é perigoso? Não vai dar certo, Ellie.

Eu conseguia visualizar toda a situação: a escuridão atrás do prédio, seu acesso à rua por uma viela estreita... a área cheia de soldados, dia e noite. Meu coração disparou só de pensar naquilo.

– E se eles descobrirem? Provavelmente vão atirar em mim, ou me mandar para Pawiak. E o que vai acontecer com a menina?

– Você não pode pensar assim, Mika. – Ellie tentava me reconfortar, mas eu ainda estava irritado com ela por me colocar nessa posição. Eu não era nenhum herói.

De repente, lembrei-me do príncipe e de seu discurso inflamado que me surpreendera certa vez. Coloquei a mão no bolso interno do casaco, do lado esquerdo, e o retirei dali. Ele falou imediatamente:

– E então, qual é seu veredito? Você pode fazer algo importante aqui. Mais do que apenas falar e agitar os fantoches de um lado para outro. Vamos lá, Mika, essa é a sua chance. Aceite-a ou passe o resto da vida envergonhado. – Ellie ficou sentada, em silêncio, atordoada e encantada pela intervenção do fantoche. Tive que admitir que ele tinha razão.

Planejamos executar o plano na semana seguinte. Não havia motivo para esperar mais, pois isso iria apenas prolongar a agonia. Eu levaria uma mala para desviar a atenção do sobretudo, carregá-la com objetos cênicos e cenários pintados como se quisesse fazer uma surpresa para os soldados. Se eu parecesse nervoso, sempre poderia colocar a culpa no novo cenário. Contamos nosso plano à enfermeira-chefe, e depois passamos alguns dias atarefados na oficina com o papel machê, as tintas e as repetições intermináveis do que poderia ocorrer.

Até que o dia chegou. Logo antes de sair, carregando minha mala, Ellie me puxou de volta para a oficina.

– Estou muito orgulhosa de você, Mika. Por favor, tenha cuidado. Eu não conseguiria suportar se algo lhe acontecesse. Mas, no fundo de meu coração, eu sei que você ficará bem. – Dizendo isso, ela segurou meu rosto em suas mãos e me beijou, bem na boca. Inspirei o ar com força. De sabor tão doce, acabou tão rápido. Meu primeiro beijo! Realmente, aquele era o melhor antídoto para o medo gelado que me fizera passar a noite inteira acordado. Durante todo o percurso até o hospital eu rememorei o beijo, várias e várias vezes, afastando quaisquer pensamentos que envolvessem a menininha que eu em breve transportaria debaixo do casaco.

CAPÍTULO 10

– Venha rápido. Aqui dentro. – A enfermeira-chefe me levou para seu pequeno escritório. Seu rosto estava corado, e ela se movia mais rapidamente do que o habitual. Ela colocou diante de mim um prato com uma grossa fatia de pão escuro e um pedaço de queijo; como se fosse uma última refeição. Seu sorriso foi traído pela tensão que eu podia ouvir em sua voz.

– Achei que você deveria se alimentar bem antes de ir, para que não fique bêbado demais e acabe revelando alguma coisa sem querer. – Ela tocou meu ombro com um gesto maternal. A explicação me acalmou um pouco. Esther estava deitada, adormecida, numa maca no canto da sala. Seus cabelos sujos escapavam por debaixo dos lençóis, como se ela fossem algum tipo de animal peludo.

– Ela sabe o que vai acontecer? – perguntei.

– É difícil explicar uma situação como essa a uma menina tão pequena. Mas eu disse a ela, ontem, que ela iria dormir por um período longo e agradável, e, quando acordasse, haveria pessoas muito queridas ao seu redor que cuidariam dela. Mika, ela simplesmente olhou para mim do mesmo jeito que olhou para você naquele dia em que eu os apresentei, e depois fez que sim com a cabeça. Eu acho que ela compreende tudo.

Eu me lembro muito bem daquela tarde no hospital.

– Dei um sedativo a ela. Mas precisamos tomar cuidado: tem que durar o máximo possível, para o caso de alguma coisa dar errado. Ainda assim, não posso dar uma dose muito grande, pois isso acabaria intoxicando o corpinho dela.

Enquanto eu comia, a enfermeira-chefe tirou um aparato estranho de dentro do armário. Ela construíra uma espécie de arreio que poderia ser amarrado ao redor de minha cintura e no qual Esther poderia ser colocada, com o seu corpo firmemente aninhado contra o meu e a cabeça ligeiramente encostada em meu peito.

– Você precisa entregar Esther à pessoa que irá recebê-la assim que puder. Pode ser que ela tenha dificuldade para respirar debaixo de seu sobretudo.

Pronto, agora eu poderia acabar sufocando aquela menininha. O pânico tomou conta de mim como um relâmpago. Sim, às vezes os soldados me davam uma jarra de cerveja antes do show de fantoches. Essa teria que ser a minha desculpa. A razão para sair de lá.

Terminei de comer o pão e o queijo. Eu sabia que aquilo me faria bem, mas não consegui sentir o sabor de nada, como se o medo houvesse entorpecido minhas papilas gustativas.

– Venha, precisamos nos aprontar. – A enfermeira-chefe amarrou o arreio ao redor de mim, e nós prendemos cuidadosamente a menina, que respirava suavemente, na estrutura. Ela pesava muito pouco, era leve e macia como um cãozinho. Abotoei o casaco lentamente. Talvez eu parecesse um pouco maior, mas, com aquele sobretudo enorme, dificilmente levantaria suspeitas.

Andei de um lado para outro no escritório da enfermeira-chefe, praticando um ar natural ao caminhar com a menina atada a meu corpo: conversei, curvei-me e girei sobre os calcanhares sem nenhum problema. Tudo o que eu precisava fazer era me certificar de que ela tinha ar suficiente.

– Obrigada, Mika. Você é um rapaz muito corajoso, e eu sabia que podia confiar em você. Agora vá, está ficando tarde. – Ela me deu um abraço firme, mas eu sabia que era um gesto que vinha do fundo de seu coração.

—

Como de costume, encontrei-me com Max no portão. Cheguei alguns minutos antes do horário, e o guarda me olhou com uma cara estranha – um garoto que aparecia no portão com uma mala e usando um sobretudo grande certamente levantaria suspeitas. Eu nunca ousaria vir até aqui sozinho. Max chegou logo em seguida.

– Para que trouxe essa mala, garoto?

– É uma surpresa. Fiz um palco e alguns adereços.

Max abriu um enorme sorriso.

– Bem, isso é ótimo, porque temos um convidado hoje que veio direto da Alemanha. É um importante *Offizier wird uns mit seiner Präsenz erglücken*!

Não compreendi o que ele dizia, mas consegui entender o suficiente para saber que haveria alguém importante ali. Quis correr de volta para casa, isso era loucura; o lugar estaria apinhado de soldados, membros da SS e policiais.

– Não se preocupe – disse Max. – Você vai se sair muito bem. – Em seguida, sorriu. Se ao menos ele soubesse dos planos que eu tinha para a noite...

Esther respirava de maneira lenta e regular, com a cabeça apoiada docemente contra meu peito, bem em cima do coração. Será que aquela era a sensação de ser pai? Havia ali um sentimento que me preenchia como chá quente. Não, não havia como voltar atrás agora. Esther estava comigo e, do outro lado do muro, havia uma pessoa disposta a arriscar sua vida para esperar por ela e por mim nas sombras.

Senti um aperto no estômago e segurei com força o príncipe que estava em meu bolso, sentindo o pelo macio de sua capa roçar na palma de minha mão. Ele me encorajara, e agora a responsabilidade era minha – eu precisava fazer minha parte, e não apenas esperar pelas coisas horríveis que eles haviam planejado para nós.

Tentei até andar com uma postura mais ereta, respirar profundamente e demonstrar confiança. Deixe que pensem que eu estava preparando um espetáculo em honra ao *Herr Offizier*.

Quando atravessamos para o outro lado, Max começou a puxar conversa. É importante mantê-lo com uma disposição amigável, pensei, mas o esforço para executar aquela parte do plano foi demais para mim e me deixou com dor de cabeça.

– Foi o aniversário de meu filho na segunda-feira. Ele tem quase a sua idade. Seu nome é Karl. Ele quer ser engenheiro quando crescer. – Eu não queria ouvi-lo falar sobre os planos do filho. Não tínhamos o luxo de poder fazer planos; o melhor que podíamos esperar era sobreviver ao gueto e àquela maldita guerra. Será que haveria algum futuro para nós? Nem eu nem Max sabíamos, naquela noite, que algumas semanas depois os aliados bombardeariam sua cidade natal, Nuremberg. Quando isso acontecesse, Karl teria outras coisas em mente, e esqueceria um pouco seu desejo de se tornar engenheiro.

Chegamos ao quartel. Como de costume, estava apinhado de soldados, e o fedor de suor e cerveja, junto com aquelas gargalhadas grosseiras, me atingiu com força. Por entre aquela fumaça densa eu vi que eles haviam construído um pequeno palco para a apresentação daquela noite. E se Esther ainda estivesse comigo quando eu tivesse que me apresentar e eles percebessem a respiração da menina? Mesmo assim, lembrei-me de que, dessa vez, eu tinha um pequeno palco e outros objetos cênicos e poderia me esconder perfeitamente atrás deles. Além disso, todos os fantoches estavam guardados com segurança nos bolsos externos. Assim, eu podia manter o casaco ao redor do corpo e não precisaria abri-lo.

– Ah, aí está nosso pequeno mascote outra vez. Você realmente gosta desse garoto, não é mesmo, Max? – Ignorando os comentários zombeteiros de seu camarada, Max me acompanhou pelo salão principal até uma pequena sala nos fundos.

– Agora que você é um artista de verdade, acho que precisa de uma sala para se preparar. Relaxe um pouco. Alguém virá buscá-lo quando chegar sua vez. Boa sorte. – Ele ficou ali por um segundo, como se quisesse dizer mais alguma coisa. Em seguida, deu meia--volta e saiu.

Preso numa sala onde ninguém estava me forçando a engolir cerveja, o que eu podia fazer? Talvez conseguisse escapulir até a saída dos fundos e, se alguém perguntasse, fingir que eu simplesmente estava tendo uma crise de ansiedade, o que não estaria muito longe da verdade.

Abri a porta e espiei para fora. O banheiro ficava perto de onde eu estava, e não havia ninguém me vigiando. Alguns soldados ainda estavam levando mais cadeiras para o salão principal; a visita daquela noite estava atraindo uma plateia ainda maior que a habitual. Rapidamente, segui na direção da porta dos fundos. Cheguei ao lado de fora, resfolegante. No momento em que olhei para a sombra escura do outro lado do muro, a porta se abriu.

– Quer um cigarro? – Um soldado mais jovem que Max estava falando comigo. Eu não o reconheci.

– Eu vi você aqui na semana passada, você é engraçado. Gosto de seus fantoches. Eu mesmo tinha alguns quando era menino. – O que havia com esses alemães e seu gosto por fantoches? Será que faziam aflorar seu lado sentimental? Lembrei do que meu avô dizia sobre o *Kasperltheater* alemão, a velha tradição de manipulação de fantoches.

– Acho que você vai entrar logo. É melhor se preparar.

Eu não tinha escolha. Estava aterrorizado com a ideia de estar tão perto dos oficiais e ter a menina enfiada debaixo de meu sobretudo – minha doce e preciosa carga –, mas recuei para dentro do quartel, revirei o conteúdo da mala e, por um momento, cheguei até mesmo a pensar na apresentação que faria.

Subitamente, ouvi o estrondo de aplausos. Não consegui resistir e espiei o que estava acontecendo.

Os soldados e os oficiais haviam se colocado de pé, aplaudindo com veemência enquanto entrava um homem num elegante uniforme negro feito sob medida. Ele usava um quepe com a insígnia de caveira da SS e andava a passos largos e rígidos enquanto uma música militar soava nos alto-falantes. Todos se levantam com os braços direitos estendidos numa saudação a Hitler, seguido por três *Heil Hitler!* que ecoavam de um lado para outro, entre o homem e a multidão.

O oficial, que não era particularmente alto e provavelmente já devia ter seus 30 e poucos anos, não tinha um rosto que poderia se destacar no meio de uma multidão. Não tinha nem mesmo olhos azuis, e mesmo assim emanava dele algo que me fez estremecer. Retornei a meu pequeno camarim, tremendo, como se aguardasse minha execução. Eu morreria no meio daquele ninho de nazistas.

Depois do que pareceu ser uma eternidade, alguém bateu à porta.

– Você é o próximo, menino dos fantoches. Cinco minutos.

Lentamente, peguei a mala e saí da sala. Fiquei nos fundos do salão principal, assistindo aos últimos minutos da apresentação que ocorria antes da minha: um homem usando um fraque e uma cartola, que se exibia num número musical. Depois de aplausos moderados, o mestre de cerimônias da noite me apresentou.

– E agora, *meine Herren, unser Liebling*, o menino dos fantoches do gueto. – Meus dentes rangiam, mas forcei minha boca a se abrir num sorriso amplo.

Segurava minha mala com força, e, após alguns aplausos, montei meu novo palco recém-pintado diante dos oficiais, e logo desapareci atrás dele. Decidi fazer um dos espetáculos habituais ao estilo de Punch e Judy. Estava começando a me sentir mais confortável quando, de repente, Esther se mexeu. Meu coração disparou. O que aconteceria se ela acordasse e começasse a chorar? Minha apresentação ficou cada vez mais frenética, e, quanto mais eu deixava os fantoches gritarem e brigarem, mais os soldados riam. Aos poucos, senti que o pequeno corpo de Esther relaxava outra vez, retornando a seu sono induzido.

A apresentação foi um sucesso. Levantei-me de detrás do palco e me curvei para a plateia. Max veio até onde eu estava, empurrou-me até a ponta da primeira fila, pediu uma bebida à garçonete esbelta e colocou uma caneca enorme de cerveja em minha mão.

– *Hier Bursche, fein gemacht,* você foi muito bem. Agora, já pode relaxar. Beba devagar. – Geralmente não era Max quem me obrigava a beber a cerveja, mas, sem saber, ele acabou me dando a desculpa de que eu precisava. Bebi metade da cerveja e, um minuto depois, apertei a barriga, curvei o corpo para a frente e fingi estar prestes a vomitar. O riso dos soldados cresceu atrás de mim enquanto eu corria para fora, mas ninguém me seguiu.

Rápido, agora. Examinei o muro e consegui enxergar: havia uma sombra quase invisível, uma mancha mais escura contra o negrume do muro. Assobiei a melodia discretamente – nosso sinal secreto. A resposta veio quase imediatamente. Movendo-se rápida na direção da parede, consegui perceber uma figura esguia usando um sobretudo – uma mulher alta. Minhas mãos tremiam enquanto eu desabotoava o casaco, lentamente revelando os cabelos desgrenhados de Esther e seu corpo minúsculo. Eu a desafivelei e já tirara uma de suas pernas do arreio quando a porta dos fundos se abriu e uma voz familiar cortou a noite.

– Está tudo bem aí, garoto? Você foi ótimo esta noite. – Era Max.

– Sim, tudo bem, estou só fazendo xixi. Estou passando mal. Não se preocupe, voltarei para dentro em alguns instantes. – Tentei manter a voz firme, mas meu corpo inteiro tremia. Esther se agitou, e eu tive que segurá-la com uma mão. Embora eu estivesse entre a mulher e Max e meu casaco funcionasse como uma espécie de escudo, se Max se aproximasse mais, tudo estaria acabado. Para nós três. Max resmungou alguma coisa e voltou para o interior do prédio.

O resto da noite passou como numa bruma. Quando entreguei Esther para a sombra, ela abriu seus grandes olhos por um breve momento e, ainda sonolenta, olhou para mim. Repentinamente, o lugar que ela ocupava contra meu peito pareceu estar vazio: onde antes havia o calor de seu corpo e sua respiração constante, não senti nada além de um vazio esgotado, como se eu houvesse perdido uma parte de mim mesmo. Acariciei os cabelos da menina com cuidado, fazendo uma despedida silenciosa.

– Obrigada. – A voz da mulher parecia rouca. É incrível como o medo consegue arrancar-nos até a voz... Eu me afastei lentamente, quando então me lembrei de algo. Rapidamente, voltei até o muro e atraí a atenção da mulher pouco antes que ela se mesclasse ainda mais às sombras. Removi um fantoche, uma das meninas gêmeas feitas com o velho avental de minha mãe. Entreguei-o para a mulher.

– Por favor, entregue essa boneca a Esther quando ela acordar.

– Entregarei. Agora, vá embora.

Eu sabia que, no dia seguinte, ela não seria mais Esther. Não teria mais um nome tão judaico. Seria chamada de Margaret, Domenica ou Ania, e seria colocada para dormir numa cama limpa por pais cristãos.

Corri de volta para a saída, abri a porta dos fundos e adentrei outro mundo. A atmosfera estava quente; o lugar, tão cheio de fumaça e barulho que me deixou tonto. O mestre de cerimônias acabara de anunciar uma nova apresentação musical. Eu não queria nada além de poder estar em minha casa, mas um dos soldados do grupo de Max, o corpulento com o rosto avermelhado, se aproximou, tocou minhas costas com certa truculência e enfiou mais uma jarra de cerveja em minha mão.

– Aqui está, garoto, beba tudo. – Pela primeira vez eu a aceitei com alegria, desejando que aquela cerveja tivesse o poder de me ajudar a desaparecer em meio ao nada.

Voltei para casa bem tarde naquela noite. Não me lembro de muita coisa, exceto do fato de que a mala estava muito pesada, como se estivesse cheia de pedras. Será que alguma criança entrara nela sem que eu percebesse, escondendo-se em seu abraço escuro? Ao caminhar com Max a meu lado, eu não conseguia parar de pensar em Esther, na mulher de voz rouca que arriscara a vida e em todas as outras crianças que ainda precisavam ser resgatadas. A imensidão da tarefa me atingiu como uma avalanche. Como poderíamos salvar todas aquelas crianças? Max percebeu que eu me esforçava para carregar a mala.

– Dê essa mala para mim. Eu posso carregá-la.

– Não. – Minha voz estava ríspida. A alça estava cortando minha mão, e a lateral da mala batia contra minhas pernas. Mesmo assim, nós, judeus, não tínhamos muita escolha naqueles dias, e isso era uma das coisas que eu ainda podia recusar. Eu não era capaz de confiar numa demonstração ocasional de gentileza de um alemão, mesmo que ele houvesse nos dado alguns remédios. Mesmo que ele tivesse um filho chamado Karl. Ele ainda podia atirar em mim a qualquer momento, se quisesse.

– Como quiser. – A voz de Max não tinha nenhuma emoção. Só havia cenários de papel machê dentro da mala junto com os fantoches, mas ainda assim ela parecia estar muito pesada, como se toda a dor do gueto estivesse guardada ali dentro.

Ellie estava à minha espera no corredor. Consegui abrir apenas um sorriso minguado antes que minhas pernas cedessem, mas ela me agarrou e me deu o mais forte de todos os abraços.

– Eu sabia que você conseguiria. Mika, você é um herói! – Ela me apertou com muita força. Ela temera por minha vida. O caloroso carinho se espalhou por dentro de mim e, de algum modo, nos braços dela, no meio da noite, encontrei algumas lágrimas. Ficamos sentados juntos até o raiar do dia, envolvidos por meu casaco cheio de bolsos, num abraço do qual nenhum de nós queria sair.

Na próxima vez em que visitei o hospital das crianças, apesar do enorme sorriso no rosto da enfermeira-chefe, eu me sentia horrível. O que era a vida de uma criança quando ainda havia milhares de pequeninos ali, com três deles em cada cama, tremendo sob seus cobertores de jornal?

– Cada vida é importante, Mika. – Ellie tentava me reconfortar. – O que você está fazendo é importante, e eu adoraria fazer o que você faz. – Mesmo assim, eu sentia vontade de trocar de lugar com Ellie. Ela se juntara a um grupo secreto que falsificava documentos para que mais dos nossos pudessem passar para o lado ariano e voltar. Embora Ellie também se oferecesse para fazer a travessia, o grupo sugeriu que o fato de ela mancar poderia atrair atenção indevida, e, se tivesse que se disfarçar rapidamente, sua perna doente poderia colocá-la em perigo. Ela passou vários dias furiosa com aquilo, mas, no final, decidiu continuar com o grupo.

Durante as semanas seguintes, a enfermeira-chefe escolheu cuidadosamente outras crianças para mim: elas precisavam ser pequenas e magras, com menos de três anos de idade, mas não muito fracas. Eu não invejava seu trabalho. Duas semanas depois, levei outra criança para fora do gueto. Dessa vez, um menino chamado David.

– Talvez ele tenha uma chance de sobreviver no lado ariano, com sua pele clara, seus cabelos loiros e olhos verdes – disse a enfermeira-chefe. Eu esperava que sim.

David esperneava debaixo de meu casaco, apesar do sedativo, então eu precisaria entregá-lo antes de minha apresentação. Saí pela porta dos fundos. Ninguém por perto. Assobiei. Com a resposta, me aproximei das sombras, desafivelei os arreios e entreguei o pequeno David. Naquela noite, o menino desapareceu nos braços fortes de um homem. Voltei correndo para dentro do quartel e comecei meu show com os fantoches. Tivera sorte mais uma vez.

Mesmo depois de Esther, David, Abigail, Jeremias, Adam, Zach, Chana, Joshua e alguns outros pequeninos, tirar crianças do gueto nunca foi uma tarefa fácil. Eu ainda acordava no dia em que executaria minha missão como se várias pedras pesadas houvessem sido enfiadas em meu estômago. Na verdade, a cada vez as coisas se tornavam ainda mais difíceis. Até agora eu tivera sorte, mas até quando meu sucesso perduraria?

Certo dia, embora não houvesse nenhuma criança comigo na ocasião, eu sentia particularmente certo receio do momento em que estaria no meio dos ratos. Passara o dia inteiro sentindo náuseas. Algumas das beterrabas que comemos estavam emboloradas, e minha mãe achava que elas haviam me causado dor de estômago. Uma das brincadeiras recorrentes entre os ratos naquele quartel era me embebedar e, em seguida, mandar que eu me apresentasse outra vez, naquele estado lastimável. Naquela noite, logo depois que desci do palco, um dos soldados empurrou um copo gigantesco e cheio de líquido amargo em minhas mãos.

– *Los, mach schon, schnell, runter damit.* Beba tudo – rosnou ele.

– Não posso. Hoje não, por favor – implorei.

Ele bateu com força em minha cabeça e, por um momento, eu perdi o equilíbrio.

– *Lass ihn in Ruhe, Mann!* – Ouvi a voz de Max. – *Komm, gib mir das Glass.*

Max tirou o copo de minha mão e me empurrou por entre a multidão, levando-me para o fundo do salão.

– *Ah, der Judenfreund! Willst ihn mit ins Bett nehmen?* – Um soldado de cara vermelha olhava para Max com expressão jocosa, mas Max se recusou a encará-lo. Ele me levou até o depósito onde eu geralmente esperava pelo horário de fazer minhas apresentações.

– Espere aqui até que eu venha chamá-lo. – Por que ele estava fazendo aquilo? Eu não confiava em Max, mas sentia gratidão por aquele gesto.

Os elogios gentis e o abraço de Ellie foram as únicas coisas que conseguiram fazer com que eu parasse de tremer depois de uma noite como aquela. Mesmo assim, era muito estranho e trágico saber que meu primeiro romance estava misturado a tanto horror. Tanto terror e medo, por minha vida, pela vida de todos nós... Mesmo assim, ali estava meu primeiro amor, bem no meio do gueto.

À noite, um sonho me assolou sem parar, o que resultou num sono bastante tumultuado: eu estava na sombra negra do muro, prestes a entregar uma criança pequena, quando uma mão escura e gelada se aproximou por cima de mim, agarrou a criança e desapareceu na escuridão com um guincho estridente. Tudo o que eu conseguia ouvir eram os gritos da criança e, depois, uma gargalhada; um riso diabólico que fez meu sangue gelar nas veias. Acordei encharcado de suor, desejando que Ellie estivesse a meu lado.

E assim minha vida dupla continuava. Max se tornava mais amistoso e falante a cada visita, contando-me sobre o filho e sua cidade natal, mas eu não mordia a isca, mal escutava o que ele tinha a dizer. Por que eu deveria me importar com a vida dele?

Durante o restante da semana, eu ia ao orfanato, ao hospital, fazia espetáculos para as pessoas enfileiradas diante das portas dos bandejões ou nas esquinas do gueto. Ellie, os fantoches e as crianças impediam que o desespero me dominasse, e eu era grato por isso. Vários meses se passaram em meio a essa frágil rotina. Até que, no auge daquele verão, a sombra maligna que pendia sobreveio com toda a sua força.

CAPÍTULO 11

A última vez em que Max me acompanhou ao quartel foi em julho de 1942. Eu acabara de concluir meu show de fantoches para uma plateia movida a cerveja quando um oficial gordo e de pele muito pálida me agarrou por trás. Os dedos de suas mãos, grossos como salsichas, pressionavam minha pele sob o casaco, fazendo meu corpo dar meia-volta e depois balançar com força diante de seu corpanzil. O uniforme não valorizava suas formas, e o grosso cinturão de couro era a única coisa que impedia sua enorme barriga em forma de barril de estourar as costuras. Quando abriu a boca, o cheiro horrível me fez engasgar.

– *Setz dich*, sente-se aqui comigo, garoto. – A voz era ríspida e agressiva, não deixando dúvida sobre o fato de aquilo ser uma ordem e não um convite. Ele tirou o quepe e o colocou sobre o colo, fazendo com que as runas da SS e a caveira prateada brilhassem em meio à luz mortiça do lugar. Fechando o casaco o máximo que conseguia ao redor do corpo, eu me sentei ao lado de um dos homens da elite de Hitler. Não estava levando uma criança comigo naquela noite, o que foi um golpe de sorte, considerando o que viria a seguir.

– *Hier Bursche*, beba. – Engoli a cerveja, sentindo nojo da massa hedionda do oficial que estava sentado a meu lado.

– Aprecie, meu garoto – sussurrou ele, aproximando-se de mim. Senti ânsias com o cheiro rançoso de seu suor. – Mova-se e eu corto sua garganta. – A voz dele sibilou ao meu ouvido. Fiquei sentado ali, paralisado como se houvesse uma aranha venenosa em meu colo. Por dentro, eu gritava. Ele colocou a mão em minha coxa e lentamente a deslizou na direção de minha virilha enquanto uma nova apresentação, uma mulher que cantava músicas obscenas de cabaré, começou diante de nós. Estava escuro na plateia, e ninguém parecia notar. Eu sentia um forte enjoo, e tudo o que queria fazer era sair correndo, voltar para minha cama e escutar a respiração de minha mãe, ou me deitar em segurança nos braços de Ellie.

O tempo começou a se arrastar, até parar completamente. Quando ele finalmente afastou a mão de mim, eu me senti sujo e envergonhado. Quando voltei a nosso apartamento, embora houvesse desejado estar perto de Ellie, não deixei que ela se aproximasse. Eu não queria chorar e não queria que ela soubesse. Não naquele momento, nem em nenhum outro.

Max estava mais amigável do que jamais estivera naquela noite. No caminho de volta ao *Wache*, percebi uma expressão estranha em seu rosto. Seria aquilo tristeza, constrangimento ou mesmo expressão de dor? Ele parou próximo ao *Wache*, antes que os guardas pudessem nos notar. Me deu um pão de centeio maior que o habitual, um pedaço de queijo e um pote de geleia de morango. Em seguida, olhou-me com aquela expressão estranha. Olhava fixamente para mim, de verdade.

– Mika, eu gostaria de ficar com um de seus fantoches. Quando voltar para casa, quero dá-lo a meu filho e falar a ele sobre você. Ele é um pouco mais novo que você. Dê-me o príncipe, e eu lhe darei outro pão. – Dessa vez, a frase dele parecia ser mais um pedido que uma ordem, sua voz mais suave que de costume. Mas aquilo me deixou gelado. Seu filho poderia morrer, e eu não daria a menor importância a isso. Meu príncipe? Não, o príncipe pertencia a minha mãe e a mim, a nossa família. O príncipe me dava a coragem de que eu precisava. Eu nunca o entregaria.

– Qualquer outro fantoche. Mas não o príncipe – implorei.

O rosto de Max se transformou, como se uma sombra o encobrisse. Uma pausa angustiante se seguiu.

– Dê-me o médico, então. Afinal, tudo isso começou por causa dele. – Sua voz voltava a soar como uma ordem. Então, o médico seria sacrificado. Tirei o médico de dentro do bolso. Seus óculos estavam ligeiramente retorcidos. Eu os removi e apertei a armação de arame para que ela voltasse a ter um belo formato arredondado. Em seguida, entreguei o médico a Max.

Uma estranha sensação de que estávamos nos despedindo se remexeu em minhas entranhas.

– Obrigado. – Max pegou o fantoche e o colocou dentro de seu casaco. O médico, com seu uniforme branco e óculos dourados, desapareceu sem dizer uma só palavra.

– Cuide-se, garoto. Não voltarei mais. Boa sorte. – Ao dizer aquilo, ele girou abruptamente sobre os calcanhares e marchou de volta ao lado ariano. Fiquei ali parado, atordoado e perplexo. Será que meu tormento havia finalmente terminado? Se assim fosse, o que aconteceria com as crianças?

CAPÍTULO 12

No dia seguinte eu entendi. A noite em que Max me pediu o príncipe foi a véspera do início das deportações.

Acordei na manhã do dia 22 de julho de 1942 com uma forte dor de cabeça, como se os alemães estivessem entrando novamente com seus tanques em Varsóvia, e dessa vez, passando diretamente por cima de mim. Sentei-me e me sacudi. Olhando para minhas pernas estendidas debaixo das cobertas, lembrei do pesadelo que tivera na noite anterior: a mão carnuda do oficial se arrastando vagarosamente pela minha coxa como se fosse uma enorme aranha. Fechei os olhos com força e respirei fundo. Alguém me dissera certa vez que, se você estiver diante de um animal perigoso, é importante nunca demonstrar medo e continuar respirando. Enquanto contava minhas inspirações e expirações, me dei conta do que me despertara: nosso bairro ecoava com os gritos apavorados e com as temidas ordens que os ratos vociferavam.

– *Raus, raus. Alle Juden raus. Schnell, schnell, macht schon.* – As ordens eram seguidas por estrondos horríveis. Botas colocando portas abaixo.

Sentei sem me mover, sentindo-me gelar até a medula. Olhei para minha mãe; seus olhos estavam abertos, mas ela não olhava para mim.

– Eles vieram para nos levar daqui, Mika – O queixo de minha mãe tremia, e sua voz estava apagada. Eu soube, naquele momento horrível, que não queria me deparar com nenhum rato enquanto ainda estivesse vestindo meu pijama, e certamente não queria morrer na cama. Já ouvíramos falar sobre pessoas velhas e doentes, homens e mulheres, mães com bebês de colo ou pessoas fracas demais para se levantar que haviam sido mortas a tiros enquanto ainda estavam em suas camas.

– Vamos levantar, mãe. Rápido! Não fique deitada aí. Vamos reunir todos.

Saltei da cama como se houvesse sido picado por alguma coisa. Minha mãe não disse nada, mas lentamente moveu as pernas para levantar-se da cama.

Juntamos todos na cozinha: Ellie e Cara, os pais com a criança de colo, as gêmeas, minha mãe e eu. A menininha, como se soubesse o que estava por vir, gritava a plenos pulmões, inconsolável, enquanto as gêmeas ficavam sentadas no canto, silenciosas e pálidas, como se a peraltice houvesse sido arrancada de seus corpos a bofetadas.

Levei minha cadeira para mais perto de Ellie. Embora mal conversássemos, sua presença me reconfortava. Eu pertencia àquele lugar, bem a seu lado, mais do que a qualquer outro.

Minha mãe preparou chá para todos. Como se fosse um ritual derradeiro e sagrado, ela ferveu o chá mais saboroso que tomamos desde que nos trancafiaram no gueto, acrescentando as últimas folhas preciosas de chá na chaleira. Depois, do fundo de uma gaveta, ela tirou uma pequena bolsa. Ela a abriu e deixou a preciosa substância branca escorrer sobre o líquido, agitando-a suavemente a seguir.

– Bem que podíamos tomar nosso último chá com uma boa dose de açúcar para nos lembrarmos da doçura da vida.

Senti muito orgulho de minha mãe. Tomamos o chá fumegante em silêncio, com as mãos em concha ao redor do líquido precioso, à espera do som que temíamos: o guinchar dos pneus, as botas, as pancadas em nossa porta.

Subitamente, senti algo se mexer em meu bolso. Nada mais forte que o movimento de um camundongo se contorcendo, mas, mesmo assim, era preocupante. Era o príncipe, movendo-se e retorcendo-se. Com um gesto rápido, ele saltou para fora do bolso e encaixou-se em minha mão.

– Povo da Rua Gęsia, não se desespere. Eu sou seu príncipe e lhes digo: tenham coragem.

Com os olhos arregalados, todos encararam o príncipe em minha mão.

– Não se deixem enganar! Talvez isso não seja o fim. Não seremos derrotados!

Ao dizer isso, o príncipe desapareceu outra vez. Ninguém falou nada, mas consegui ver um pequeno sorriso no rosto de Ellie, o bastante para aquecer meu coração.

Nossa pequena comunidade ficou em segurança naquele dia. Os caminhões foram embora, e, quando chegou a tarde, tudo já estava tranquilo outra vez. Porém, apesar das palavras exaltadas do príncipe, passamos a viver em constante medo a partir daquele dia. Durante os dias e semanas seguintes os alemães invadiam o gueto como se fossem uma nuvem de gafanhotos, a toda a hora do dia e da noite, espalhando o terror como um incêndio.

É estranho, mas o medo tem um sabor específico: é parecido com sangue, pungente, férreo e amargo. Agora, todas as coisas que eu comia tinham gosto de medo.

Eu me preocupava com todas as crianças, mas minha mãe não queria que eu saísse do apartamento. Ellie já não tinha permissão para sair havia muito tempo.

Certa tarde, eu estava sentado sozinho com minha mãe em nosso quarto. Ela se levantou, veio até onde eu estava, colocou as mãos em meus ombros e olhou diretamente em meus olhos.

– Precisamos ficar juntos a qualquer custo, Mika. Você é tudo o que me resta. Podemos nos esconder até tudo passar. – Senti seu medo e seu imenso amor. Não conseguia respirar, e agitei o corpo para me afastar dela.

– Como assim nos esconder? Há muitos de nós.

E o que faríamos em relação às crianças do hospital e do orfanato? Como Janusz seria capaz de esconder as 200 crianças sob sua guarda? Até onde eu sabia, todos nós estávamos no mesmo barco malcheiroso, na mesma arca apodrecida. Que diferença faria se tentássemos nos esconder?

Quando olhei para minha mãe outra vez, foi como se uma chama houvesse se apagado. Entendi, com uma dor aguda, que ela estava pensando unicamente em si mesma e em mim.

– Lamento, mãe, mas somos nove. Esta é nossa família agora. Como poderemos nos esconder sem um sótão, ou em paredes falsas? Com um bebê que pode entregar nosso esconderijo a qualquer momento? Você quer matá-lo antes de todos nós?

– Eu sei, querido. – O olhar de derrota em seu rosto atravessou meu coração. – Desculpe.

Não havia mais nenhuma opção, então nós simplesmente ficamos quietos e esperamos, prestando atenção ao barulho dos caminhões. Nenhum outro plano. Sair de casa era perigoso demais. Eles podiam acuar e atirar em qualquer pessoa que vissem andando pela rua. Ouvimos tiros e gritos nas proximidades. Os vizinhos trouxeram as notícias: ninguém estava a salvo, pessoas eram mortas a tiros por fazer uma simples pergunta, por hesitar demais, por embarcar rápido demais ou por demorar demais a embarcar nos caminhões. Alguns eram alvejados por serem velhos demais, jovens demais ou apenas porque tinham barba.

Certa manhã, ainda bem cedo, nossa vizinha Johana começou a esmurrar nossa porta.

– Eles estão levando todos embora. Se encontrarem vocês, vão matar a todos. – Ela cuspiu as palavras como se fossem balas.

– Eles afixaram cartazes nas ruas. Se nos apresentarmos voluntariamente, eles nos darão três pães e um pouco de geleia. Estão dizendo que vão nos realojar no leste, e que nos oferecerão empregos lá. Eu acho que devíamos ir.

Ouvimos dizer que eles poderiam atirar nas pessoas sem nenhum motivo ou levá-las até a *Umschlagplatz*, uma praça suja cercada por arame na extremidade noroeste do gueto, o lugar de onde partiam os trens para o leste – trens que transportavam gado. Mas o que isso significava? Assim como articulações que doem quando o mau tempo se aproxima, eu sentia que isso poderia ser ainda pior do que tudo que já acontecera.

– Não, nós vamos ficar aqui. – Foi a primeira vez em que falei em nome de toda a família. Enquanto segurava o príncipe em meu bolso, minha voz era determinada e clara. Iríamos ficar.

Muitos outros ignoraram o mau pressentimento, apegando-se à esperança de um lugar diferente e melhor, e foram até o *Umschlag*, atraídos pela promessa de pão e geleia. Era isso o que nossa vida valia agora: três pães e um vidro de geleia de morango.

Por uma semana nós ficamos entocados ali, todos os nove, esperando como animais encurralados. Ellie e eu passamos muito tempo em nossa oficina. Ficar na companhia dela e dos fantoches impedia que eu me perdesse numa sensação implacável de desespero. Mas estávamos muito famintos, o tempo inteiro! Dividimos até o último pedaço de pão, e agora as sopas ficavam cada vez mais ralas.

Houve uma noite em que todos nós estávamos reunidos em volta da mesa da cozinha, com uma única vela criando sombras distorcidas nas paredes. De repente, o braço de Ellie tocou gentilmente o meu, e sua voz profunda interrompeu aquele silêncio tenso.

– Vamos apresentar alguma coisa, Mika! – Eu não estava disposto a apresentar mais uma história boba que havíamos criado. Agora que eu me apresentara para os nazistas, não era mais capaz de alcançar aquele lugar precioso feito de alegria e inocência. Era como se o fato de estar perto dos oficiais houvesse roubado o brilho dos fantoches, drenando-lhes a vivacidade e o significado, e como se tudo mais parecesse estar velho, desgastado e falso. Ainda assim, tirei o príncipe do bolso, e ele imediatamente falou.

– Que tal esta noite contarmos uma história juntos? – Ninguém respondeu, mas todos os olhos estavam no fantoche.

– Era uma vez... Há muito tempo, numa terra muito distante, um menino nasceu numa noite de tempestade no mês de abril. Quando respirou pela primeira vez em meio aos trovões e relâmpagos, seus pais o chamaram de Tempestade. – Com isso, passei o príncipe a Ellie.

– Tempestade era um bebê muito genioso, mas cresceu e se tornou um garoto que gostava de subir em árvores e fazer de conta que era cavaleiro, brincando com espadas de madeira. – O fantoche foi passado de Ellie para minha mãe.

– Na verdade, essa história se parece muito com a sua, Mika. Na noite em que você nasceu, uma grande tempestade assolava Varsóvia. – Minha mãe interrompeu o conto do fantoche e, em vez disso, começou a compartilhar com o resto das pessoas a história de meu nascimento. Outras cenas de minha infância se seguiram enquanto eu me contorcia em minha cadeira, e fiquei feliz quando ela passou o fantoche a Tia Cara, que imediatamente prosseguiu com relatos sobre a infância de Ellie. E, assim, conforme o príncipe dava a volta ao redor da mesa, várias e várias vezes, todas as pessoas, até as gêmeas, compartilharam momentos preciosos até as primeiras horas da manhã. Guardei os acontecimentos daquela noite com carinho, apesar de meu embaraço; nossos corações se abriram, e ninguém se conteve. Era como se aquela fosse a última ocasião em que estaríamos juntos. O príncipe, mais uma vez, foi de grande ajuda – mesmo que apenas para que eu pudesse encontrar uma maneira de recuperar minha alegria para brincar com os outros fantoches também.

Na noite seguinte, acordei encharcado de suor e tremendo, e sabia o que tinha que fazer: precisava ver os olhos das crianças admirando os fantoches novamente. Sempre que os olhos delas brilhavam, alguma coisa dentro de mim se iluminava também e ganhava vida outra vez.

Eu sabia que minha mãe não me deixaria sair de casa, e não pedi a Ellie porque sabia que Tia Cara era ainda mais rígida em relação a isso. Mas, bem cedo na manhã seguinte, fui ao orfanato. Minha mãe ainda dormia. Com bastante frequência, durante o sono, ela parecia tranquila e relaxada, suas rugas de preocupação entre as sobrancelhas ficavam menos pronunciadas, e sua respiração era regular e compassada. Deixei um bilhete sucinto.

Fui até o orfanato. Volto para o jantar.

Por favor, não se preocupe e não fique brava comigo. Amo você.

Mika, seu príncipe

Enrolei o bilhete, tirei o príncipe do bolso e coloquei o papel debaixo do braço do boneco, como se ele estivesse entregando um panfleto importante. Em seguida, saí do quarto nas pontas dos pés, fechei a porta da frente e saí para a rua.

O início da manhã trouxe consigo uma brisa leve e o cantar de um pássaro preto. Eu me esquecera dos pássaros, pois nós mal os ouvíamos hoje em dia. Por que eles nos visitariam quando restavam apenas três árvores tristonhas em todo o gueto e já não existia mais nenhum tufo de grama? Às vezes eu avistava um bando de pombos, mas eles nunca pousavam durante a travessia entre nosso cemitério e o Parque Krasinski. Naquela manhã, entretanto, os gritos brutais haviam parado, e, em vez do guinchar dos pneus dos caminhões e das botas dos soldados que marchavam, tudo o que eu consegui ouvir foi o canto sinistro do pássaro preto.

Levaria 15 minutos a caminhada até o orfanato, e eu andava depressa. O céu azul e brilhante se abria por cima de mim, e por um momento eu me senti contente por conseguir escapar da escuridão e do ar abafado do apartamento. Em mim, agitou-se o sentimento de esperança como se o canto daquele pássaro houvesse chegado diretamente a meu coração.

Mas a esperança era uma coisa tão efêmera quanto aquele canto. Logo na esquina da Rua Leszno, tropecei num carrinho de bebê que estava caído. Esfreguei meu pé e, quando ergui a cabeça, soltei um gemido. Aquela rua longa e ampla, que já fora um lugar destinado ao entretenimento, estava cheia de destroços e objetos pessoais descartados: sapatos sem o pé correspondente, casacos, bolsas, brinquedos, óculos, coisas descartadas apressadamente que contavam uma história silenciosa sobre como haviam sido violentamente arrancadas de seus proprietários, chutadas para longe e depois abandonadas, deixadas para trás. Corpos mortos, distorcidos em estranhas posições, jaziam onde haviam desabado após receber um tiro mortal. E penas – penas brancas arrancadas do forro dos edredons – cobriam a rua, como neve no mês de julho.

Tudo mudara naquelas últimas semanas; eu mal conseguia reconhecer aquele lugar como a rua por onde andara com Vovô havia algum tempo, no dia de meu aniversário. O medo me agarrava como as garras de uma águia ao redor de meu pescoço. O que acontecera a Hannah e as outras crianças? Será que haviam sido capturadas? Comecei a correr pela rua. Quando virei a esquina, esbarrei num velho. Enrolado em farrapos, ele estava encostado contra a parede, sua cabeça pendia imóvel. Curvei-me sobre ele, mas o homem não respirava. Meus olhos perceberam um pequeno objeto pousado sobre o colo dele: uma flauta de madeira e, ao lado, uma pena branca e solitária. Subitamente, lembrei-me dele: eu escutara aquela flauta no dia em que Vovô me levara para ver o espetáculo dos fantoches. Ele já parecia estar esfarrapado naquela época, mas suas alegres melodias haviam me emocionado.

Lembrei-me de um bando de crianças de rua que dançavam ao som de suas melodias, saltando e rodopiando, e, por um curto espaço de tempo, esquecendo-se da fome atroz que sentiam. Não havia mais crianças na rua agora, apenas um silêncio fantasmagórico. Como ele teria morrido? Não havia nenhum ferimento aparente que indicasse a causa da morte. Espero que ele tenha morrido serenamente. Recolhi sua pequena flauta, leve como a asa de um pássaro, um osso oco.

– Vou levar isso comigo, meu senhor. Você não precisará dela no lugar onde está agora. Espero que não se importe. – Naquele momento, uma lufada de vento arrancou a pena da mão do homem e a lançou contra o céu, girando. Imaginei que aquilo seria um bom pressságio. Soprei algumas notas esparsas, depois enfiei a flauta num dos bolsos mais fundos do casaco e continuei andando. Aquela pequena flauta se tornaria uma companheira importante. Comecei a correr o mais rápido que podia, querendo me afastar de toda aquela morte e destruição. Eu precisava das crianças naquele dia, talvez ainda mais do que elas precisavam de mim. Quando finalmente vi o orfanato, meu coração saltou para a garganta. Toquei a campainha. Meu alívio devia estar bem visível quando Margaret abriu lentamente a porta pesada, espiando por entre a fenda que se abriu.

– Mika! O que você está fazendo aqui? Você não deveria ter vindo, é muito perigoso.

– Não é perigoso ir a qualquer lugar? Por favor, deixe-me entrar. Sinto muita saudade de todos vocês. Estou preocupado. Como estão os pequeninos?

Margaret abriu a porta e me puxou rapidamente para dentro, mas não antes de olhar ao redor e ter certeza de que ninguém me vira. A tensão em seu rosto era evidente; ela estava mais pálida que o habitual e tinha manchas escuras sob os olhos, que a deixavam com a aparência de uma coruja cansada. Perdera um pouco de peso, mas seu sorriso ainda brilhava com a beleza de sempre.

– Eles estão bem, na medida do possível. E sentiram saudade de você também, todos pediram notícias suas. Ainda assim, você não deveria estar aqui.

De qualquer forma, depois de algum tempo ela me trouxe uma xícara fumegante de chá e anunciou minha chegada às crianças. Logo, estávamos todos de volta à velha rotina, cercados pelas crianças e Hannah me ajudando com os fantoches. Pela primeira vez desde aquele dia fatídico em que o médico interviera, eu me deixei levar completamente pela apresentação dos fantoches. Os olhos reluzentes das crianças eram exatamente o remédio de que eu precisava. Mesmo assim, nuvens de preocupação cruzavam o rosto de Janusz, mesmo que ele se esforçasse para sorrir. Parecia ter envelhecido vários anos desde a última vez em que eu o vira, havia algumas semanas.

– Não tenho nada mais que possa dar a essas crianças, Mika – disse ele, levando-me a um canto para que pudéssemos conversar a sós. – Não tenho palavras para agradecer-lhe.

Hannah não se afastou de mim, e, depois de algum tempo, ainda durante a manhã, me levou para longe dos outros. Ainda consigo sentir a mão pequenina daquela garota puxando meus dedos.

– Estou sempre pensando em você, Mika. Você é meu melhor amigo. – Ela respirou fundo. – Posso me casar com você quando eu crescer? – Ela disse aquilo de uma vez. Não havia mais tempo para ser tímida ou educada; ela guardara aquilo por tempo suficiente. A primeira e a única proposta de casamento que recebi em toda a minha vida. E eu agi como um bobo, sem saber o que devia dizer. Abaixei-me e tomei suas mãozinhas nas minhas.

– Mas nós somos amigos, Hannah. Sempre serei seu amigo.

– Mas eu quero me casar com você – insistiu ela.

– Não posso me casar com você, Hannah. Você é só uma menininha, e eu sou velho demais para você. Mas não se preocupe. Eu sei que você vai encontrar alguém legal com quem irá se casar algum dia.

Seus olhos se encheram de lágrimas, mas ela não deixou que elas lhe escorressem pelo rosto. Cerrou os punhos e apertou o pequeno maxilar. Ao ver todo aquele esforço para não chorar, percebi que despedaçara seu coração. Ela se virou de costas e se afastou, mas, antes de eu ir embora naquele dia, ela me deu um desenho. Uma imagem simples, com duas pessoas feitas com círculos e traços finos, de mãos dadas debaixo de um sol risonho: uma alta, a outra pequena.

Ambas tinham um sorriso enorme no rosto, e havia uma borboleta colorida voando entre elas. Ela assinou o desenho: *De Hannah para meu amigo Mika. Volte logo.*

—

Naquele dia, no orfanato, fiquei muito feliz por poder ver as crianças outra vez, e até mesmo os fantoches pareciam estar diferentes – livres para ser eles mesmos. As apresentações ficaram muito leves, bobas e engraçadas, e eu até deixei o bobo da corte tocar o pequeno violino que ficava escondido no casaco de meu avô, algo que nunca permiti que os alemães vissem.

À tarde, subitamente me lembrei de que saíra de casa às escondidas e senti um aperto no estômago. Prometi às crianças que voltaria logo e saí apressadamente do orfanato.

Na volta, corri pelas ruas. Qualquer pessoa que eu avistasse partia em disparada, como se fosse um animal perseguido, escondendo-se cuidadosamente nas sombras das casas, acuada como um camundongo. Todos encaravam todos com suspeita, sem saber em quem podiam realmente confiar.

Quando virei a esquina da Rua Gęsia, fiquei paralisado. Um dos temidos caminhões verdes alemães estava estacionado bem diante da casa de nosso vizinho, pronto para levar sua carga diária até o *Umschlag*, A rua estava tomada por soldados e unidades da SS, gritando e botando portas abaixo. Minhas orelhas zuniam e meu coração batia com tanta força que achei que iria explodir. Fiquei parado e observei a movimentação, sentindo-me como enraizado no chão.

Em seguida, com a mesma eficiência e os gritos brutais que ouvíamos por todo o bairro havia semanas, eles avançaram na direção de nossa casa.

– *Raus, raus, schnell, macht schon, alle Juden raus.*

O sangue martelava em minhas orelhas, ecoando com as batidas na porta. Fiquei parado, observando, com as pernas trêmulas. Apenas um garoto inútil sem nenhuma arma nas mãos.

Quando olhei para cima, consegui ver os soldados dentro de nosso apartamento. Meus olhos seguiram os intrusos do quarto até a cozinha. Um deles abriu a janela da cozinha, agarrou com as duas mãos a floreira que minha mãe tanto amava e a jogou com toda a força na rua. Terra e flores explodiram por toda a calçada, deixando cacos de cerâmica, pétalas e plantas com as raízes expostas espalhadas até o outro lado da rua.

Meu estômago revirou. Por que fazia aquilo com as flores? O belo jardim de minha mãe. Outro soldado chutou a terra e os legumes que estavam plantados em nossa sacada, golpeando-os com muita força, como se tentasse marcar um gol. Seu rosto brilhava com o suor e a satisfação, a alegria horrenda da destruição.

Ver até mesmo aquelas pequenas vitórias destruídas me causou náuseas. E, com toda aquela raiva, eu simplesmente fiquei ali, paralisado, com a respiração arrastada como a de um cavalo de carga.

O som familiar de nossa porta de entrada se abrindo – um estalido seguido por um longo rangido – me fez acordar daquele transe.

E foi então que eu os vi, sendo levados para fora da casa, um por um: primeiro o casal, segurando as mãos das gêmeas – e elas pareciam estar muito magras sob a luz do sol de verão; o bebê, agarrado ao peito da mãe. Depois, Tia Cara e, por último, minha mãe. Minha mãe estava muito pálida, e, embora tentasse não olhar ao redor, eu sabia que ela estava examinando a rua à minha procura. Todos estavam vestindo casacos apesar do calor de julho, e cada um deles trazia apenas uma mala, conforme as ordens dos alemães. Vizinhos de ambos os lados da rua se juntaram a eles, uma turba de pessoas aterrorizadas, agarrando-se umas às outras.

Imaginei ter ouvido minha mãe conversando discretamente com as gêmeas, mas onde estava Ellie? Será que saíra de casa para me procurar no orfanato ou estava escondida em algum lugar?

Naquela fração de segundo, decidi continuar escondido, embora todo o meu corpo doesse com a vontade de correr até onde minha mãe estava e me juntar a ela, o desejo de me entregar e partir com ela para qualquer lugar aonde quisessem nos levar. Mas, se Ellie não estava lá, eu tinha que encontrá-la.

– *Na macht schon, schneller, raus.* – As ordens brutais dos soldados ecoavam pela rua. Eles forçaram o grupo a embarcar nos caminhões sob a mira de suas armas. Estavam todos apinhados e apertados uns contra os outros na caçamba aberta do caminhão, segurando-se uns aos outros e às barras de ferro. O caminhão arrancou com os pneus guinchando contra o asfalto.

Os ratos levaram todas as pessoas que prenderam naquele dia até o *Umschlagplatz*. Vi o *Umschlag* quando estava no segundo andar do hospital, alguns dias depois do início das deportações: era uma praça delimitada por cercas, abarrotada de gente, tomada pelo caos e pelo desespero. Mais tarde, depois que os trens partiram, o lugar ficou vazio e abandonado. Objetos queridos e preciosos haviam ficado para trás, como destroços após uma enchente: uma mala pequena, livros, uma bolsa de couro, papéis, roupas. Nossa vizinha me disse que os alemães estavam levando sete mil dos nossos a cada dia durante aquelas semanas terríveis. Sete mil almas estavam sendo levadas para longe todos os dias.

Por entre a névoa de minhas lágrimas, alguma coisa tentava abrir caminho rumo a minha consciência. Embora meus olhos já soubessem instantaneamente, meu cérebro levou algum tempo para perceber o que eu estava vendo. Era Max, o soldado. Ele saltou de um dos caminhões que acabara de estacionar diante das casas do lado oposto. Sem pensar, eu me afastei das sombras da parede e me aproximei do veículo.

– Max. – Minha voz parecia rouca e tímida. Antes que eu conseguisse alcançá-lo, outro soldado interrompeu meu caminho e apontou sua arma para mim.

– *Halt, Jude, stehenbleiben* – gritou ele.

Max parecia alarmado, como se pensasse que eu lhe era familiar, mas sem conseguir me reconhecer imediatamente. Até que alguma coisa mudou em seu rosto.

– Espere, não atire. É o menino dos fantoches, não se lembra?

Percebi que já vira o outro soldado numa daquelas noites com os oficiais. Instintivamente, levei a mão ao bolso.

– Mãos para cima – gritou um soldado magro e esguio, de feições bastante angulosas.

Ergui as mãos lentamente, segurando o príncipe frouxamente na mão direita. Dessa vez não foi o príncipe quem falou, e sim eu.

– Max, eles levaram minha mãe, minha tia e meus amigos. Por favor, não os tire daqui. Eles podem trabalhar. – Minha voz ganhou força. Consegui ver a tristeza nos olhos de Max, mas sua voz me cortou como uma faca.

– É assim que as coisas são agora, garoto, e não há nada que eu possa fazer. As ordens mudaram. E ordens são ordens. Contente-se por deixarmos que vá embora em paz. *Mach, dass du fortkommst.* Vá. – Ele estava me dando a oportunidade de desaparecer, mas era tudo o que faria.

Meu mundo desabou, transformado em pó bem diante de meus olhos. Não consegui me mover e fiquei apenas olhando para Max, o soldado cujo interesse por fantoches me fez levar uma vida dupla. De repente, de modo tão rápido quanto o bater de asas de uma borboleta, vi quando Max piscou o olho rapidamente. Eu podia estar enganado, mas, quando Max passou por mim a caminho da próxima casa, ele sussurrou:

– Vou ver o que posso fazer. Encontre-me no *Wache* esta noite, às 10. Qual é o nome de sua mãe?

– Halina Hernsteyn.

Em seguida, ele continuou andando como se nunca houvesse me conhecido. Seria uma última armadilha ou ele realmente estava disposto a nos ajudar? Dei meia-volta e me afastei dali, com o corpo ainda trêmulo. Durante a *Aktion*, Max se comportava como um rato brutal, assim como todos os outros, arrebentando nossas portas a pontapés. Mesmo assim, ele assumira riscos por nós antes, conseguindo remédios, e chegou mesmo a me proteger das brincadeiras cruéis dos outros soldados. Mas, ainda que quisesse proteger minha família agora, o que ele podia fazer? Max era um soldado do *Wehrmacht*, uma parte da máquina de matar que jurara obedecer às ordens dos seus superiores. Talvez se sentisse tão preso quanto eu. Agitei a cabeça. Como eu podia pensar uma coisa dessas? Eu os detestava, todos eles. Em relação ao encontro com Max naquela noite, não havia nada a fazer além de esperar e ver o que aconteceria. Mas onde eu poderia me esconder? Não havia nenhum lugar seguro agora, e eu precisava estar no *Wache* às 10 da noite, apesar do toque de recolher.

Fui até a *Umschlagplatz*, escondendo-me em meio às sombras das paredes. Vi indícios da passagem aterrorizante dos ratos por toda a parte: pessoas estavam deitadas no chão, mortas a tiros, ou esvaindo-se em sangue nas sarjetas, incluindo crianças. Deixadas onde haviam caído. E muitas coisas quebradas. Por que os ratos tinham que quebrar tudo? Não era o bastante nos arrastar para fora de nossas casas? Eu aprendera coisas muito diferentes sobre os alemães havia tempos, quando ainda tínhamos permissão para ir à escola. Admirei sua música e poesia, aprendi sobre seus filósofos e artistas. Vendo as ruas cheias de entulho e coisas quebradas, quem poderia acreditar que eles iriam verdadeiramente reassentar a nós, judeus, no leste e nos ajudar a criar novos lares?

Enquanto eu atravessava as ruas devastadas, senti cólicas. Um gosto amargo tomava conta de minha boca. Chegando ao *Umschlag*, mantive a cabeça baixa até encontrar um lugar protegido onde eu poderia espiar pelas frestas de uma cerca de madeira. Tentei encontrar minha mãe e os outros, mas o caos era tão grande que não consegui vê-los.

Pessoas corriam de um lado para outro, freneticamente, procurando por seus entes queridos ou sentadas sozinhas sobre suas malas, balbuciando, lendo ou orando. Outros se reuniam em pequenos grupos. Não vi água ou comida sendo entregues às pessoas, e elas não tinham nenhum lugar onde pudessem se sentar, exceto sobre a própria bagagem: apenas uma praça de terra batida, arrasada e miserável. Uma espécie de limbo. Nada de bom poderia existir num lugar como aquele.

Estremeci. Depois de algum tempo, não consegui mais aguentar aquele lugar. Precisava correr. Não sabia para onde minhas pernas me levavam, mas logo reconheci a área – claro, era o orfanato, as crianças.

Bati com força na porta. Margaret a abriu, os olhos arregalados pelo susto.

– O que você está fazendo aqui de novo, Mika? – Ela me puxou para dentro e me abraçou com força. Senti a limpeza imaculada de seu uniforme, o calor e a maciez de seus seios, e, pelo menos por alguns segundos, compreendi que estava seguro.

– Mika, o que foi? – Margaret parecia estar sem fôlego.

– Eles levaram minha mãe, minha tia, as gêmeas e os pais delas. E a neném também. Não sei o que fazer.

De repente, as lágrimas começaram a arder em meus olhos, mas eu não queria chorar. Não ali, nem em nenhum outro lugar, nunca mais. Se eu começasse a chorar, não conseguiria parar.

– Ah, meu Deus – percebi que o rosto de Margaret perdera toda a cor que ainda lhe restava. Respirei fundo.

– Ellie está aqui? Não consigo encontrá-la.

– Não. Ela veio mais cedo, vocês se desencontraram por pouco. Ela também estava procurando por você. Disse que iria voltar à Rua Gęsia, para o apartamento. – Os olhos de Margaret emanavam gentileza, e, após o primeiro choque, ela parecia estar calma outra vez. Vi que as crianças estavam reunidas ao redor de Janusz numa das salas adjacentes ao salão principal. Ele estava contando uma história e lhes tomava toda a atenção. Entre as crianças, vislumbrei os cabelos encaracolados de Hannah. Doeu lembrar da inocente proposta de casamento que ela me fizera naquela mesma manhã.

– Obrigado, Margaret. Preciso ir.

– Tome cuidado, Mika. – Antes que alguma das crianças conseguisse me ver, escapuli pela porta.

Fiz todo o caminho de volta correndo. A ardência forte em meus pulmões me distraía do medo e do buraco negro que começava a consumir meu corpo inteiro. A Rua Gęsia estava deserta, envolta por um silêncio assustador. Antes de entrar na casa, juntei algumas das flores de minha mãe, recolhendo cuidadosamente as raízes e os bulbos. Seu belo jardim fora pisoteado e arrasado; mesmo assim, seu amor ainda vivia naquelas flores, assim como o meu vivia nos fantoches.

A porta do prédio estava escancarada, e eu avancei nas pontas dos pés até nosso apartamento. A porta estava entreaberta. Encontrei Ellie na oficina, curvada sobre um novo fantoche, uma garotinha com cabelos iguais aos de Hannah e um vestido feito com o lenço de sua mãe. Ela não ergueu os olhos quando eu entrei.

– Levaram todos embora. – A voz dela não tinha nenhuma emoção.

– Sim, mas eu vi Max, e ele pode nos ajudar a encontrá-los. – Tentei parecer convincente, mas minhas palavras não tinham muita força. O riso áspero de Ellie fez os pelos de minha nuca se eriçarem. Nunca a ouvira rir daquele jeito.

– Mika, *acorde*. Você acredita nesses porcos? Você fala como se esse maldito soldado fosse diferente, mas eles são todos iguais!

– Ele nos deu remédios, lembra? Mesmo que ele quisesse ajudar, o que podia fazer com todos os outros soldados por perto?

Ellie não disse nada, e eu senti meu coração afundar no peito. Precisava me apegar àquela esperança como alguém que se segura numa corda que pende sobre um despenhadeiro, mas a corda parecia estar escorregadia e desfiada.

Deixei Ellie na oficina e abri a porta do quarto. Ali, sobre a mesinha de cabeceira, vi o príncipe, como se estivesse à minha espera. Foi quando eu finalmente chorei.

CAPÍTULO 13

Eu estava arriscando minha vida miserável apenas por estar fora de casa após o toque de recolher, e especialmente por estar perto do *Wache*, mas andava rápido, evitando os fachos dos holofotes que faziam a varredura a partir das torres de vigia. Forcei-me a ficar imóvel, agachado na escuridão que havia nas proximidades do *Wache*, esperando. Após algum tempo, eu não conseguia sentir meu pé direito.

– Sua mãe e sua tia estão neste endereço, no primeiro andar, à direita. – Não ouvi Max se aproximar, apesar das botas pesadas que ele usava, quando se agachou a meu lado, na sombra. Ele fedia a cigarros, suor e cerveja, e havia mais um cheiro que não consegui identificar. Seria medo? Angústia? Ódio? Ele tirou um pequeno pedaço de papel do bolso e o colocou firmemente em minha mão.

– Nunca fale sobre isso a ninguém. – Sua voz estava estranha. Será que estava com medo?

– O que aconteceu com os outros? Com as gêmeas e a menina de colo? – perguntei.

– Você nunca para, não é mesmo? Esqueça-os. *Verstanden*? Os trens de hoje já partiram. Não há nada que eu possa fazer. E você deve ficar nesse endereço. As ruas já foram esvaziadas. Você estará em segurança lá. – A impaciência familiar do alemão retornou.

Ficamos ali por um momento, imersos num silêncio constrangedor. Faltavam-me palavras. Enfiei as mãos nos bolsos, tocando o traje do príncipe, seu traje com os detalhes feitos de pele de coelho e o rosto de papel machê com meus dedos quentes. Lentamente, tirei do bolso o fantoche que Max me pedira naquela última noite antes das deportações. Para seu filho, dissera ele. Após todo aquele horror, que importância tinha o boneco? Que utilidade teriam os fantoches agora? Como se quisesse confirmar meus pensamentos, o príncipe permaneceu em silêncio e se apoiou frouxamente em minha mão. Eu já perdera tantas coisas... Se conseguisse ao menos manter minha mãe e Ellie… Estendi meu fantoche mais precioso para o soldado. Max olhou para mim, assustado.

– Aqui, pegue. Pode ficar com ele – disse eu.

– Tem certeza, garoto?

Por um momento, a voz dele perdeu a rispidez. Fiz que sim com a cabeça. Lentamente ele pegou o príncipe com as duas mãos e o guardou dentro do uniforme. Um sorriso débil se abriu em seu rosto. De repente, ele pareceu estar exausto.

– Obrigado, Mika. – Foi a única vez que ele me chamou pelo nome. – Não posso ajudá-lo. – Ele olhou para mim com uma expressão que eu não soube identificar. Logo depois, por um instante muito breve, colocou a mão direita em meu ombro e depois a recolheu.

– Vá embora, agora. E boa sorte.

Dei meia-volta e deixei o soldado com meu príncipe para trás. Meu príncipe, enfiado no bolso de um uniforme alemão. Meu belo e precioso príncipe, que reconfortara minha mãe e me incitara a resistir e lutar. O que eu estava pensando? Por acaso achava que devia alguma coisa àquele soldado? No momento em que me virei para ir embora, uma sensação de perda me atravessou como se alguma parte vital houvesse sido arrancada de meu peito. Por um segundo, senti vontade de correr atrás dele, mas, quando olhei, Max já desaparecera. A perda do príncipe deixou um vazio em mim, como se ele fosse uma pessoa real, como a vez em que entreguei a pequena Esther para a estranha que estava nas sombras.

Detive-me.

– Boa sorte, meu príncipe – sussurrei no ar da noite. O céu estava límpido, e as estrelas brilhavam. – Não se esqueça de mim. – Mas ele já desaparecera. Era apenas um fantoche, afinal de contas.

Agitei o corpo e corri de volta para nosso apartamento.

Tudo estava muito quieto em nossa casa, todos os apartamentos vazios de qualquer vestígio de vida. Tentei esquecer os caminhões de gado que estavam levando nossos vizinhos para algum lugar desconhecido. Suas últimas horas no *Umschlag*. Chamei discretamente o nome de Ellie e voltei a encontrá-la na oficina, curvada na mesma posição de antes, como se tivesse passado todo aquele tempo sem se mover. Não consegui encontrar coragem para lhe contar sobre o príncipe; simplesmente mostrei o pedaço de papel no qual Max rabiscou o endereço: Rua Orla, 52.

– Como você sabe que não é uma armadilha?

– Não sei, Ellie, mas meus instintos me dizem que ele não está aprontando nada. Além disso, que escolha nós temos?

Ellie não respondeu, mas lentamente se levantou e foi buscar sua mala, que estava na cozinha. A minha estava escondida debaixo do lado esquerdo da cama. Ver o espaço vazio ao lado de minha mala, o lugar onde a bagagem de minha mãe ficava guardada, foi como receber mais um soco no estômago. Peguei minha mala e enfiei ali qualquer coisa que parecesse ser útil ou importante: o restante dos fantoches que não moravam no casaco, retalhos de tecido, agulhas, tesouras e cola que ainda havia na oficina, meias, roupas, facas, uma xícara de metal esmaltado e um cobertor. A última coisa que Ellie colocou em sua mala foi o livro das *Mil e Uma Noites*. Não consegui encontrar o álbum de fotografias; provavelmente minha mãe o levara consigo. Finalmente, enquanto revirava a casa em busca de algo para comer, encontrei um pão embrulhado em várias camadas de jornal no fundo do armário da cozinha: um dos pães que Max me entregara na noite em que fiz minha última apresentação. Estava duro como um tijolo. Fechamos a porta e rumamos para o endereço que estava anotado no papel. Não tínhamos planos de retornar ao apartamento.

Quando chegamos ao lugar, todas as casas estavam vazias como peixes estripados. Não havia luz em lugar nenhum, com exceção da lua, que estava quase cheia. Olhamos por cima de nossos ombros, agachando-nos por entre as sombras, mas não havia ninguém nos seguindo. Essa era uma das ruas que os alemães já haviam esvaziado completamente: todos os que moravam ali haviam sido deportados.

Viramos a última esquina que dava acesso à Rua Orla, mas, quando encontramos o número, a casa não mostrava nenhum sinal de que estava ocupada. Segurei com força na mão de Ellie.

– Será que devemos tocar a campainha? – sussurrei. Ellie fez que não com a cabeça, e o seu belo rabo de cavalo balançou. Começamos a procurar por pedras pequenas.

– Qual é o apartamento? – A voz de Ellie me assustou, pois estava bem próxima de meu ouvido. Percebi o quanto aquela voz se tornara preciosa para mim.

– Ele disse que é o primeiro andar, à direita. – Apontei para cima. Não havia nenhum sinal de luz acesa no quadrado negro emoldurado pela janela. Ellie jogou a primeira pedra. Errou. Tentou uma segunda vez. O baque da pedra contra a janela ecoou no silêncio. Nada. Fiz o mesmo com a minha menor pedra. Continuava sem resposta. Começamos a nos alternar. Três pedras, depois quatro.

– Psiu! Acho que ouvi alguma coisa.

– Ai!

Acho que apertei a mão de Ellie com muita força. Não havia luz, mas eu podia jurar que uma fresta se abriu pela janela.

– Mãe, é você? Somos nós, Ellie e eu. – Meu sussurro pareceu estar alto demais, mas eu estava muito tenso. Após uma pausa, a janela se abriu mais um pouco e eu consegui identificar a silhueta de minha mãe.

– Mika, é você mesmo? – Consegui ouvir o tremor na voz dela. Dessa vez foi Ellie quem falou.

– Sim, somos nós. Rápido, deixem-nos entrar. – A janela se fechou e nós ouvimos passos leves se aproximando da porta da frente. Foi minha mãe quem abriu. Ela olhou para mim por um segundo, como se houvesse visto um fantasma, e jogou os braços ao redor de meu corpo, abraçando-me com força.

– Suba! Cara está aqui também. – Ela segurou em minha mão e na de Ellie também, nos levando para o andar de cima.

Quando minha mãe abriu a porta do apartamento, pude ver Cara sentada a uma mesa no fundo da sala, iluminada apenas por uma pequena vela. Ela não se levantou para receber Ellie. Com o corpo largado sobre a cadeira, simplesmente estendeu os braços, mas não disse palavra. Mesmo assim, Ellie a abraçou com toda a sua força.

Mais tarde nós nos sentamos ao redor da mesa, falando em voz baixa. Na verdade, a conversa ficou entre minha mãe, Ellie e eu, enquanto Cara permaneceu em silêncio. Parecia ter perdido a fé em qualquer tipo de conversa.

– Eles nos levaram ao *Umschlag*, aquele lugar medonho e miserável. – Minha mãe falava em voz baixa, olhando para mim e para Ellie enquanto Cara estava de costas para nós.

– Não havia água em lugar nenhum, e o sol nos castigava como se fosse uma maldição divina. Estávamos amontoados no meio de centenas de pessoas, e, após algum tempo, todo mundo entrou em pânico. Os alemães simplesmente nos deixaram ali, e ninguém nos disse o que iria acontecer. Procuramos por vocês dois quando eles nos colocaram no caminhão e depois também, no *Umschlag*; eu estava louca de preocupação e sentia muito a falta de vocês. Mesmo assim, se vocês não estavam conosco, imaginei que talvez houvesse uma chance de que estivessem a salvo.

... De repente, um soldado se aproximou de nós no meio da multidão. Ele era alto e estava andando rapidamente. Percebi que estava perguntando por alguém. Quando ele se aproximou, eu o ouvi chamar: "Halina Hernsteyn?". "Sim, estou aqui!", respondi, quase por reflexo. "Venha", comandou ele, fazendo um gesto para que eu o seguisse, mas eu agarrei Cara. "Não vou a lugar nenhum sem minha irmã. E há também as meninas gêmeas e seus pais. Todos nós podemos trabalhar". "Não, somente você e sua irmã". Não houve possibilidade de negociar, Mika, tudo aconteceu rápido demais. Agarrei o braço de Cara e seguimos o soldado no meio da multidão. Ainda consigo ver o rosto das gêmeas... e dos pais delas. A mãe se virou e disse: "Vão em frente, nós ficaremos bem. Faça o que ele manda", mas, meu Deus, o que vai acontecer com eles?

Minha mãe ficou em silêncio por um momento.

– Cara e eu ficamos agarradas uma à outra. As pessoas olhavam para nós, algumas com pena, outras com uma expressão que jorrava ódio. Uma mulher sussurrou: "Traidoras". O soldado nos levou até uma pequena saída na cerca de madeira e depois até uma casa próxima, e mandou que esperássemos num quarto pequeno, dizendo que voltaria para nos buscar. Ele nos trancou lá dentro. Estávamos próximas o bastante para ouvir o caos no *Umschlag*, as pessoas gritando, tentando encontrar umas às outras...

– E foi então que, talvez umas duas horas depois, o trem chegou. A polícia e os soldados começaram a gritar: "*Raus, na macht schon*". As pessoas gritavam. Ninguém queria embarcar naqueles vagões de transportar gado. Não conseguíamos ver nada, porque estávamos dentro da casa, e eu enfiei os dedos nos ouvidos, mas consigo imaginar exatamente o que aconteceu: os alemães empurrando as pessoas para que subissem nos vagões, trancando-as ali dentro como se fossem bois. Ouvimos um apito alto, e depois o ranger das rodas do trem quando começou a ganhar velocidade. Depois, tudo ficou quieto, totalmente quieto.

... Quando o soldado finalmente nos deixou sair da casa, no fim da tarde, conseguimos dar uma olhada na praça. Estava tão vazia que chegava a ser enervante, como se os fantasmas daquelas pessoas ainda estivessem vagando ali, uns à procura dos outros, mas elas já tinham sido levadas, Mika. Todas elas. O soldado nos levou até outra casa, onde ficamos até anoitecer, depois ele nos trouxe para cá. Mika, eles levaram as gêmeas, o bebê, todos...

Ela baixou a cabeça e apoiou-a com as mãos.

Sentia-me como se estivesse me afogando. Max era um soldado regular do *Wehrmacht*, não um membro da SS, mas também era parte do esquadrão mortal que nos levara ao *Umschlag*. Ainda assim, ele decidira se arriscar e resgatara minha mãe, minha tia e me deixara ir. Por quê? Será que vira algum aspecto de seu filho em mim? Será que restava alguma fagulha de gentileza humana nele que gritava para se mostrar num último gesto?

Naqueles dias terríveis, nada mais era previsível – a lógica fora esquecida, e a única coisa que sobrevivia era a aleatoriedade cruel do destino. Como poderíamos distinguir entre o soldado que se lembraria de sua humanidade e aquele que simplesmente obedeceria a uma ordem para matar? Vi os ratos mudarem de atitude num piscar de olhos: enquanto sua propaganda ideológica nos pôsteres impressos em cores vivas proclamavam que nosso povo não passava de vermes, ainda assim eles assistiam alegremente às nossas apresentações, deixavam-se entreter por nossos músicos e exibições nos cabarés numa noite, apenas para nos matar sem nenhuma compaixão no dia seguinte.

Mas não tínhamos todos a mesma biologia? Um coração que batia, pulmões, sangue vermelho e quente? Naquela primeira noite, minha mãe insistiu para cobrirmos todas as janelas com várias camadas de jornal. Depois, comemos uma refeição mirrada: uma sopa rala que ela conseguiu preparar no fogão com algumas beterrabas e meia fatia de pão para cada um. Como não sabíamos quanto tempo teríamos que passar naquele lugar, precisávamos tomar muito cuidado com nossa comida.

Tentei não pensar nas pessoas que viviam ali antes de chegarmos enquanto comemos em seus pratos, dormimos em suas camas. Senti um calafrio ao ver os livros infantis e os brinquedos espalhados num dos quartos.

Minha mãe me fez prometer que eu não a deixaria para trás outra vez até que a guerra estivesse terminada. E, naquela primeira noite, embriagado pelo alívio de conseguir encontrá-la, feliz, eu disse que sim.

Vivíamos como toupeiras no mundo de sombras daquele apartamento. Frequentemente eu acordava à noite, tremendo, sentindo uma presença que estava aos pés da cama. Se fantasmas existissem, aquele apartamento estava cheio deles. E, embora eu levasse alguns dos fantoches para dormir comigo na cama, ainda sentia saudade do príncipe. Eu o entregara, eu o traíra. Imaginei Max procurando uma caixa, embrulhando o príncipe com lenços de papel e enviando-o com um bilhete para seu filho na Alemanha: *De Varsóvia, com amor...* Aquele pensamento me desolava.

Havia pouco para fazer ali, e nossa rotina diária era incrivelmente tediosa. Cara ficava a maior parte do dia sentada diante da mesa, e nem mesmo Ellie conseguia fazê-la conversar. Uma vez por dia minha mãe colocava uma faca pequena ao lado de sua irmã e lhe pedia para cortar as batatas ou as beterrabas, o que ela fazia. Ellie ocupava uma velha poltrona e desaparecia em meio a sua coleção de contos das *Mil e Uma Noites* durante a maior parte do dia, e só concordava em ler um capítulo para mim quando eu insistia bastante. Eu andava e revirava os outros apartamentos, procurando por qualquer coisa que pudéssemos comer. Com o passar do tempo, comecei a desenvolver um talento para encontrar até os tesouros mais escondidos – certa vez, consegui encontrar uma pequena vasilha que fora deixada dentro de um forno, cheia até a borda com o precioso açúcar. Outra vez, encontrei um pacote de beterrabas escondido embaixo de um travesseiro. Na maioria dos dias eu não encontrava nada além de migalhas. Às vezes, Ellie e eu construíamos um pequeno palco com as malas na mesa da cozinha e inventávamos alguma história ou apresentação com os fantoches para minha mãe e Cara. Às vezes Cara abria um sorriso efêmero, tão fugaz quanto um pássaro, mas o bastante para dar a impressão de que aquele momento tinha importância.

Outra noite, enquanto eu revirava os bolsos do casaco, meus dedos esbarraram na pequena flauta. Eu a retirei do forro do sobretudo e, apesar do perigo de alguém poder nos ouvir, comecei a tocar uma melodia simples. Depois outra e mais outra. Minha mãe, Ellie e Tia Cara se juntaram a mim à mesa, ouviam como se estivessem hipnotizadas pela melodia daquela pequena flauta. Lembro-me de ver o velho tocando para as crianças de rua, que dançavam ao som de suas harmonias, enquanto eu caminhava pela Rua Leszno com Vovô, tanto tempo antes... Nenhum de nós disse palavra naquela noite, ao redor da mesa. Havia apenas as lágrimas em nossos olhos.

Depois de passarmos uma semana inteira escondidos, minha irritabilidade estava chegando ao limite: eu não conseguia ficar parado, batia o pé esquerdo contra o chão constantemente e roía as unhas até arrancar sangue dos dedos. O silêncio me sufocava, e eu estava desesperado para tomar ar fresco e ver as crianças do orfanato outra vez, descobrir o que mais estava acontecendo no gueto. E como estariam as crianças do hospital? Se os alemães quisessem se livrar de todos os que eram fracos e incapazes de trabalhar, as crianças certamente não teriam nenhuma chance de sobreviver.

Ellie tentou me convencer a esperar um pouco mais, ajudá-la a criar novos espetáculos, mas, restritos aos sussurros constantes e cautelosos, nada conseguia florescer. Os fantoches ficavam inertes em nossas mãos, e nossos diálogos eram forçados e sem criatividade.

Saí do apartamento bem cedo numa manhã, 10 dias após nossa reunião. Não disse a ninguém para onde eu iria, nem mesmo a Ellie. Simplesmente vesti o sobretudo e saí pela porta. Tudo o que eu queria era correr até o hospital e voltar, mas não consegui ir muito longe.

Enquanto avançava pela Rua Orla, uma patrulha alemã virou a esquina em alta velocidade. Não havia nenhum lugar onde me esconder, e eu estava simplesmente encurralado. A patrulha parou com um guinchar de pneus súbito, bem diante de mim.

Uma voz ríspida me fez parar.

– *Stehenbleiben Jude*. O que tem aí debaixo de seu casaco? – um soldado alto saltou do caminhão, com a arma em punho.

– Nada. – Minha voz parecia estar estridente demais. O soldado se aproximou de mim e ergueu meu queixo com o dedo indicador.

– *Na schau mal wen wir da haben*, olhem só quem está aqui... o menino dos fantoches! – disse ele, sorrindo. – Não o reconhecem? O garoto de leite, eu conheço o rosto dele. Mostre o que tem nos bolsos. – Ele riu, mas não havia como esquecer o fato de que ele podia me matar ali mesmo se quisesse. Puxei o crocodilo e Hagazad, o feiticeiro.

– Ah, que *Zufall* incrível. Nós vamos precisar de algum entretenimento hoje à noite. Entre no caminhão, garoto. Você pode ser nosso mascote da sorte hoje. Isso vai ajudar a mantê-los calmos. – Minhas pernas cederam quando eles me colocaram no caminhão. Eles apenas riram.

– Qual é o problema com você, garoto? Está com saudade de sua cerveja? – Eu não me lembrava daquele soldado em particular, mas ele claramente me conhecia. Olhei ao redor para ver se Max estava por perto, mas não consegui vê-lo entre aquela tropa.

Naquela tarde eu perderia mais uma parte de minha alma ao acompanhar o que realmente acontecia numa *Aktion* do começo ao fim: as botas dos soldados derrubavam brutalmente porta após porta, o "*Raus, schnell, schnell!*" familiar que enchia as ruas de terror, os lança-chamas cuspindo o fogo ardente nas casas depois que seus habitantes eram enfiados nos caminhões. Naquele dia eu tive a certeza de que eles não esperavam que nenhum judeu voltasse a pisar em Varsóvia.

Pouco a pouco, o caminhão começou a se encher de gente: mulheres que seguravam seus filhos com força, pessoas idosas e até homens que ainda eram *arbeitsfähig*, capazes de trabalhar, todos encapotados apesar do calor que fazia, agarrados a suas malas de viagem, assim como aconteceu com minha mãe quando fora jogada no caminhão duas semanas antes. Será que eles me levariam para o *Umschlag* também?

Subitamente, o soldado que me viu na rua se virou e olhou diretamente para mim.

– *Komm, spiel mal was schönes, Bube.* Pegue seus fantoches e apresente-se para eles. – Ele sorriu, e sua boca revelou uma enorme fresta no meio de uma fileira de dentes amarelados. Todos os olhos estavam apontados para mim. Eu silenciosamente xinguei os fantoches e minha imprudência ao sair de nosso esconderijo naquele dia. Fazer uma apresentação para os oficiais e os soldados detestáveis era uma coisa, mas encarar essa multidão aterrorizada que estava sendo levada para o *Umschlag* era algo completamente diferente. E o pior: agora eles sabiam que eu entretivera os alemães antes, e que eu era bastante familiar aos ratos. Senti o rosto corar e rezei para que a terra simplesmente me engolisse.

De repente, senti um puxão em meu casaco. Uma menininha com cabelos cacheados e bastante desgrenhados que levava uma pequena mala vermelha consigo, algo que dificilmente poderia abrigar mais do que apenas alguns brinquedos, estava com a cabeça erguida, olhando para mim.

– Posso ver os seus fantoches? Por favor? – Ela devia ter mais ou menos a idade de Hannah. O pai da menina, segurando sua mão, assentiu discretamente. Não havia como voltar atrás.

E assim, conforme o caminhão disparava pelas ruas vazias na direção do *Umschlag*, eu tirei fantoche após fantoche dos muitos bolsos de meu velho casaco. Brinquei um pouco, contei algumas piadas, e, quando um dos fantoches terminava sua apresentação, eu o entregava para alguém: dei o primeiro fantoche, o macaco, para a garota, e os outros para um menino mais velho e alguns adultos. Logo havia oito pessoas participando da apresentação. Havia conversas tolas e até alguns risos conforme os fantoches golpeavam e abraçavam uns aos outros. Logo, com um tranco forte, o caminhão parou. Estávamos no *Umschlag*.

– *Raus jetzt. Schnell, schnell.* – O soldado apontou para mim. – Você, não. Você fica.

Os soldados colocaram uma rampa na caçamba do caminhão, e as pessoas começaram a desembarcar enquanto os alemães as insultavam aos berros. O pai da menina tirou o fantoche que ela tinha na mão e o devolveu a mim.

– Obrigado. – Outros seguiram o seu exemplo e, como se estivesse numa espécie de transe, eu os recebi novamente. Eles ficaram em meu colo enquanto eu observava as pessoas saírem do caminhão uma atrás da outra. Não conseguia me mover; eu mesmo era um fantoche agora, uma testemunha sem nenhum poder, sem uma coluna para sustentar o corpo.

– Sara, devolva o fantoche para o garoto. – A voz do pai me assustou.

Sara! Como a pequena Sara, uma das gêmeas. Meu Deus, o que acontecera com as gêmeas? A menina estendeu a mão com o fantoche do macaco para mim. Todos estavam me devolvendo os fantoches enquanto perdiam tudo o que tinham, e tudo o que eu conseguia fazer era ficar sentado ali como um imbecil.

– Leve-o com você, por favor. – Eu afastei a mão da menina. Pelo menos ela poderia levar o diabo do fantoche consigo. A menina sorriu. Voltou a encaixar o macaco na mão e deixou que o fantoche carregasse sua mala. Um portão improvisado, coberto com arame farpado, se abria diante do *Umschlagplatz*. Como era possível enfiar ainda mais pessoas ali? Alguns momentos depois, eu não consegui mais ver a menina. A carga de pessoas que compôs minha plateia e companheiros de palco foi engolida pela multidão. E o caminhão voltou a atravessar as ruas do gueto.

Por mais quatro vezes naquele dia eu testemunhei as pavorosas apreensões e entregas do caminhão até o *Umschlag* antes que os soldados finalmente me deixassem ir embora e partissem para o lado ariano e seu quartel.

Eles me colocaram para fora diante do *Wache* tarde da noite e mandaram que eu voltasse àquele lugar na manhã seguinte. Eu sabia que não faria isso.

Quando voltei a nosso esconderijo, todos estavam num estado terrível, especialmente minha mãe. Ellie simplesmente me abraçou com uma força que não imaginei que ela pudesse ter; minha mãe fez o mesmo, branca como um fantasma. E, durante aquela longa noite, eu finalmente contei à minha mãe tudo sobre a vida dupla que levava, o que os soldados me obrigavam a fazer e como eu levara as crianças para fora do gueto debaixo do casaco. Que importância aquilo tinha agora? Minha mãe chorava e acariciava minha mão, chamando-me de "meu menino corajoso" várias e várias vezes, até que eu lhe disse para parar com aquilo.

Tentamos levar uma vida discreta naquele apartamento pequeno e com as janelas encobertas, mas era difícil. Tínhamos tão pouca comida para sobreviver naqueles dias que eu escapulia sempre que tinha oportunidade, para respirar um pouco de ar fresco, para escapar do ar abafado e do ambiente claustrofóbico e para tentar encontrar comida. Cumpri a promessa que fiz a minha mãe de que não me afastaria muito.

Eu dividia um dos quartos com minha mãe, e Ellie dormia no outro. Eu desejava muito poder ficar na cama com ela, abraçá-la e beijá-la, deitar-me contra o calor de seu corpo. Eu sabia que nós dois estávamos inquietos, e, para piorar as coisas, estávamos no auge do verão. E ali estávamos, enfurnados naquele apartamento como ursos hibernando em alguma caverna.

Às vezes trocávamos um ou dois beijos rápidos quando estávamos longe da vista de nossas mães, e, com o passar do tempo, Ellie leu para mim a maior parte dos contos de seu livro, interrompendo-se apenas por causa de algum beijo ocasional ou de alguma carícia desajeitada.

Até que, certo dia, no início de agosto, não fui capaz de esperar mais para saber o que havia acontecido com as crianças. Enquanto um dia se transformava em outro como a sopa aguada e cinzenta que era tudo o que tínhamos para comer agora, ainda tentávamos contar os dias num pequeno calendário que eu encontrara. Eu me lembro que era 7 de agosto, um dia bastante ensolarado. Deixei um bilhete para minha mãe e para Ellie e desci as escadas na ponta dos pés. Quando abri a porta da frente e o calor da manhã veio me cumprimentar, eu soube que aquele dia seria muito quente. Corri pela Rua Orla e depois entrei na Rua Karmelicka, com os sentidos em alerta.

Eu soube logo que virei a esquina. Soube sem precisar me aproximar. Sabia de tudo, no fundo de meu ser. Talvez eu soubesse até antes de ter saído de casa naquela manhã. O enorme prédio branco que abrigara as crianças por tanto tempo estava abandonado e vazio, com tábuas pregadas diante da porta da frente, como se o lugar estivesse amordaçado. Olhei para a entrada bloqueada como se ela tivesse as respostas, e depois corri até lá, tentando arrancar as tábuas e passar pela porta. Eu sabia que era um esforço inútil. As farpas da madeira se enfiaram profundamente em minhas mãos, mas não havia nada que pudesse se igualar à dor que eu sentia por dentro.

Não havia mais ninguém ali, nenhum de meus pequeninos. Eu chegara tarde demais.

CAPÍTULO 14

Talvez aquilo fosse o fim. Com certeza, o fim para eles também seria o fim para mim. Agora, finalmente, a terra iria se abrir e engolir a mim junto com todo o resto daquele gueto maldito. As pessoas dizem que, quando alguma coisa terrível acontece, você perde uma parte de sua alma. Essa parte simplesmente se afasta e começa a vagar rumo a algum lugar muito distante. Eu tenho certeza de que uma parte de mim ficou enraizada eternamente diante do orfanato de Janusz naquela manhã ensolarada de agosto – tentando arrombar a porta para encontrar Hannah, Margaret, Janusz e as crianças. Esperando por eles, com as mãos ensanguentadas.

Eu soube mais tarde que todo o orfanato fora deportado no dia 5 de agosto: Janusz, Margaret, as outras enfermeiras e 200 crianças. Janusz poderia ter-se salvado – no último minuto, o *Judenrat* conseguiu um salvo-conduto para ele, mas, no *Umschlagplatz*, ele se recusara a ir embora e ficara ao lado das crianças. As pessoas tinham ficado surpresas com aquela atitude, mas eu não. Aquelas eram suas crianças, eram sua vida.

Qualquer um que tenha testemunhado a longa fila de crianças se lembrava de que todas haviam marchado numa fila organizada, duas a duas, naquela praça suja. Vestidas em suas melhores roupas, cantavam uma canção depois da outra. Durante todo o trajeto até o *Umschlag*, elas haviam sido conduzidas por Margaret, Janusz e um dos meninos, que tocava seu violino. Algum tempo depois as pessoas diziam que haviam visto todas embarcarem calmamente, sem tumulto ou resistência, nos caminhões de transportar gado. Janusz lhes dissera naquela manhã que fariam um passeio no campo. Mas eu acho que o que aconteceu foi o seguinte: é claro que as crianças estavam assustadas. Todos estavam. Como poderia ser diferente? Mesmo assim, elas amavam Janusz tanto quanto ele as amava, e por isso teriam decidido encenar todos juntos a farsa do "vamos dar um passeio no campo". Desde então muitas pessoas sabem o que houve com Janusz e suas crianças. A história ficou famosa, e Janusz se tornou um herói, mas quem realmente sabe o que houve com as crianças, quem conheceu seus nomes e a história de cada uma delas? E quem se lembrará de Hannah, a menina de cinco anos mais meiga, impetuosa e determinada que eu já conheci?

Mas ainda não era o fim.

O fim chegou em 15 de agosto, outro dia quente e de céu azul. Eu me esforçava para ser paciente, para me distrair com os fantoches e com Ellie, mas precisava saber o que estava acontecendo a nosso redor. Conhecera um garoto com mais ou menos a minha idade numa de minhas breves excursões pelo bairro à procura de comida. Ele me dissera que, mesmo com toda aquela adversidade, o hospital das crianças ainda existia. Ellie, preocupada com as crianças e abalada pelo tédio, o medo e a fome, decidiu que iria comigo até lá.

– Mas não vamos nos demorar. Somente uma hora, mais ou menos. – Concordei com aquilo, contente porque ela estaria comigo. Não levamos nada além de meu sobretudo e os fantoches, deixando um bilhete para minha mãe e Tia Cara. Quando chegamos ao hospital e abrimos as portas pesadas, soubemos instantaneamente que as enfermeiras não tinham mais nada para dar às crianças além de uma palavra gentil aqui e ali. Fazia muitas semanas desde nossa última visita, e ver o hospital naquele estado foi devastador. Lembro-me de ter ficado parado ali como um farol em meio às ondas de um mar revolto. Ainda era uma espécie de refúgio, mas não havia medicamentos nem bandagens, e quase nenhuma comida.

Havia somente cinco crianças na ala dos tuberculosos que se lembravam de nós, e agora todas as camas tinham três crianças deitadas sobre o colchão. Estavam tão magras que eu nem conseguia imaginar o que as mantinha vivas. Mas mesmo naquela ocasião nós conseguimos provocar alguns sorrisos com as peripécias dos fantoches, e, apesar da fraqueza, os pequenos pacientes ainda queriam brincar com os bonecos, colocando-os em suas próprias mãos. Olhei para Ellie. Eu não a vira sorrir muito nas últimas semanas, mas ali estava ela, dando vida aos fantoches, brincando com as crianças e até deixando uma risada ocasional fluir por seus belos lábios. Senti um pouco de tontura – talvez devido à fome –, mas tê-la ali comigo parecia ser a maior das dádivas em tempos tão sombrios.

Ficamos muito mais tempo do que havíamos planejado. Como poderíamos ver apenas algumas crianças, e não as outras? Assim, só tomamos o caminho de volta à tarde. Tudo estava muito, muito quieto. No lugar onde, havia bem pouco tempo, um gueto superlotado fervilhava com pessoas e vida, tudo o que restava era uma cidade fantasma. Atravessamos rapidamente as ruas desertas num zigue-zague alucinado. Quando entramos na Rua Orla, vimos a situação imediatamente: algumas casas estavam chamuscadas, recém-incendiadas, e a porta de entrada de nosso esconderijo estava escancarada como uma boca sem dentes.

Subimos as escadas correndo. A porta do apartamento estava aberta e não havia nenhum indício da presença de minha mãe ou de Tia Cara. O apartamento parecia estar intocado, mas os jornais que cobriam as janelas haviam sido arrancados e estavam espalhados pelo chão. As duas malas surradas haviam desaparecido, assim como os casacos delas. Não havia nenhum vizinho para testemunhar o que acontecera ali, apenas os quartos vazios e uma mesa de cozinha que fora nossa por algumas semanas. O cachecol de minha mãe fora deixado sobre o encosto de uma das cadeiras, vermelho-escuro como uma chaga recém-aberta. Aproximei-me lentamente da peça, como se atravessasse um rio de águas profundas. Toquei o cachecol e o segurei em minha mão.

Lembro-me do silêncio que se formou entre mim e Ellie enquanto nos entreolhávamos naquele apartamento pequeno. Uma pausa assombrosa e elétrica, como se uma tempestade enorme fosse desabar a qualquer momento. Em seguida, os punhos dela começaram a me golpear como uma chuva de granizo, dando início à tormenta. Meu Deus, ela era tão forte!

– Por que eu fui com você esta manhã, por quê? Por que nós saímos? Podíamos ter ouvido quando eles chegaram. Podíamos ter nos escondido. Todos juntos.

Fiquei ali parado, deixando os punhos de Ellie me golpearem, com os braços pendendo frouxamente ao lado do corpo. Eu mal conseguia sentir seus golpes, e mesmo assim havia um estranho conforto no ritmo dos "por quê" de Ellie seguidos por um soco, depois outro "por quê" seguido por mais um soco. Eu não teria nenhum problema em ficar ali para sempre, mas, após algum tempo, os golpes arrefeceram e foi o choro de Ellie que me acordou do desespero em que eu me encontrava. Choramos, um nos braços do outro, agarrados como um casal de náufragos. Quando finalmente nos afastamos, cansados e derrotados, corremos até o *Umschlag*. O lugar estava deserto.

Não me lembro muito bem do que aconteceu nas semanas seguintes. Nós nos escondemos em outro apartamento, correndo pelo bairro como cães vadios, procurando por quaisquer restos de comida que as pessoas pudessem ter deixado para trás. Passávamos a noite abraçados, temendo por nossas vidas. Eu não suportava falar sobre nossas mães, mas Ellie nunca deixava o assunto morrer.

– Elas se foram, Mika. Estão mortas. Eu sei disso, consigo sentir em meus ossos. Como os alemães podem fazer isso e continuar impunes? – Ela se sentou, com os olhos ardendo. – Que diabos, será que o mundo não sabe o que está acontecendo conosco? E as pessoas do outro lado do muro? Elas podem ver o que acontece dentro do gueto; elas viram quando fomos levados embora.

Eu permanecia em silêncio, o coração congelado como um lago no inverno. Mas, durante a noite, sonhava apenas com minha mãe: eu a via em pé diante do fogão, mexendo a panela de sopa, cantarolando alguma música. Quando ia em sua direção, ela se virava para mim e sorria. "Ah, meu príncipe!" Mas, logo que eu me aproximava, seu rosto se transformava – aquelas belas feições se esmaeciam. Primeiro a boca, depois o nariz, depois os belos olhos castanhos, até que o seu rosto parecia ser apenas uma superfície branca e limpa. Eu acordava gritando, desorientado. Só conseguia me acalmar quando Ellie acariciava minha testa úmida. Eu não conseguia parar de pensar em minha mãe. O que aconteceu com todo mundo depois de terem sido enfiados naqueles vagões de transportar gado? Para onde os ratos os teriam levado?

Então, em 21 de setembro, nosso dia sagrado do Yom Kippur, as deportações foram interrompidas tão repentinamente quanto haviam começado. Não restavam muitos de nós. Como tudo o que os alemães faziam, a ação que eles haviam orquestrado fora executada com uma eficiência mortal. E foi um plano muito bem elaborado: colocar todos os judeus numa área pequena, impedindo-os de sair; deixá-los à própria sorte por um longo tempo de modo que os mais fracos fossem eliminados pela febre, o tifo, a fome e o frio. Deixar que o *Judenrat* estabelecesse as leis; deixar que confeccionassem suas próprias braçadeiras. Tirar os judeus da vista e da mente do público que vivia do lado de fora do gueto, para que eles lentamente se esquecessem de nós. Depois, culpar os judeus pelas doenças, invadir o gueto e "reassentá-los" – não no leste, mas na terra dos mortos: com a confiança total de que ninguém se importaria o bastante para interferir.

Eu não entendia como as deportações podiam acontecer bem diante dos olhos dos poloneses católicos que, até pouco tempo antes, eram nossos vizinhos. Alguns conseguiam avistar o gueto das janelas de suas casas. Eles haviam ficado à margem do caminho quando os alemães nos forçaram a ir para o gueto em 1940, e depois a sair de lá e ir até o imundo *Umschlag* no infeliz verão de 1942... Centenas de milhares de indivíduos: crianças, homens, mulheres, famílias inteiras, sete mil pessoas por dia, todos os dias, durante várias semanas. Será que acreditavam que nós seríamos levados para novas casas depois de terem visto como estávamos sendo tratados? Ou aquilo acontecia por causa do terror que os alemães espalhavam, assim como o seu gás letal, que os paralisava?

Tudo mudara. Como se a toda a força vital houvesse sido drenada de nós, Ellie e eu víamos os dias se arrastarem sem que tivéssemos nenhum propósito – e, ainda assim, o sol continuava a brilhar. Como se quisesse zombar de nós, o tempo continuava ensolarado, imutável, imaculado. Como era possível que a grama ainda crescesse em pequenos tufos entre o cinza do gueto quando não havia mais nenhuma criança por ali? Ela crescia melhor agora do que antes, sem que fosse pisoteada por tantos pés. Como o céu conseguia se tingir de um azul tão brilhante, quando Hannah fora levada sem mesmo o conforto de minha promessa, de meu "sim", em seu pequeno coração? Como era possível que algumas flores abrissem caminho pela terra para brotar na superfície quando minha mãe já não estava mais ali, e depois que suas floreiras haviam sido destruídas?

E, indiferente e terrível, o sol: como ele ousava arder daquele jeito, bronzear minha pele e aquecer meus ossos enquanto minha mãe era enfiada naqueles vagões de transportar gado? Eles os haviam levado na época mais quente do verão. Por que eles haviam chegado no verão? Os dias eram mais longos nessa estação, as pessoas podiam trabalhar com mais eficiência, e a eficiência era tudo para os alemães. *Onde você está, mãe? O que aconteceu com suas roupas, com seu sorriso?*

Eu costumava adorar o sol, mas, naquele verão, seu brilho ardente me deixava enjoado.

Como você pode olhar para nós aí de cima como se nada estivesse acontecendo? Aquela raiva me consumia dia após dia. O sol devia ter escurecido, mas, em vez disso, ardia sobre o gueto com uma força implacável. Houve um dia em que eu não consegui mais aguentar e chamei o sol para um duelo, forçando-o a desaparecer.

Estava disposto a trocar meus olhos por um eclipse – se aquilo significava uma cegueira, que assim fosse. Sentei-me sozinho no canto do quintal de nosso esconderijo e lentamente encarei o sol, diretamente. Respirei fundo e olhei fixamente... Mas nada aconteceu. Meus reflexos me traíram, e eu não consegui mantê-los abertos. Em vez disso, fiquei sentado com as vistas vermelhas e lacrimejantes, suando, apertando os olhos sob a luz ofuscante. Apenas a sombra do sol, uma mancha pequena e escura no canto de meus olhos, ficou comigo por algum tempo.

Fazia exatamente uma semana desde que minha mãe e Cara haviam sido levadas.

CAPÍTULO 15

Um silêncio sepulcral pairava no gueto, e uma nova fase dessa época inclemente começava. Depois de dois meses do início das deportações, restavam apenas 60 mil judeus. Quando eles haviam nos trancado no gueto, em outubro de 1940, havia 400 mil. Onde antes havia ruas superlotadas e barulho por toda a parte, agora somente restava o silêncio de um necrotério.

Certo dia surgiram cartazes mandando que todos informassem os alemães de sua presença. Ellie e eu debatemos por algum tempo, mas nossa comida acabara e havia muito pouco para encontrar agora. Assim, fomos encontrar o inimigo. E, pela primeira vez em mais de um ano, fomos separados. Homens e meninos tinham que dormir em grandes alojamentos coletivos perto do muro do gueto e das fábricas alemãs do lado ariano nas quais fomos forçados a trabalhar.

Nós nos reuníamos todos os dias perto do *Wache*, e eles nos faziam marchar pelos portões com destino aos canteiros de obra arianos e às poucas fábricas que restavam. Alguém estava ganhando muito dinheiro em cima de nossos ossos cansados e almas estraçalhadas. A maioria dos trabalhos era extenuante, mas pelo menos nós recebíamos um pouco de comida, e as travessias diárias entre o gueto e o lado ariano traziam novas oportunidades para contrabandear.

Ellie, como muitas mulheres, fora mandada para trabalhar nas oficinas *Toebbens-Schultz* na Rua Nowolipie, e recebera ordens para limpar e consertar os uniformes alemães que eram enviados de volta das linhas de combate na Rússia. Ela passava 12 horas por dia trabalhando.

– Sabe, muitos dos uniformes parecem peneiras, cheios de buracos, rasgados e bastante ensanguentados – Ellie me disse certa noite, com um sorriso. Era uma notícia animadora. Alguma coisa certamente estava dando errado para os ratos no front russo, e nossas mulheres faziam os reparos da pior maneira que podiam.

Ellie e eu não nos víamos com tanta frequência naqueles dias, embora às vezes eu fosse até os alojamentos das mulheres ao lado dos barracões, ou ela viesse até o meu. Momentos curtos e roubados, pequenos bolsões de tempo. Ainda não conseguíamos falar sobre nossas mães, e o conforto que encontrávamos em nossos abraços era como uma gota de água que evaporava rapidamente em meio ao calor.

Como poderíamos continuar vivendo assim, drenados de toda a vida, vazios até os ossos? Minhas noites eram de horrores sem fim: o rosto de minha mãe desaparecendo, minhas tentativas de alcançar os trens, correndo até os pulmões arderem pelas ruas do gueto, gritando sem que um único som saísse de minha boca. Nas fábricas, os dias escuros se estendiam infinitamente, sem nenhuma esperança ou significado.

De algum modo, eu segui em frente, trabalhando com a cabeça baixa, tratando de entorpecer meu cérebro, fabricando escovas ásperas para manter o *Reich* alemão limpo. Depois de algum tempo comecei a olhar à minha volta, para os homens e meninos que estavam ao meu redor, e logo descobri que havia rapazes, assim como eu, que estavam contagiados por um feroz desejo de vingança. Certo dia, Henryk, um rapaz judeu da Cracóvia, aproximou-se de mim.

– Mika, vá ao banheiro, agora – sussurrou ele. – Olhe no canto, perto da janela. Há um pedaço de papel escondido numa rachadura. Vá e leia o que está escrito. E não esqueça de colocá-lo de volta.

Fiz como ele mandara. Ele não precisava se preocupar em esconder coisas muito bem em nossos banheiros destruídos – os ratos nunca procurariam nada ali. Tirei com força o papel que estava dobrado e o abri.

"Um chamado às armas! Irmãos e irmãs! Não seremos levados ao abate feito ovelhas. É melhor morrer em combate como um povo livre do que viver sob o jugo dos assassinos. Levantem-se. Lutem até o último suspiro!"

Era uma cópia do manifesto feito pelo poeta Abba Kovner, escrito em dezembro de 1941, quando todos nós dormíamos sob falsas esperanças, antes das deportações. Estremeci, mas a mensagem criou raízes em meu coração.

E assim me tornei parte de um grupo que se formou naquelas semanas devastadoras após as deportações, a ZOB[4] – a Organização Judaica de Combate. Um grupo maravilhoso de jovens, a maioria de nós com idade entre 13 e 22 anos, incluindo uma boa quantidade de garotas e mulheres também, todos com um desejo ardente de vingança. Nós nos reuníamos secretamente em nossos alojamentos durante a noite. Naquele momento precisávamos organizar nossa resistência para conseguir chegar à última batalha, e não tínhamos tempo para lamentar as pessoas que perdemos. Também não tínhamos mais nada a perder.

—

[4] Do polonês *Żydowska Organizacja Bojowa*. (N.T.)

Certa noite, um mensageiro da resistência polonesa chegou a nosso alojamento, desgrenhado e gaguejando. Estava diante de nós, pálido como um fantasma, forçando-se a falar. Nós nos aproximamos dele, prendendo a respiração. Ele estava nos vagões de gado e conseguira se jogar para fora logo antes de o trem chegar a Treblinka; de que maneira, ele não disse. Será que conseguira se espremer por uma janela, ou abrira um buraco no fundo do vagão? Ele seguira os trilhos até aquela área, escondendo-se por vários dias numa floresta que ficava nas proximidades, observando os trens. Vagões de gado abarrotados chegavam todos os dias em Treblinka, despejando sua carga humana antes de voltarem vazios e sacolejando para Varsóvia após algumas poucas horas. Nauseado devido à fumaça grossa e negra que pairava sobre a floresta, ele finalmente entendera por que nenhum dos trens trazia comida ou outras provisões: os mortos não precisam comer. Não havia nenhuma realocação, apenas o extermínio.

De algum jeito, quase morto de fome e enlouquecido pela angústia, ele conseguira voltar a Varsóvia, determinado a nos encontrar e destruir quaisquer ilusões que ainda restassem sobre o destino dos judeus. As notícias se espalharam como fogo em mato seco. Extermínio – esse era o plano dos alemães desde o início, nos matar como vermes. Alguns de nós sabiam disso instintivamente, no fundo de nossos corações, mas aquele testemunho mudava tudo. Agora nós tínhamos que agir.

O que acontecera para traumatizar tanto aquele homem? Ele, que voltara do inferno com o peso daquela informação sobre seus ombros...

Pouco tempo depois, uma missão altamente secreta começou a ser executada para enviarmos um mapa de Treblinka para os Aliados, desenhado a partir dos relatos daquele homem e escondido num sapato. Milagrosamente, o mapa conseguiu chegar até a Inglaterra, mas, quando os Aliados finalmente chegaram a Treblinka, não restava mais nada: os alemães haviam apagado seus rastros com a mesma eficiência com que o tinham realizado no campo de concentração. Haviam explodido todas as câmaras de gás, escavado as valas onde os mortos haviam sido jogados e incendiado os corpos até terem se transformado em poeira. A floresta cobrira a área do campo outra vez. Só fiquei sabendo disso muito tempo depois.

Nós nos reuníamos e fazíamos planos durante as longas noites. Ganhei um novo amigo na fábrica, chamado André, um homem alto, alguns anos mais velho do que eu e violinista talentoso, que costumava tocar na orquestra sinfônica de Varsóvia. Assim como eu, ele também ardia com o desejo de vingança. Perdera todo mundo durante as deportações: seus pais, as duas irmãs e o avô. Entretanto, não foi André quem começou a falar sobre armas, mas sim um homem mais velho, Alexei. Era professor de história nos velhos tempos, e, embora seus olhos e palavras fossem bastante ardentes, sua voz era firme e suave como um rio. Ninguém de sua família sobrevivera aos meses anteriores.

– Camaradas, nós precisamos agir, e agir agora. Devemos isso àqueles que foram tirados de nós, os corpos queimados até virarem cinzas. Não queríamos acreditar nisso, mas não dá para fugir dessa horrível verdade. O tempo de negar os fatos já terminou.

Embora ele não tivesse nenhuma característica notável e pudesse facilmente passar despercebido, as palavras calmas e determinadas de Alexei rapidamente atraíram uma multidão. Ele pegou uma das poucas cadeiras que havia por ali, subiu nela e ergueu o braço.

– Camaradas, chegou a hora de nos levantarmos e virarmos a mesa, de acabar com os alemães, um a um. Não seremos levados ao abate como ovelhas, nunca mais. Vamos nos levantar e usar nossas armas, vingar nossas mães, filhos, irmãs, irmãos, amigos e amantes!

Retribuímos aquele discurso com aplausos acalorados – sua energia penetrou nos lugares escuros que imaginávamos que nunca mais voltariam a despertar. Ellie, em pé a meu lado naquela noite, apertou minha mão com força. Estávamos bastante empolgados, mas não tínhamos nenhuma arma.

– Algumas pessoas do lado ariano estão finalmente acordando também, e estão prontas para apoiar nossa luta. Vocês acham que, até agora, nós precisamos ser fortes para sobreviver? Esqueçam o que viram até este momento; agora, precisaremos de toda a nossa força e coragem para contrabandear tantas armas quanto pudermos e nos preparar, para nos erguer como um incêndio ardente, um dragão que cospe balas para todos os lados. Vamos agir em conjunto e pegar os desgraçados de surpresa.

Todos escutavam, encantados. Alexei respirou fundo.

– Eles tiraram nossos pertences e nossas casas, forçaram-nos a marchar para o gueto e não resistimos; eles arrancaram nossas famílias de nossos braços e nós não revidamos. Agora, não há nada a perder além de nossa complacência. Precisamos nos erguer! Atiçar as fornalhas e nos preparar para a batalha. Quem dentre vocês aceitará o desafio?

Uma mão se ergueu após a outra. Homens, meninos, mulheres e garotas; a mão de Ellie estava entre elas. Todas as pessoas de nosso alojamento estavam preparadas. Afinal, não seria essa a única escolha possível? Não havia nada mais que pudéssemos usar para recuperar nossa dignidade. E assim, após essa reunião, cada um de nós tinha outra vida, secreta – algo que eu já experimentara. Eu finalmente senti uma faísca se acendendo dentro de mim.

Na noite seguinte confessei a André sobre os shows de fantoches que fizera para os soldados, e também sobre as crianças que eu levara para fora do gueto e os órfãos que haviam perecido. Várias emoções diferentes se estamparam em seu rosto, mas, quando eu terminei, ele me cumprimentou com um tapa amistoso nas costas.

– Você é um garoto corajoso, Mika. Acho que os fantoches e o casaco serão bem úteis em breve. – E, realmente, não demorou muito até que ele voltasse a falar comigo.

– Mika, tenho uma missão para você. Seu casaco é perfeito para isso. – André queria que eu trouxesse algumas das maiores e mais perigosas armas escondidas debaixo de meu sobretudo. Numa ocasião escondi algumas peças de metralhadora, e em outra, um rifle e três granadas. O casaco de meu avô já vira muitas coisas: primeiro, escondera as crianças, com seus corações batendo tão rápido quanto o de um coelho, e agora o aço frio das armas. Mas, fosse lá o que eu carregasse, os fantoches eram testemunhas, confidentes e camaradas nesse jogo de vida e morte.

Após algum tempo André me apresentou a Mordecai, nosso líder, um jovem de 27 anos com olhos escuros, uma cabeleira espessa e negra como carvão e um belo e amplo sorriso.

– Ouvi falar sobre suas aventuras dos dois lados da cerca, meu amigo. – Apoiei o peso do corpo sobre um pé e depois sobre o outro enquanto ele me observava com atenção. – Não acha que pode elevar um pouco o moral das pessoas que moram aqui com seus fantoches? Deus sabe o quanto precisamos disso.

Pensei no príncipe e em seu discurso inflamado. Muitas coisas aconteceram desde então. Ele prosseguiu:

– Além disso, ainda há homens e mulheres que não receberam o discurso de Alexei com o mesmo entusiasmo. Talvez sejam tímidos demais para lutar, mas nós precisamos de todas as mãos com as quais pudermos contar. Acha que os seus fantoches poderiam ajudar um pouco?

– Não sei, mas acho que posso tentar. – Aquele pedido tocou em um lugar bastante dolorido dentro de mim, mas também havia uma pitada de orgulho. Se Mordecai achava que meus fantoches podiam fazer alguma diferença, então eu aceitaria a incumbência.

Assim, criei fantoches que representavam homens e mulheres comuns como nós e também outros que representavam soldados, oficiais e policiais. Não queria que me pegassem com eles, então os escondi nos bolsos mais profundos do casaco. E, lentamente, um grupo diferente de fantoches se ergueu e se misturou com meus bonecos antigos, animando toda a trupe.

Certa noite, ao final de um dia extenuante de trabalho no lado ariano, corri até nosso velho apartamento para buscar alguns materiais da oficina. Com o reforço do toque de recolher, qualquer pessoa que fosse pega corria o risco de ser morta a tiros, mas eu estava sem cola, papel machê, laca e tecido. Eu me via como várias outras coisas agora, além de um simples manipulador de fantoches – um lutador da resistência, um manipulador de fantoches e contrabandista, e precisava conseguir mais materiais. Quando entrei em nosso antigo apartamento da Rua Gęsia, a imagem da cozinha foi demais para mim: a mesa estava coberta por uma grossa camada de poeira, nossa chaleira ainda intocada, as cadeiras dispostas num ângulo como se minha mãe pudesse entrar a qualquer momento, sentar-se e nos servir o chá. Sua panela de sopa ainda repousava sobre o fogão. Peguei alguns materiais na oficina e corri de volta ao alojamento. Sabia que nunca mais retornaria ao apartamento.

As coisas ficaram cada vez mais enervantes para mim: os alemães não haviam me esquecido e, vez por outra, vinham me buscar para entreter os oficiais e soldados com apresentações ao estilo de Punch e Judy, que tinham os melhores resultados. Mas, durante a noite, eu incitava meus camaradas com espetáculos bem diferentes. Aqui, nós armávamos tocaias e atirávamos nos soldados-ratos, os explodíamos e os espancávamos até lhes quebrarmos todos os ossos. Às vezes eu misturava os novos fantoches com os antigos e a algazarra era total: o crocodilo perseguia os soldados, e o bobo da corte batia no oficial até fazê-lo desabar. Cheguei mesmo a fazer um fantoche de Hitler, que sempre terminava na boca do crocodilo.

Certa noite, André me chamou para uma conversa reservada.

– Escute, Mika. Suas apresentações são um entretenimento fabuloso para nós, mas elas também podem ser uma maneira perfeita de elaborar planos para operações perigosas. – Não entendi direito o que ele queria dizer, mas André estava empolgado.

– Tenho certeza de que isso pode funcionar, Mika. Pode nos ajudar a imaginar como iremos combater os alemães. Vamos pegar todos os seus fantoches.

E assim, em vez de cenários de fantasia como pano de fundo, nós criamos uma espécie de maquete do gueto completa, com os nomes das ruas, uma parede de papel machê e os pontos de referência. Deixamos os fantoches viverem em nosso pequeno gueto e ensaiamos as melhores estratégias para ataque e defesa: o modo mais seguro de ir do ponto A ao ponto B, o que fazer se fôssemos encurralados pelos ratos e os pontos onde uma emboscada seria mais eficaz. Todos, até Mordecai, quiseram experimentar.

E era assim que arriscávamos nossas vidas, todos os dias: contrabandeando armas, munição e comida. Alguns me diziam que, quando estavam sozinhos e o medo lhes causava angústia, eles se lembravam dos shows com os fantoches, dos discursos inflamados. Também representávamos todos os possíveis cenários para que pudéssemos estar preparados para qualquer eventualidade. Frequentemente acabávamos rindo bastante, e é desnecessário dizer que, durante as apresentações com os fantoches, nós sempre vencíamos.

À noite, todos tínhamos mais trabalho a fazer: numa enorme ação secreta, escavamos abrigos subterrâneos por todo o gueto: debaixo de blocos residenciais, lojas, sinagogas e ruas. No final de dezembro de 1942, todas as pessoas tinham dois endereços no gueto, um oficial e um secreto. Lentamente nós criamos uma cidade secreta – uma cidade de toupeiras. Os abrigos subterrâneos eram instalações básicas, é verdade, mas com entradas engenhosamente escondidas, dutos de ventilação, pequenos fornos usados para aquecer o ambiente e cozinhar e estavam abastecidos com toda a comida que conseguíamos poupar ou roubar. Colocamos para funcionar também uma frequência secreta de rádio e uma impressora tipográfica num dos abrigos para ajudar a mobilizar outros para a luta e, numa oficina subterrânea, conseguimos até criar armas automáticas simples.

Na tarde de 9 de janeiro, os soldados abriram as portas da fábrica de escovas onde eu trabalhava e começaram a revirar o lugar. Não dei muita atenção àquilo – já estávamos bem acostumados a ser revistados dia e noite. Mas, dessa vez, as coisas foram diferentes.

– Mika Hernsteyn? Há um garoto chamado Mika Hernsteyn entre vocês? O "menino dos fantoches"? Apresente-se.

Estremeci quando ouvi meu nome. Será que finalmente haviam descoberto tudo, ou queriam revistar meu casaco? Minhas mãos estavam úmidas quando comecei a andar, indo na direção dos soldados. Que escolha eu tinha? Mais cedo ou mais tarde os ratos acabariam me reconhecendo. E, sem sombra de dúvida, o soldado que estava me encarando era o mesmo que beliscara meu nariz na primeira noite em que Max me levou para o quartel. Seu rosto se abriu num largo sorriso quando me viu. Senti meu rosto enrubescer, esperando que meus camaradas acabassem entendendo – nem todos sabiam sobre minha vida dupla.

– Venha conosco, você tem uma tarefa especial. – O soldado segurou em meu braço e me levou para fora da fábrica. Uma "tarefa especial" nunca era algo agradável sob o jugo dos alemães, e aquela ocasião não foi exceção. O chefe da SS e da Gestapo chegara a Varsóvia para inspecionar o progresso dos alemães com os judeus e enviar um relatório ao *Führer*. E assim, naquela mesma tarde, eu me apresentei diante do filho do diabo em pessoa, Heinrich Himmler, o homem mais poderoso depois de Hitler.

Muito tempo depois eu vim a saber que Himmler dera ordens para limpar o gueto de todos os judeus até 15 de fevereiro; nosso fim foi declarado naquele mesmo dia de janeiro. Mas não antes que o "arquiteto do Holocausto", como foi chamado posteriormente, se divertisse com um espetáculo de fantoches.

Ele se sentou na primeira fileira e tinha uma aparência bastante comum: um homem magricela, feio, com bigode escuro e óculos de armação de ouro com lentes redondas. Sentado bem próximo de mim, aquele monstro, com seu uniforme negro decorado com as runas da SS e uma caveira prateada no quepe militar que repousava sobre seu colo. Naquela época, a morte não tinha a imagem clássica do esqueleto coberto por um manto negro carregando uma foice. Não, a morte usava um uniforme elegante feito na Alemanha para a elite do *Reich*. Eu me lembro dos risos discretos daquele homem quando me apresentei – como de costume, um espetáculo vulgar ao estilo de Punch e Judy.

Eu poderia atirar nele bem ali, naquele lugar e naquela ocasião. O bobo da corte faria suas palhaçadas e iria revirar a arca do tesouro, descobrindo uma pistola reluzente. Bang! Morto pelo bobo da corte. Seria muito fácil, uma oportunidade única que nunca se repetiria. Mas, não; eu terminei o maldito espetáculo com os fantoches e, quando voltei ao nosso alojamento tristonho, passei vários dias sem falar com ninguém. Logo eu seria arrancado daquele silêncio autoimposto.

CAPÍTULO 16

Na manhã de 18 de janeiro de 1943, uma camada branca e áspera de gelo cobriu Varsóvia, brilhando sob o céu cinza-azulado. Não havia nada naquele dia que pudesse nos precaver. Os ratos chegaram no início da manhã, logo depois que o sol nasceu. O primeiro som que ouvimos foi o motor dos caminhões que tanto temíamos; depois, os soldados se espalharam pelo gueto como uma nuvem gigante de gafanhotos. Estavam de volta para nos levar embora. Mas, dessa vez, estávamos preparados.

Aquele era nosso sinal para revidar e lutar: havíamos jurado que, se os ratos retornassem para uma nova rodada de deportações, nós reagiríamos com toda a força: os *Übermeschen*, como eles se referiam a si mesmos, eram arrogantes e muito seguros de suas ações havia muito tempo, acreditando que poderiam simplesmente nos abater feito gado. Deixar Varsóvia *Judenrein* – livre de judeus. *Não*. Estávamos aqui, reunidos com um único propósito: matar tantos quantos pudéssemos. Uma bala para um rato, uma granada para um destacamento. Dessa vez, seríamos nós que teríamos o sangue deles nas mãos.

Mordecai nos reuniu imediatamente na Rua Mila, 18, repassando a estratégia mais uma vez: primeiro, colocaríamos fogo nas barricadas que construímos naquelas últimas semanas, e, depois, nos espalharíamos e nos esconderíamos entre as ruas Gęsia e Mila para emboscá-los com nossas balas. Mordecai destacara Ellie e eu, junto com algumas outras pessoas, para cuidar de centenas de bombas incendiárias de gasolina que havíamos confeccionado secretamente na Rua Mila, 10. Nós as entregamos para nossos camaradas, que se separaram em seguida e rapidamente correram para as casas e ruas que escolhemos como bases para combater.

– Boa sorte, Mika. – Ellie apertou minha mão com força, olhando bem em meus olhos. Suas mãos estavam secas e quentes, como se prestes a pegar fogo. – Vamos mostrar a eles o que é o inferno! – Ela prendera os cachos despenteados com um lenço vermelho e mal conseguia se conter. Estava pronta para lutar, como um touro enfurecido.

– Aqui está, pegue uma. – Senti a garrafa fria e lisa em minhas mãos, e inalei profundamente o cheiro forte da gasolina. Enfiei a mão no bolso do casaco e tirei o cachecol vermelho de minha mãe. Eu sempre o levava comigo, mas hoje eu o exibiria feito uma bandeira honrosa.

– Por nossas mães. Pelo Vovô e por Paul. Pelas gêmeas. Hoje nós vamos vingá-los. – Ellie sorriu para mim; estávamos prontos. Ficamos aquartelados no segundo pavimento de um prédio de apartamentos na esquina das ruas Lubiecka e Mila, junto com três atiradores: Andrew, Thomas e Adam. Estávamos agachados diante das janelas, tensos como tigres, esperando por nossas presas. De repente, ouvimos um grupo de soldados da SS marchando pela Rua Lubiecka, acompanhando um tanque. Nosso momento chegara. Deixamos que se aproximassem até que estivessem bem debaixo de nossas janelas. Naquele momento, quase ao mesmo tempo, os atiradores puxaram seus gatilhos, e os primeiros soldados caíram.

– Morra, seu rato! – gritou Ellie, fazendo um movimento amplo com o braço antes de jogar a bomba incendiária sobre os soldados. Minha amazona! Sua fúria pegou os alemães desprevenidos. Ali estava ela, Ellie, minha amiga, meu amor, valente como Sirena, nossa guerreira-sereia, o símbolo impávido da resistência de Varsóvia, atacando não com uma espada, mas com uma bomba incendiária. Eu nunca a vira assim e nunca a amei tanto quanto naquele momento.

Nossos projéteis caseiros desabaram sobre o tanque e os soldados; as garrafas se estilhaçaram e explodiram em chamas ferozes. Os ratos caíam e se contorciam como tochas enlouquecidas; seus gritos se misturavam com as balas que dispararam em retaliação, estilhaçando as janelas ao nosso redor. Não nos abalamos com aquela resposta; rapidamente mudamos de posição e continuamos lançando bomba após bomba. Desta vez, os alemães responderam com disparos de metralhadora.

– Merda, eles me pegaram – gritou Andrew, a mão apertando o braço esquerdo e o rosto contorcido pela dor.

– Venha para cá – gritei, afastando-o da linha de fogo. Subimos para o próximo andar.

– Meu Deus, como dói – gemeu Andrew. – Bem, ainda tenho a mão direita e minha visão. – Após alguns minutos ele estava de volta à janela, mirando.

Durante três dias nós fomos heróis, atiradores e bombardeadores – um grupo feroz que fazia cada bala valer. Entretanto, com a mesma velocidade com que apareceram, as tropas alemãs se retiraram. Essa foi a primeira vez em que os ratos encontraram resistência; havíamos impedido o progresso de suas máquinas de guerra e impedimos as deportações, pelo menos por um breve momento naquela longa guerra.

Estávamos em êxtase, e ninguém foi capaz de descrever a situação tão bem quanto Wladyslaw Szengel, nosso "poeta do gueto":

Em Niska, em Mila e Muranow,
Chamas brotam dos canos de nossas armas.
É nossa primavera! É nosso contra-ataque!
O vinho da batalha está em nossas cabeças!

Se tivéssemos que morrer, morreríamos lutando, levando conosco tantos alemães quanto pudéssemos. Morreríamos com honra e orgulho, vingando nossas irmãs, pais e amantes – como os nove camaradas que perderam suas vidas durante aqueles três dias.

Naquela noite, nosso grupo se reuniu no abrigo subterrâneo principal, na Rua Mila, 18, todos muito empolgados. Quem ainda tinha uma garrafa preciosa de vodca compartilhou a bebida alegremente. Alguns exibiam pistolas e outras armas tomadas dos ratos durante os ataques-surpresa, e Andrzej tirou um toca-discos surrado de debaixo de sua cama de campanha. Naquela noite vitoriosa, especialmente, nós nos arriscamos a tocar música – de valsas a composições de jazz. Foi a primeira e a última vez que dancei com Ellie.

Depois de nossa breve vitória os alemães reforçaram suas revistas no *Wache*. Todos os dias, antes de passar para o lado ariano para trabalhar, éramos submetidos aleatoriamente a revistas completas. Frequentemente, sob a mira de uma arma, de frente para o muro, nós tínhamos que largar tudo e ficar nus sob um céu cinzento e um frio excruciante. Ainda assim, muitos de nós ainda arriscavam suas vidas, dia após dia, contrabandeando armas e comida. Foi através desses atos de coragem que conseguimos trazer mais armas para o gueto nas semanas seguintes: escondidas em sacos de batatas ou ocultas dentro de pães, ou até enfiadas num compartimento secreto sob um caixão. Eu continuei a escondê-las em meu sobretudo. Senti a presença do espírito de meu avô mais do que nunca naquelas semanas, como se o próprio tecido do casaco sussurrasse "coragem" em meus ouvidos toda vez que eu me aproximava do *Wache*. Nunca fui apanhado.

O apoio do lado ariano e da resistência polonesa cresceu lentamente, mas as armas que recebíamos nunca eram o bastante. Naqueles dias difíceis, a ideia de lutar nos sustentava melhor do que qualquer sopa rala; nosso desejo por dinamite era maior do que o desejo por pão, e sonhávamos mais com granadas do que com batatas. Na verdade, ninguém mais falava sobre a fome. Transformamos as cólicas de fome que retorciam nossos estômagos numa fúria ardente, e a tontura causada pela fome nos dava coragem e uma estranha espécie de euforia quando discutíamos minuciosamente sobre como matar os ratos. E tínhamos também a ajuda dos fantoches, que nunca precisavam comer ou dormir, e que continuavam a nos dar a coragem de que precisávamos. Houve noites em que Ellie e eu corremos pelas ruas vazias do gueto com um balde de cola, um pincel e vários rolos de cartazes, espalhando uma mensagem de "Chamado às armas", mobilizando aqueles que ainda não haviam se juntado à luta.

Três meses depois, em 19 de abril de 1943, na véspera da páscoa judaica e no dia que antecedia o aniversário de Hitler, a verdadeira batalha começou. Nós ouvimos quando eles se aproximaram pelo lado de fora dos muros que cercavam o gueto: um estrondo sinistro e distante que ficava cada vez mais alto conforme cercavam o gueto, em massa. Cantavam canções militares como se todos tivessem a mesma voz terrível, e, conforme se aproximavam, marchando, o chão tremia sob suas botas. O som daquela aproximação fez os pelos de minha nuca se eriçarem. Himmler decidiu enviar uma força de dois mil combatentes, entre membros da SS, do *Wehrmacht* e da polícia, para invadir o gueto e nos acuar numa investida forte e derradeira, para que Varsóvia estivesse *Judenrein* a tempo para o aniversário de Hitler. Mas, mesmo depois de nossa primeira batalha, eles ainda não conseguiam arrancar nossa incrível coragem.

Nossos números, agora, já superavam os 700 combatentes, em sua maioria homens jovens, mas também havia muitas mulheres e algumas crianças – um exército esfomeado, mas furioso, equipado com as armas mais básicas: pistolas e revólveres pequenos, granadas, algumas armas automáticas e alguns rifles. Conseguimos contrabandear somente uma metralhadora para o gueto, mas tínhamos muitos explosivos e bombas incendiárias de gasolina esperando para atingir seus alvos. Este ato, a insurreição de nosso gueto, que se tornaria famosa por todo o mundo e daria início a outros atos de resistência. Nós éramos a faísca que logo explodiu em chamas em outros guetos, dando esperança às pessoas, incitando-as a se erguer e lutar. Até aquele momento os judeus nunca haviam resistido aos alemães. Lutamos ferozmente, ferimos o orgulho do gigante. Os ratos ainda não imaginavam que ofereceríamos resistência, mas nossa luta era desesperada – Davi contra Golias. Essa história antiga tocava profundamente meu coração conforme nos agarrávamos à esperança nessa luta tão desigual. Mas nossas armas não foram tão letais quanto a funda de Davi – na verdade, mal chegaram a deixar marcas na armadura do gigante. E, quando o gigante finalmente se ergueu, foi o começo de nosso fim.

Como eu poderia descrever aqueles dias? A falta de sono que nos deixava com os nervos à flor da pele, o medo que nunca desaparecia por completo, a sede insuportável, o calor e a fumaça nos abrigos subterrâneos, o barulho e o caos, os atiradores mortais... Vivíamos apenas pensando no momento seguinte. Com nossas bombas incendiárias, pistolas e granadas, cada tiro era importante.

Essa foi a primeira vez em que recebi uma pistola e assumi a posição no primeiro andar do prédio da Rua Mila, 17, perto de nosso quartel-general, junto com dois outros atiradores e Ellie. Lembro-me do primeiro rato que derrubei naquele lugar, um soldado alto e jovem. Ele estava segurando o rifle e o apontava para a frente, defendendo-se de qualquer emboscada que viesse da direita ou da esquerda, mas não olhou para cima. Minha bala o atingiu direto no peito; ele cambaleou e depois caiu, sem saber o que o atingiu.

– Tome! – Não consegui conter o grito. Até aquele momento, eu só atirara nos ratos que haviam surgido em meus sonhos e pesadelos. Não conseguia pensar naquele soldado como uma pessoa de verdade. Todo o terror e a angústia que vínhamos passando no gueto haviam sido destilados e transformados naquele desejo feroz por vingança, naquela chama amarga.

Na tarde seguinte, Mordecai instruiu dois garotos a subirem no telhado da Rua Muranowska, 17, e hastear duas bandeiras: a bandeira polonesa, vermelha e branca, e o estandarte azul e branco do ZOB. Minha tarefa era ficar atento à presença de quaisquer atiradores que pudessem tentar alvejar os garotos. Eles subiram rapidamente até o teto, esforçando-se para manter o equilíbrio enquanto se agarravam com uma das mãos e seguravam as bandeiras com a outra. Jacek, que colocou as bandeiras no lugar, movia-se rapidamente, o corpo ágil como o de uma lontra, mas, quando os dois começaram a descer, as balas dos alemães começaram a ser disparadas de todos os lados – e foi apenas por pura sorte que os dois escaparam sem ser atingidos. Ainda assim, ver as duas bandeiras desfraldadas majestosamente sobre o caos que reinava nas ruas elevou bastante nosso moral. Aquele ato deixou os ratos tão enfurecidos que eles atacaram a casa com força total – e ainda assim precisaram de alguns dias para conseguir derrubar as bandeiras. Os mensageiros, frequentemente os mais jovens e ágeis de nossos meninos e meninas, recuperavam munição, armas e até uniformes, sempre que conseguíamos atingir os ratos. Lembro-me de um garoto, Uziel Rozenblum, que saíra correndo por uma rua onde dois homens da SS haviam sido alvejados e trouxera de volta duas pistolas, um rifle, munições e um capacete de aço. Ele entregou as armas mas ficou com o capacete. À noite, no abrigo, ele raspou a suástica do capacete e pintou uma bela estrela de Davi com tinta branca. E, enquanto ele desfilava com um grande sorriso no rosto, eu não consegui evitar um sorriso.

Nós nos alegrávamos com aqueles pequenos triunfos, repetindo as histórias várias e várias vezes quando nos reuníamos na Rua Mila, 18, à noite. Assim como as bandeiras, nosso ânimo também se elevou e permaneceu altivo por vários dias. Entretanto, na segunda semana, os alemães começaram a incendiar casa após casa, rua após rua. O gueto se transformou num inferno conforme eles derrubavam as portas e acionavam seus lança-chamas. Os alemães tentaram nos expulsar de nossos abrigos subterrâneos enchendo-os de fumaça, como se fôssemos raposas entocadas. No início eles trouxeram os pastores alemães, seus cães farejadores, para nos encontrar; em seguida veio o gás venenoso. Auscultando o chão em busca de cavidades, eles faziam perfurações profundas em meio ao cascalho e aos destroços, e depois enfiavam mangueiras nos lugares onde suspeitavam haver um abrigo. Quando começavam a injetar o gás, tudo estava perdido. Podíamos passar dias sem comida e resistir ao calor, mas a fumaça e o gás nos matavam feito insetos.

Por todo o gueto nós ouvíamos aquele coro cínico – *Komm, komm, komm* –, enquanto os membros da SS se erguiam, com as mãos nos quadris numa pose triunfante, esperando pela nossa rendição. Muitos de nós saltaram dos prédios para escapar dos incêndios, outros se arrastaram para fora dos abrigos subterrâneos, forçados a procurar ar fresco, apenas para serem mortos imediatamente. Qualquer pessoa que não fosse imediatamente morta era levada pela Rua Zamenhof até o *Umschlag*.

Lutamos ferozmente, bravamente. Havia tantas mulheres quanto homens entre nós, agora. Mulheres firmes, que não reclamavam das adversidades, mulheres como Ellie. Nossas mulheres traziam uma surpresa especial para os ratos quando saíam dos abrigos subterrâneos enroladas em seus casacos e capas: elas enfiavam as mãos mais uma vez em seus bolsos e, com um último gesto de rebeldia, jogavam granadas diretamente na cara dos soldados. Outras escondiam uma pistola em suas roupas íntimas para fazer um último disparo letal. Essas heroínas traziam a morte mais uma vez: se eu vou morrer, você também vai. Por um tempo aquelas mulheres conseguiram levar uma boa quantidade de alemães consigo, mas, quando os ratos perceberam o que estava acontecendo, forçaram todos os combatentes a tirar toda a roupa antes que os deixassem se arrastar para fora dos abrigos.

Às vezes, quando o vento soprava numa direção específica, nós conseguíamos ouvir o tilintar do carrossel no Parque Krasinski, no lado ariano. O brinquedo girava e girava sem parar, com suas melodias animadas, alegrando as crianças polonesas, enquanto prosseguíamos em nossa última luta no meio da fumaça espessa, do fogo e do som dos tiroteios. Será que aquelas pessoas que colocavam seus filhos nos cavalos e elefantes do carrossel não sentiam vergonha, não sentiam compaixão, não tinham consciência? Como o carrossel ainda podia girar quando, para nós, tudo estava acabando? A indiferença daquelas pessoas pela nossa luta era o pior dos insultos. Eu me lembrava do velho carrossel: minha mãe sorrindo, acenando para mim enquanto eu girava, montado num dos cavalos. Um cavalo marrom. Parecia que aquilo acontecera havia um milhão de anos.

Os incêndios no gueto arderam por várias semanas; as chamas eram avivadas pelos ventos fortes. As pessoas se jogavam para fora das casas, queimavam até morrer ou se entregavam antes de serem levadas em pequenos grupos até o *Umschlag*. Se o inferno realmente fosse feito de fogo e sofrimento, nós estávamos no meio dele.

Foi então que Stroop, o oficial-comandante daquela última operação, ordenou a suas tropas que arrasassem sistematicamente o gueto, derrubando tudo o que houvesse ali. Onde havia pouco tempo casas de três andares, lojas ou teatros se erguiam orgulhosamente, onde havíamos lutado e nos escondido durante todo aquele tempo, nada restou a não ser pilhas de escombros fumegantes. Uma paisagem de cinzas e fantasmas. Mesmo assim, a destruição de nosso gueto exigiria um esforço bem maior.

Nossa resistência feroz causou baixas aos alemães e um constrangimento enorme. Muitos de nós ainda se escondiam nos abrigos subterrâneos, embora soubéssemos que não conseguiríamos sobreviver por muito mais tempo naquelas condições. Os alemães haviam bloqueado o fornecimento de água, então nossas alternativas eram morrer de sede, envenenados pelo gás ou derrubados pelos tiros. Mas não posso falar do que aconteceu no final; não fiquei ali.

Muitos decidiram continuar a lutar, levando consigo uma cápsula de cianureto ou uma última bala para disparar contra si mesmos.

Talvez eu simplesmente não tivesse coragem suficiente. Eu não queria morrer como um animal acuado. Ou, talvez, os fantoches tenham resolvido intervir. Eu juro que, uma noite, ouvi o bobo da corte sussurrar de dentro de meu bolso:

– O seu trabalho não terminou, sabia? Ainda não. Você não pode morrer aqui. Precisamos de você para contar a história.

Será que aquela voz estava dentro de minha cabeça, a voz do terror?

CAPÍTULO 17

Era difícil conseguir qualquer instante de privacidade da Rua Mila, 18, o abrigo subterrâneo principal, pois havia mais de 200 de nós amontoados ali. Além disso, fazia muito calor; a temperatura aumentava a cada dia, até que o lugar ficou insuportável. Nossos corpos brilhavam com o suor, mas não tínhamos mais águas para nos lavar, já que cada gota agora era preciosa para saciar nossa sede torturante. Nossos pulmões tinham que se esforçar para extrair oxigênio suficiente daquele ar viciado, e muitos de nós já sofriam com uma tosse constante. Como num formigueiro, a atividade no abrigo era sempre frenética, mas mantínhamos a voz no volume mais baixo possível. Os ratos ainda auscultavam o terreno durante o dia para procurar sinais de vida, mas raramente vinham durante a noite. Será que tinham medo dos fantasmas que eles mesmos haviam criado? Enterrei a angústia pelo desaparecimento de minha mãe no lugar mais profundo de meu âmago, desesperado para não pensar nela o tempo todo, e era somente à noite que eu acordava, ocasionalmente, com lágrimas escorrendo pelo rosto.

O abrigo estava cheio de gente jovem, e os hormônios estavam a todo o vapor, apesar de nossa terrível situação. Certa noite, sem nenhum motivo aparente, Ellie disse que me desejava. Ela sempre fora assim: direta e ousada. Ela me agarrou por trás e me girou para ficar de frente para ela, e depois olhou bem fundo em meus olhos, sua voz um sussurro urgente. Ela queria me sentir dentro de si, não como um camarada ou um amigo, mas da mesma maneira que uma mulher deseja um amante.

– Não quero morrer assim, Mika. Sem saber. Precisamos crescer rápido, não resta muito tempo. – Ela segurou minha mão com firmeza; sua pele estava quente. Eu arfei. Uma onda de excitação, medo e uma súbita tristeza correram por mim como se fossem uma descarga elétrica. Já não estávamos crescendo rápido demais, onde cada dia parecia valer um mês inteiro? Havia dias em que eu me sentia tão velho quanto Vovô, como se meus olhos e ouvidos não fossem capazes de aguentar mais nada; outros dias eu ainda me sentia como um garoto, explodindo por baixo da própria pele. De maneira geral, o tempo não existia mais enquanto vivíamos ali, presos e suspensos no eterno crepúsculo de nosso mundo subterrâneo. Se eu desejava Ellie? É claro. Mas as coisas eram diferentes agora, diferentes em relação à época em que ela viera morar conosco. Eu perdera muito de minha inocência e sentia que meu coração pesava. Era estranho pensar no corpo de Ellie nu e nos segredos do sexo quando estávamos cercados por um horror que poderia nos matar a qualquer minuto. Mas talvez fosse justamente a noção de que nossas curtas vidas poderiam ser interrompidas a qualquer momento que exacerbou a necessidade que sentíamos um pelo outro, a coisa mais natural que nos fazia lembrar da vida, da luz e do mundo que existia além dos muros do gueto. Muitos casais se encontravam para passar alguns momentos com um pouco de privacidade atrás de telas improvisadas, feitas com lençóis velhos costurados uns aos outros. Eu gostava muito de Ellie e, de certa forma, sabia que isso acabaria acontecendo algum dia – eu vinha pensando nela de maneira bem especial havia meses. Ellie era o único pedaço de vida e carinho que ainda restava em meu coração. Depois da primeira onda de constrangimento, Ellie deslizou minha mão por baixo de sua blusa. Seu coração batia tão rápido quanto o coração de um coelho. E então, manobrando desajeitadamente na cama estreita de campanha, nós fizemos amor pela primeira e última vez. Sem fazer barulho, para não incomodar ninguém e para evitar que, no pior dos casos, tivéssemos que encarar os sorrisos marotos de nossos camaradas.

Ellie estava deitada em meus braços, com o nariz roçando levemente contra meu pescoço, sua respiração suave e morna. Abruptamente, ela se sentou.

– Vamos lá para fora, Mika. Quero ver as estrelas com você. Se tivermos que morrer aqui embaixo, eu quero ao menos poder ver as estrelas mais uma vez. – Ela olhou para mim com seus enormes olhos castanhos. Não percebi nenhum traço de medo.

Era perigoso. Havia quatro saídas do abrigo, e todas estavam muito bem escondidas. Mas os alemães ainda podiam estar lá fora, tentando detectar ruídos no subsolo ou tentando farejar nosso esconderijo com seus cães. Pedimos permissão a Mordecai e ele imediatamente nos deu uma missão: ir até a saída mais distante, armados com pistolas, e observar o que estava acontecendo do lado de fora. De acordo com um pequeno mapa, deveria haver outro abrigo logo adiante. Recebemos a incumbência de descobrir se ainda havia sobreviventes. Mas, quando passamos pela saída, quase nos esquecemos de nossa tarefa. Aquela era uma noite sem luar, as estrelas brilhavam com força no céu e nós conseguimos identificar algumas constelações: Ursa Maior, Cassiopeia e Sirius. Ellie suspirou.

– Que coisa linda!

Coloquei o sobretudo ao nosso redor. O casaco nos abrigou num abraço protetor, assim como o de meu avô, o de minha mãe, alcançando-nos através dos tempos.

Imediatamente, percebi uma sombra diante de nós, subindo pelos escombros. Na escuridão eu não era capaz de identificar um uniforme, apenas uma figura pequena e assustada. Assobiei – o sinal que todos os combatentes conheciam. A sombra imediatamente repetiu meu assobio. Cumprimos nossa missão.

Quando voltamos para baixo, encontramos uma animação generalizada: um dos combatentes, que partira havia três dias, tentando encontrar uma rota de fuga pelos esgotos, estava de volta. Fomos nos juntar à multidão que estava reunida ao redor dele.

– Encontrei um túnel que pode nos levar para fora de Varsóvia. Se tivermos sorte, poderemos conseguir... apenas até os arredores da cidade, mas, mesmo assim... – disse ele.

Meu coração disparou, mas, quando olhei para Ellie, vi que ela não estava interessada naquilo. Toquei-a no ombro e a puxei para longe do grupo.

– Temos uma chance de conseguir sobreviver, Ellie. Aqui embaixo nós certamente vamos morrer, mas, agora, podemos ter uma oportunidade de escapar juntos. – Eu não conseguia mais suportar aquele buraco. Queria sair dali, e queria levar Ellie comigo. Ela fez que não com a cabeça.

– Podemos lutar e morrer com honra – disse ela. – O mundo lá em cima já acabou. O que resta para nós? – Sua voz demonstrava que estava cansada, como uma mulher muito velha, e, quando olhei para ela, percebi que já estava decidida a ficar. Ela sorriu e pegou minha mão.

– Mas você, Mika, e seus fantoches... Posso ver que ainda existe uma vida à sua espera. Se você conseguir sair daqui vivo, vai precisar contar a todos o que aconteceu conosco. Faça isso pelas nossas mães, pelas nossas famílias.

– Por favor, Ellie, não fale assim. Venha comigo. – Minha voz estava embargada. – Pelo menos prometa que vai tentar me encontrar quando tudo isso terminar. Por favor, Ellie. – Fiquei ali, chorando, com os braços frouxos, sem me importar com o que os outros pudessem ouvir.

Tínhamos somente uma hora para decidir se iríamos partir ou ficar. Como aquela era uma noite sem luar, seria a melhor oportunidade de fugir que teríamos em muito tempo. Ellie colocou o braço ao redor de mim.

– Não acho que conseguirei sair daqui, Mika. Mas, se conseguir, vou procurar por você. Perguntarei a todos, até conseguir encontrá-lo. Se eu sobreviver... se esta guerra algum dia chegar ao fim e se eu ainda estiver viva... eu vou encontrá-lo. Por favor, agora vá.

Tirei a Princesa Sahara de dentro de meu casaco e entreguei o pequeno fantoche a Ellie.

– Sei que você é uma guerreira, Ellie. Deus sabe que você é, mas, para mim, você também é uma princesa. Minha amiga mais querida, minha camarada, meu amor. Por favor, fique em segurança.

A tristeza no rosto de Ellie me sufocou. Logo, um brilho se formou em seu olhar quando ela estendeu a mão para pegar a princesa e guardá-la debaixo da blusa.

– Ela é uma princesa guerreira, Mika. – A voz de Ellie estava rouca, mas forte. – Obrigada.

Ela me beijou pela última vez, como fez naquela primeira ocasião na cozinha de nosso apartamento, havia tanto tempo: suas mãos estavam ainda mais ásperas agora, mas estavam muito quentes, segurando meu rosto gentilmente.

Partimos meia hora depois. Havia cerca de 20 de nós empreendendo a travessia pelo túnel da Rua Muranowski. Dobrei meu casaco com sua carga preciosa, fazendo um embrulho volumoso que amarrei às costas com um pedaço de corda. O casaco repousou ali como se fosse uma enorme corcova.

Perdi toda a noção do tempo conforme nosso pequeno grupo avançava por entre a escuridão infinita, rastejando, engatinhando, abrindo caminho por arames farpados, imersos até o peito na água suja do esgoto, tentando a todo custo permanecer juntos. Percorremos aquele labirinto fedorento sem nada além de algumas tochas e um mapa dos esgotos rabiscado, por mais de 20 horas, espantando os vários ratos-d'água com pedaços de pau, tentando não engolir a água tóxica. Eu avançava lentamente, como se estivesse numa espécie de transe.

De repente, após tantas horas, uma luz fraca surgiu. Rastejamos na direção dela como náufragos que tentavam chegar a uma ilha, sem saber se iríamos nos deparar com nossa morte ou com a tocha da liberdade. Meu coração batia forte, mas a exaustão fazia meus ossos pesarem como se fossem feitos de chumbo, e, de certa forma, eu já não me importava mais. Conforme a luz ganhou força, nós emergimos numa espécie de milagre: não fomos recebidos a bala naquele calmo dia de primavera em maio de 1942, apenas por um sol pálido que surgia por entre a floresta espessa. E, com ele, a melhor sopa que tomei em toda a minha vida: batatas e cenouras, brilhando como ouro líquido. Finalmente nos reunimos com a resistência polonesa e cerca de 70 de seus guerreiros na floresta de Wyszkow, nos arredores de Varsóvia. Os rebeldes, homens e mulheres, resistentes e armados, nos cumprimentaram com tapas amistosos em nossos ombros exaustos, ansiosos por ouvir nossa história e desesperados para ter notícias do que acontecia no interior do gueto. Por ora nós estávamos a salvo, mas meu coração estava em pedaços.

CAPÍTULO 18

Nova York, 12 de janeiro de 2009

Muitas horas haviam se passado. Na sala de estar do apartamento de Mika, Daniel escutou aquele longo relato enquanto a luz lentamente esmaecia e os sons da rua tornavam-se mais baixos. A caixa de papelão que guardava o velho sobretudo cheio de bolsos, bastante castigada pelo tempo, estava entre eles.

Mika estava recostado em sua cadeira, os braços pendiam ao lado do corpo como galhos mortos. Estava exausto. Olhou para o neto, ciente de que Daniel não o interrompera uma única vez. *Como uma verdadeira testemunha dos fatos*, pensou ele. Mika sentiu um calafrio e colocou o velho casaco ao redor do corpo.

– O que aconteceu com Ellie, Vovô? – A voz de Daniel era gentil e discreta.

– Não sei, Danny. A lembrança daquela noite com Ellie é uma das poucas coisas daquele lugar horrível que eu guardo com carinho: o coração de Ellie batendo rapidamente, seu hálito doce contra meu pescoço, seu sorriso malicioso após a proposta que tinha me feito. A única coisa que sei é que, no dia 8 de maio, os alemães descobriram nossa base na Rua Mila, 18. Os que haviam ficado para trás lutaram numa batalha encarniçada, não tenho dúvidas. Mas Ellie? Nunca saberei como ela morreu. Sufocada, intoxicada pelo gás ou pela fumaça, ou em combate? Talvez ela tenha tirado a própria vida quando percebeu que não haveria escapatória, como tantos outros combatentes? Todas aquelas pessoas jovens e maravilhosas: Mordecai, nosso líder corajoso, Ellie... Todos se foram. Ela era muito forte, mas também era teimosa feito o diabo.

Mika olhou pela janela para avistar o céu azul escuro.

– Quando estávamos na floresta, nós vimos o fogo tomar conta do gueto, uma luz alaranjada e sinistra que brilhava ao longe sobre Varsóvia. Então, em 16 de maio, tudo estava acabado. Uma imensa bola de fogo sobre a grande sinagoga na Rua Tomlacke marcou o fim de todo o gueto. Ouvimos o rosnado profundo da explosão que ocorreu lá, mesmo estando tão longe, em nosso esconderijo. Fiquei sabendo mais tarde que, no dia seguinte, Stroop anunciou em seu relatório para Himmler: "O bairro judeu de Varsóvia não existe mais". Todos que eles haviam capturado tinha sido mortos ou enviados para os campos de concentração.

... O céu ficou tomado por uma fumaça preta e grossa durante vários dias, uma escuridão sufocante que revelou a todos o inferno que os alemães haviam criado: as nuvens espessas engolfaram Varsóvia inteira, não se restringindo ao gueto, mas manchando as roupas recém-lavadas que estavam penduradas para secar do lado ariano também. Um mensageiro nos disse que a fuligem caiu como uma neve negra sobre toda Varsóvia: cobrindo ruas, parques e o carrossel do Parque Krasinski, como se lamentasse por nós.

... É possível dizer que nossa insurreição desesperada fracassou miseravelmente. Perdi Ellie e a maioria de meus camaradas: Mordecai, Alexei, Marek... Mas, ainda assim, eu acredito que os fogos terríveis do gueto serviram para inflamar a resistência contra os ratos em vários lugares da Polônia. Em agosto de 1944 o restante de

Varsóvia se revelou na "Operação Tempestade", uma última tentativa de derrubar os alemães de uma vez por todas: a famosa "Revolta de Varsóvia".

– Você voltou a Varsóvia?

– Sim, eu me juntei à Revolta em 1944 e fiquei com um pequeno grupo de combatentes, indo e voltando entre nosso esconderijo na floresta e a própria Varsóvia, contrabandeando armas, retirando pessoas, falsificando documentos e atacando os alemães onde quer que conseguíssemos. Mas uma parte de mim morreu naquela cidade, junto com Ellie. A feroz batalha nas ruas chegou tarde demais para nós, os judeus. Por que Varsóvia não se revoltou antes, quando a maioria de nós ainda estava viva?

... Eu me lembro daquelas semanas somente como uma sucessão de imagens borradas. Eu corria de um lado para outro, quase sem dormir, sentindo-me como se fosse uma casca vazia, que só conseguia continuar lutando porque ainda tinha meu velho casaco e uma determinação ferrenha de lutar contra os ratos até o fim. Às vezes, nas noites frias que passei naquela floresta, agachado ao redor das pequenas fogueiras ou após uma missão bem-sucedida em Varsóvia, eu pegava alguns de meus fantoches para alegrar meus camaradas. Todos eles amavam os fantoches, mas eu não conseguia parar de pensar em Ellie, Hannah, Janusz e todos os pequeninos. Depois de algum tempo eu não conseguia mais aguentar o som alegre das vozes dos fantoches, e voltava a guardá-los em meus bolsos.

... Em outubro de 1944, depois de 63 dias de violentos combates, Varsóvia capitulou. Os alemães haviam nos derrotado mais uma vez, caçando qualquer um que ainda estivesse escondido em nossa cidade tão maltratada e executando-os sem nenhuma compaixão. Ficamos escondidos na floresta de Wyszkow enquanto os alemães incendiavam tudo que havia restado. Os russos, sob as ordens de Stálin, esperaram na outra margem do Vístula por várias semanas, sem agir, até que finalmente, em 18 de janeiro de 1945, exatamente dois anos após nossa primeira insurreição, o Exército Vermelho e o Primeiro Exército Polonês entraram nas ruínas. Nossa longa luta finalmente chegava ao fim.

... Fiquei com um pequeno grupo de combatentes naquele dia, bebendo vodca da manhã até a noite, mas, embora a bebida aquecesse meus músculos e ossos, não foi capaz de aquecer meu coração. Eu não sentia nenhuma alegria. Nossa cidade, que outrora fora orgulhosa, e nossa cultura judaica estavam destruídas – uma terra de ninguém, apenas um monte de ruínas chamuscadas que se estendiam até onde a vista alcançava. O interior da área que definia o gueto era um campo gigante de escombros; a parte velha da cidade, a praça do mercado e nossas belas sinagogas foram incendiadas até não restar nada. Não sei como consegui guardar o casaco e os fantoches durante toda aquela época. Acho que o casaco se tornou uma espécie de armadura para mim, ao mesmo tempo em que me dava a sensação de ser um lar, a última posse de minha vida anterior, o último elo que eu tinha com minha família. Perdi todos eles.

– Depois da guerra, passei alguns meses morando num campo de triagem antes de ser realocado num pequeno quarto nos arredores de Varsóvia. O casaco, com todos os seus tesouros, ficou dobrado e embrulhado numa mala debaixo de minha cama. Puído, queimado, coberto por manchas de sangue e sujeira, ele havia se tornado a única testemunha de todas as minhas provações. Eu queria jogá-lo fora, mas alguma coisa sempre me impedia.

... Morei naquele quarto por mais de um ano. Não que o tempo ainda tivesse algum significado para mim; o conceito já havia deixado de existir, junto com minha mãe, Ellie e todos os outros. Não fazia a barba, raramente tomava banho e, durante vários dias, não fazia nada além de ficar deitado na cama, olhando para o teto e contando os nós na madeira das vigas de sustentação. Se não fosse por Jacob, um dos rebeldes que atravessaram os esgotos junto comigo, eu provavelmente ainda estaria lá. Ele me contava histórias sobre a América, me mostrava fotografias e dizia que poderíamos construir uma vida nova lá. Não consegui encontrar nenhum entusiasmo. Onde estava a América durante aqueles últimos meses da guerra? De qualquer maneira, eu não conhecia ninguém neste vasto continente, mas Jacob não desistiu. Ele tentou conseguir um visto de mudança e me convenceu a preencher um formulário também. Foram necessários mais de dois anos de persuasão e muita burocracia antes que, em 1948, três anos depois do fim da guerra, eu partisse para a América.

... Depois de ter passado dois meses debaixo do convés do navio, enjoado e fraco, fomos cuspidos em Ellis Island. "Ellis Island", uma ironia cruel; eu e Jacob, mas Ellie não estava lá. E, quando vi a Estátua da Liberdade pela primeira vez, com o braço erguido num gesto de libertação e rebeldia, eu chorei. Minha Ellie e todos os outros estavam perdidos enquanto eu estava aqui, respirando e embarcando numa nova vida.

... Passamos horas enfileirados num enorme salão coberto por azulejos brancos. Lembro-me de segurar minha mala surrada com tanta força que as juntas dos dedos ficaram brancas pelo esforço, e eu suava como um atleta olímpico debaixo do velho e pesado casaco. Meus olhos estavam fixos no enorme relógio que estava naquela parede branca enquanto eu ficava diante do funcionário do governo que trabalhava naquela escrivaninha, a pessoa que decidiria meu destino.

... "Mikhail Hernsteyn", A voz esganiçada do atendente e o som da batida do carimbo são as únicas coisas das quais eu me lembro. Encostei-me na parede fria com os documentos nas mãos, e a palavra "APROVADO" estava carimbada em letras grossas sobre eles, com um visto para permanecer nos Estados Unidos indefinidamente. Fiquei olhando para os papéis, selados pela águia americana. E soube que havia finalmente deixado meu passado manchado de morte para trás. Havíamos conseguido. Jacob me abraçou.

... Depois de semanas no mar, Nova York sobrecarregou todos os meus sentidos – tanto movimento e energia, ruído e mau cheiro; algumas áreas chegavam até a trazer lembranças do gueto e de sua miséria. Durante as primeiras semanas eu fiquei junto com Jacob, morando na casa de sua tia-avó e depois com seus tios e primos, dormindo no chão ou, ocasionalmente, em alguma cama num quarto de hóspedes. Mas, à medida que Jacob ia me apresentando um novo parente – e sua família era enorme –, minhas perdas voltavam a me abalar e os pesadelos retornavam: botas marchando, fantoches gritando, enormes incêndios. Os incêndios sempre estavam lá. Aqui estava eu num novo mundo, nesta terra dourada de oportunidades, de leite e mel, mas sem nenhum ente querido. Quis desaparecer entre as massas, passar despercebido, mas ainda assim a solidão me acossava como a fome. Acredite, eu tentei esquecer Varsóvia. Mas, ao entrar neste novo mundo, aprendi que ninguém nunca será capaz de se separar do próprio passado, de suas próprias memórias ou da terra sobre a qual aprendeu a andar. Assim como o sangue que flui por nossas veias, nossas memórias continuam a viver profundamente dentro de nós, entalhadas como hieróglifos em nossas almas.

... Tive vários empregos, carregando caixas de legumes para o mercado, limpando pisos de fábrica, e trabalhei até mesmo como empacotador de carnes. Não conseguia dormir muito e passava a maior parte de meu tempo livre perambulando pelas ruas ou bebendo em bares escuros. Mais de uma vez, uma coisa muito estranha acontecia naqueles primeiros meses: eu era capaz de sentir o cheiro dos outros sobreviventes da mesma maneira que são bernardos conseguem farejar vítimas de avalanche soterradas pela neve. Conheci uma boa quantidade de homens e mulheres que, depois de uma noite de bebedeira, de maneira tímida ou com uma expressão ardente nos olhos, expunham um número azul tatuado em seus braços. Quanto a mim, não tinha nada para mostrar. Meus ferimentos foram entalhados diretamente no coração.

... Às vezes eu tentava falar sobre Varsóvia, mas, mesmo com aqueles que haviam passado por coisas muito piores do que eu podia imaginar, o assunto nunca se estendia muito. Nunca contei a história inteira a ninguém até este momento, Danny.

... Levei muito tempo para conseguir me encontrar neste novo país, e provavelmente isso não aconteceu até que conheci sua avó, Ruth, no verão de 1953. Eu a vi num baile para o qual Jacob havia me arrastado. Antes que eu percebesse, ela atravessou o salão de baile, veio em minha direção numa das danças em que as mulheres poderiam escolher seus parceiros entre os homens, irradiou seu belo sorriso para mim e pediu para dançar comigo. Aquele dia mudou tudo, e em pouco tempo nos tornamos um casal.

... Vim a saber que Ruth também era uma polonesa judia, assim como eu. Sendo filha única, sua mãe a colocou num trem poucos dias antes de os alemães fecharem o gueto de Lodz, em 1940, confiando-a a uma rede de contatos subornados numa jornada épica rumo ao oeste. Quando chegou a Nova York, Ruth tinha apenas oito anos. Nunca voltou a ver nenhum de seus parentes próximos e foi criada por uma tia-avó distante num pequeno apartamento no Queens.

... Acabamos nos apegando um ao outro como almas perdidas que éramos e nos casamos dois anos depois, mas a tragédia de nossas perdas sempre pairou sobre nós. Os momentos em que dançávamos eram os únicos em que nos sentíamos mais leves e verdadeiramente vivos. Eu já aceitara o fato de que teria que ganhar meu sustento fazendo trabalhos braçais, mas Ruth conseguiu inspirar alguma coisa em mim – e, de repente, como se eu pudesse ouvir a voz de Vovô me dizendo que eu precisava voltar a estudar, comecei a sentir um desejo enorme de estimular a mente. Matriculei-me em aulas noturnas para estudar matemática e acabei me decidindo pela astronomia. Assim como meu avô encontrava segurança nos números, eu me sentia seguro em meio a constelações, nebulosas, galáxias e o estudo do universo.

... Em 1966, de maneira completamente inesperada, sua mãe chegou. Nós a chamamos de Hannah, a graça de Deus. Estávamos resignados a não ter filhos depois de passar tanto tempo tentando, mas ali estava ela, alegrando nossas vidas.

... Antes de conhecer sua avó, eu ainda vestia o meu velho sobretudo ocasionalmente, e naquelas primeiras semanas de solidão os fantoches me faziam companhia. Eram os únicos que conheciam com exatidão a extensão de minhas perdas. Às vezes eu os tirava dos bolsos do casaco: o macaco e o crocodilo, Hagazad e o bobo da corte. Eu não tocava nos soldados. Não queria voltar a vê-los, nunca mais. Nunca consegui voltar a brincar com os fantoches. Apenas os colocava enfileirados, lado a lado, ou os deixava sobre o colo. Eram a minha pequena e triste família.

... Na véspera de meu casamento com Ruth eu embrulhei e guardei o casaco, junto com todos os seus tesouros. No decorrer dos anos eu contei a sua avó sobre algumas das coisas que aconteceram no gueto, a Revolta e até sobre Ellie, mas nunca mencionei os fantoches.

Mika colocou a mão num dos bolsos grandes do casaco, procurando pelos menores, os bolsos secretos que existiam dentro dos bolsos. Sim, ali estavam eles, seus velhos companheiros: o crocodilo, o macaco, o vilão, o bobo da corte, o burro e a menina. Nada mudara... mas, com certeza, tudo mudara.

Um após o outro, ele pegou os fantoches frágeis, com bastante cuidado, como se a luz repentina pudesse incomodá-los ou reduzi-los a pó. Os fantoches perderam um pouco da vivacidade de suas cores, e muitas de suas pequenas roupas estavam rasgadas, mas ele se lembrava de todos. Mika os deitou sobre a pequena mesa de centro, dispondo-os lado a lado. Em seguida, como se estivesse acordando de um sono longo e profundo, ele respirou fundo e olhou para seu neto.

Um calor repentino tomou conta de seu corpo como se fosse a luz pura do brilhar do sol. Tinha sabor de gratidão, de amor. De um carinho que ele não conseguiu expressar à própria filha. Hannah, a pequena e doce Hannah, que agora já estava crescida e se transformara numa orgulhosa e bela mulher, mas cujos fantasmas ainda eram um pesado fardo em seus ombros: os fantasmas da pequena Esther, de Ellie, Cara e Marek, fantasmas que ela sempre sentiu à sua volta, mas cujos nomes nunca soube.

Muitas vezes ela acordou no meio de pesadelos, falando-lhe com olhos arregalados sobre quartos cheios de crianças que ela não reconhecia, com as pequenas mãos estendidas. Ele nunca explicou.

Como se o silêncio fosse capaz de mantê-las a salvo. Hannah, a menina recém-nascida que ele não se atreveu a segurar nos braços por medo de esmagá-la, de perdê-la. Hoje, Mika não queria nada além de poder abraçá-la para sempre.

Em vez disso, ele estendeu um braço para Daniel.

– Venha, Danny, já está tarde. Vamos ligar para sua mãe e preparar uma cama para você aqui.

A boca de Daniel estava seca. Havia milhões de perguntas ameaçando explodir em sua cabeça, e ainda assim um vazio terrível tomava conta de seu estômago como um buraco negro. Ele deixou suas mãos tocarem gentilmente os fantoches, pegando um após o outro.

– O que você acha que aconteceu com o príncipe, Vovô? – No momento em que a pergunta saiu de sua boca, Daniel titubeou. Mas por onde ele devia começar? Mika não parecia se importar com a pergunta.

– Fiz essa pergunta a mim mesmo muitas vezes, Danny. Acho que nunca saberemos. Tudo o que sabemos é que a princesa deve ter morrido com Ellie no gueto, e o médico pode não ter sobrevivido ao bombardeio de Nuremberg. Ou talvez tenha escapado e esteja escondido em alguma mala velha. Quem sabe? Mas, o príncipe? Tento não pensar nele nem no soldado alemão. Estes fantoches aqui são tudo o que me resta.

Daniel estendeu a mão, tocando levemente o ombro do avô. Um momento de silêncio se estendeu entre os dois.

– Obrigado, Vovô. Obrigado por me contar tudo isso.

Mas, sem que os dois soubessem, o príncipe perdido havia tanto tempo e sua história estavam muito mais próximos do que eles podiam imaginar.

Parte 2

A Jornada do Príncipe

CAPÍTULO 19

Na maior parte do tempo, o soldado nem se lembrava do fantoche que vivia amarrotado dentro de seu uniforme. Já tinha sido atraente algum tempo antes, mas agora, assim como o soldado, o príncipe estava abatido e desgastado, com suas cores desbotadas, a pintura descascada e os cabelos desgrenhados. Somente quando as memórias dolorosas levavam o soldado de volta à cidade que seu exército devastara é que sua mão deslizava levemente sobre o bolso do peito do casaco, estraçalhando instantaneamente a ilusão de que a situação medonha em que se encontrava era um pesadelo terrível do qual logo acordaria. Não, isso era tão real quanto os piolhos que infestavam seu uniforme, seus cabelos, suas orelhas e todo o vagão – uma massa negra e rastejante que atormentava a ele e a todos os seus companheiros com uma coceira insana e insuportável. Tão real quanto o fantoche que estava dentro de sua camisa. Junto com os homens apinhados em vagões de transportar gado que sacolejavam rumo ao leste dia e noite por um universo gelado, essa jornada marcava o final dos seis anos sangrentos de uma guerra perdida.

Sentado junto a seus camaradas, com as pernas rígidas e erguidas até lhe tocar o peito, imagens passavam pela sua mente como se fossem um filme mudo: seu primeiro dia em Varsóvia, esticando o pescoço para conseguir vislumbrar o *Führer* enquanto marchava orgulhosamente diante da tribuna; meses depois, um elegante soldado do *Wehrmacht* que supervisionava a construção do muro do gueto antes que os portões fossem abertos para a torrente de judeus que encheriam o lugar. Com mais clareza, entretanto, ele se lembrava do dia que conheceu o garoto e seus fantoches, aquele encontro fatídico e as muitas apresentações de fantoches que se seguiram... Mika. O magro, pálido Mika e seus fantoches. Muito antes do verão de 1942, antes dos dias terríveis das deportações e sua andança desesperada pelo *Umschlagplatz* na busca pela mãe do garoto... Antes dos incêndios infindáveis, dos lança-chamas, do gás venenoso. Os últimos dias do gueto se mesclavam em sua mente com o último levante da cidade: como o seu exército havia derrotado e arrasado os poloneses de Varsóvia. Mas para quê? Tantas mortes em meio às ruínas, tanta matança sem sentido.

Estava nevando naquele dia de janeiro, o dia em que os tanques russos chegaram com seus estridentes alto-falantes e orgulhosas bandeiras vermelhas, avançando pelas ruas de uma cidade-fantasma. Estava escondido nas ruínas com o resto dos soldados, e lembrava--se do momento em que foram levados para fora dali, com os braços erguidos, no gesto muito antigo de rendição. Tudo estava acabado. Ou, pelo menos, era o que ele pensava naquele momento. Nada seria capaz de prepará-lo para o inferno branco da Sibéria. Durante todo esse tempo o fantoche estivera escondido sob seu uniforme, bem diante de seu coração. O príncipe, roubado de um menino e de sua mãe, de uma cidade que já não existia.

Max já quase não se movia, como se tentasse poupar energia para o que estaria à sua espera no final daquela jornada extenuante. Qualquer noção de tempo já desaparecera. Havia quanto tempo eles tinham sido enfiados naqueles vagões, numa inversão irônica e cruel do que haviam feito com os judeus? Semanas já se haviam passado, Max tinha certeza disso. Apenas um facho mortiço de luz entrava por uma pequena abertura no alto do vagão.

Os homens tossiam e balbuciavam, mas raramente falavam, silenciados pelo frio mordaz. Não havia cobertores nem uma única mala entre eles. Um pequeno fogareiro de lenha ajudava a aquecer um pouco aqueles que estavam diretamente ao seu redor, mas, após uns poucos dias, a madeira se esgotou. Assim, eles se sentavam lado a lado, vestidos com seus uniformes e casacas imundas, e as únicas partes de seus corpos que estavam expostas eram os olhos vidrados e avermelhados. As nuvens de vapor que saíam pelas narinas eram um débil sinal de vida. Alguns gemiam baixo, enquanto outros ocasionalmente explodiam com uma sequência de palavrões, como se fosse uma lixa raspando a madeira em movimentos curtos e espasmódicos.

– *Die lassen uns hier verrecken.* Eles vão nos deixar aqui até apodrecermos! Não temos comida nem cobertores. Vamos morrer como cães – resmungou um soldado mais velho ao lado de Max.

A camada de gelo que cobria o interior do vagão ficava mais grossa a cada dia, reluzindo como açúcar refinado.

Max estava sentado no escuro, encostado na parede gelada do vagão, adormecendo e acordando num sono febril enquanto os sons monótonos das rodas ecoavam em seus ouvidos: *tchac, tchac, tchac*... rotações incessantes que o levavam para o leste, cada vez mais longe de tudo que ele conhecia. Eles ouviram rumores sobre a Sibéria, seu frio terrível e os trabalhos extenuantes e inclementes nas minas e florestas. Suas costas já doíam pela falta de movimento e o frio penetrante das tábuas cobertas de gelo que estavam atrás dele. Max mexeu no bolso de seu casaco com dedos enrijecidos. Ah, a pequena colher de prata. Ele a trouxera no bolso durante todos esses anos, e o seu cabo estava decorado com rosas entalhadas. Seu devido lugar era o açucareiro que deixara em casa. Sua esposa colocara a colher secretamente no bolso de seu casaco no dia em que ele partira de Nuremberg para a Polônia. Será que o açucareiro de porcelana branca ainda estava na prateleira da cozinha? Ele conseguia visualizar sua decoração intrincada, logo ao lado das xícaras e dos pratos. A falta de informação sobre sua família corroía Max por dentro, e ele segurou a colher e começou a raspá-la contra a superfície coberta de gelo.

– *Was machst du denn?* O que você está fazendo? – perguntou o homem que estava ao seu lado, com a voz rouca.

Sim, o que é que estou fazendo? Pensou Max, olhando para sua colher. *Ridículo.* Ainda assim, disse:

– Não lhe contaram que alguns prisioneiros cavaram túneis inteiros com colheres iguais a esta?

– Bem, boa sorte para você.

O tom cínico de seu camarada o magoava, mas Max continuou a raspar o gelo com a colher, mesmo que fosse apenas para espantar o tédio, e para manter aquela pequena chama de desafio viva. E realmente, após alguns dias, ele começou a se sentir mais confortável quando se apoiava contra a parede, pois cavoucara um espaço sem gelo com a forma de um homem.

Além do fantoche, Max escondera também uma fotografia de Erna com Karl, quando o garoto tinha cinco anos de idade, tirada durante um curto feriado nos Alpes: dois rostos bronzeados e felizes sorrindo para ele. Às vezes ele tirava a foto do bolso e a examinava, embora mal fosse capaz de distinguir seus rostos sob aquela luz turva. Outros soldados salvaram cartas e um deles até tinha um baralho, mas, sempre que um pequeno grupo se reunia para jogar, a partida era apática e completamente diferente dos jogos animados que aconteciam no quartel.

Sempre que o trem parava, o que acontecia a intervalos de alguns dias, a porta pesada se abria e os homens cambaleavam para fora da composição, ofuscados pela luz do dia e enchendo as bocas de neve para saciar a sede que sentiam. Um guarda lhes jogava um balde de batatas já meio apodrecidas como se os soldados fossem porcos. Eles disputavam as batatas a socos e pontapés, xingando e cuspindo, tentando pegar tantas quanto pudessem. Mas, antes que pudessem terminar de comer aquela mirrada refeição, os guardas logo os enxotavam para dentro dos vagões outra vez. Nunca sabiam quando comeriam outra vez. E o frio sempre ficava cada vez mais intenso.

Muitos dos soldados não conseguiram concluir a travessia. Houve uma noite em que Max olhou para o homem sentado a seu lado – Xaver, como ele se apresentara no primeiro dia em que foram colocados no vagão de gado. Agora a pele exposta de seu rosto brilhava com uma coloração pálida e acinzentada, e Max percebeu que não havia mais as pequenas nuvens de vapor lhe saindo pelas narinas. Xaver tossiu sem parar durante vários dias, um barulho que irritava os nervos de todos à sua volta. Foi a primeira de muitas mortes antes que o trem chegasse aos confins da Sibéria. Alguns haviam morrido devido ao frio ou à fome. Outros simplesmente haviam parado de respirar, derrotados pela disenteria ou pelo desgosto.

– *Raus mit den Toten.* – A cada parada, os guardas ordenavam a qualquer um que ainda parecesse ter forças que colocasse os mortos ao lado dos trilhos. Fileiras enormes de soldados caídos, rígidos como troncos de árvores. Tiravam-lhes os casacos, mas deixavam-lhes com as roupas do corpo.

Houve uma ocasião em que Max ajudou a carregar os mortos para fora do vagão. Ele se lembrou da primeira vez em que tropeçou num dos inúmeros cadáveres emagrecidos do gueto e seu estômago se retorceu.

Um tranco súbito encerrou a jornada, jogando os soldados uns contra os outros.

– *Dawai, dawai! Raus, raus!* – vozes ríspidas de comando obrigaram os soldados a sair do vagão. O frio os atingiu como um punho fechado. Guardas, enormes e corpulentos como armários, com cães de pelagem grossa a seu lado e uma branquidão ofuscante, receberam os soldados. Uma vastidão vazia e branca que se estendia até onde os olhos de Max alcançavam, ofuscante, céu e terra engolidos como se nunca houvessem existido. Ao longe havia uma linha de pontos negros andando a passos lentos pela neve, outra carga de prisioneiros que chegara pouco antes deles.

Haviam chegado ao fim da linha. E agora a caminhada até o fim do mundo começaria, com um passo doloroso após o outro. Os soldados cambaleavam como árvores cobertas de neve, em fila, tentando avançar contra o vento cortante. Os guardas traziam consigo rifles enormes e chicotes sinistros. Adoravam estalar aqueles instrumentos cruéis nos prisioneiros mais fracos que tropeçavam ou caíam. Se algum deles não conseguia se levantar com a rapidez esperada, os guardas disparavam alguns tiros sem hesitação, sempre acompanhados pelo latido selvagem dos cães. Nunca disparavam apenas um tiro; queriam ter a certeza de que quem caísse nunca mais voltaria a se levantar.

– Não posso mais continuar com isso. – Uma voz fraca vinda de trás assustou Max. Ele enfiou a mão no bolso direito, pegando um pedaço de barbante que estava enrolado ali como se fosse uma cobra.

Ele o tirou do bolso e amarrou-o ao redor do corpo, deixando uma das pontas soltas.

– Aqui, segure isto. – Ele virou o corpo e entregou a ponta do barbante para o homem que vinha atrás. O homem a agarrou e, ligados pelo barbante, os dois continuaram com aquela marcha.

Depois de algum tempo o vento ganhou ainda mais força, e, com ele, chegou uma nevasca repentina que tornava difícil até mesmo ver a pessoa que estava adiante.

Horas se passaram. Conforme a tempestade de neve perdia força e o sol começava a aparecer por entre as nuvens, uma ondulação passou pelos homens, e eles diminuíram a marcha. Embora antes olhassem fixamente para o chão, sem contar nada além do próximo passo, todos os olhares agora estavam fixos num terreno negro que se estendia diante deles: uma linha formada por árvores escuras como tinta nanquim.

Quando entraram na floresta, ela engoliu os homens como a baleia do profeta Jonas, por inteiro, e, com eles, também a luz do dia. Os alemães marcharam por entre a floresta densa e a vegetação espessa que cobria o chão, cercados por gigantescos abetos, e, ocasionalmente, precisavam abrir caminho por entre elas. As horas se transformaram em dias; um homem atrás do outro durante o dia e agrupados à noite ao redor de tímidas fogueiras.

Certa noite, um uivo longo acordou Max e os outros prisioneiros. O som assustador os cercava, aproximando-se cada vez mais. Max viu olhos amarelos e reluzentes por entre as árvores.

– Era só o que faltava – resmungou ele. Os guardas caíram em gargalhadas horrendas.

– *Volki, volki,* lobo. Para vocês. – Após os guardas dispararem alguns tiros os lobos se dispersaram, mas Max não conseguiu voltar a dormir. Na manhã seguinte, a fila longa e depauperada continuou sua marcha infindável. Com o passar dos dias, ninguém mais se importava em contar o número de homens que eram deixados para trás na floresta, mortos pela fome ou pela exaustão.

CAPÍTULO 20

Finalmente eles chegaram ao assentamento: um conjunto esparso de barracões aninhado nos limites da floresta. Max percebeu que, diferentemente do gueto, o assentamento não era cercado por um muro sólido, mas por uma simples cerca de madeira e uma camada de arame farpado. Talvez os russos não esperassem que alguém tentasse escapar daquele lugar amaldiçoado. Uma única torre de vigia se erguia naquele lugar como uma peça solitária num tabuleiro de xadrez. Max chegara à barriga da Sibéria, na parte mais profunda e distante daquele lugar ermo, branco e cruel.

Quando se aproximou do perímetro, Max viu quatro guardas armados com rifles abrirem o portão, com grossos gorros felpudos enfiados em suas cabeças como gatos enrodilhados. Acima do portão estava um retrato imponente de Stálin, saudando o grupo de miseráveis enquanto eles se arrastavam para dentro e se agrupavam no terreiro. *Então isto é o fim do mundo*, pensou Max, deixando que os olhos corressem por entre as barracas em meio ao mar de neve e árvores. Os homens foram enviados para os alojamentos e puderam descansar nos beliches duros e simples por alguns momentos. Max caiu no sono como se não tivesse nenhuma outra coisa com que se preocupar.

Gritos altos o acordaram.

– *Dawai.* Saiam do alojamento e tirem todas as roupas. – Um guarda de rosto redondo vestido com um grosso casaco de pele rosnava para os homens, enxotando-os para aquele frio medonho e estalando o chicote algumas vezes. A passos trôpegos, eles se enfileiraram, três a três.

– *Macht schon, runter mit den Klamotten,* tirem as roupas! – Outro guarda deu o comando num alemão bastante carregado. Os homens lentamente tiraram uma camada depois de outra. *Pronto, acabou.* Como se só se desse conta de sua situação agora, quando os uniformes e as camisas dos soldados se empilhavam no centro do assentamento, Max percebeu que ele e seus camaradas eram prisioneiros. Prisioneiros do Gulag, no Campo 267. Prisioneiros da neve.

Os homens estavam nus e tentando manter os corpos trêmulos sob controle, pois qualquer um que se movesse ou gemesse arriscava-se a receber uma chicotada – ou, pior, uma bala. Nem todos conseguiam. Os dentes de Max batiam enquanto seu vizinho parecia ter-se transformado numa gralha, até que um dos guardas gritou diante de seu rosto e o golpeou com a coronha do rifle no peito. Uma lembrança surgiu na mente de Max. Num dia de novembro, ele estava patrulhando as ruas do gueto com Franz, um soldado agressivo e gorducho que trabalhara como açougueiro num pequeno vilarejo da Baviera, quando viram um garoto andando com dificuldade, com as costas curvadas e segurando o casaco com força.

– Aposto que ele está escondendo alguma coisa – rosnou Franz, cutucando Max com o cotovelo. Antes que Max pudesse responder, Franz gritou para o garoto: *Runter mit den Klamotten.* Tire as roupas.

O garoto tremia como uma folha ao vento ao tentar proteger sua nudez, com uma pilha de roupas ao lado do corpo. Não estava contrabandeando nada, mas Max percebeu que ele mancava.

– Já chega, Franz – disse Max. – Vamos embora. – Franz riu, chutou as roupas na direção do garoto mas pegou a camisa para si. Lentamente ele a rasgou até transformá-la em farrapos.

Agora a situação se invertera naquele primeiro dia no campo de prisioneiros, onde os ex-soldados foram forçados a trocar seus uniformes por trapos sujos e malcheirosos: casacos que não eram adequados ao frio terrível, luvas finas e calças feitas de um tecido que não protegia a pele do vento impiedoso. Vendo que os camaradas diante dele receberam permissão para pegar as roupas de baixo de volta, Max escondeu o príncipe e sua fotografia dentro da cueca. Eles receberam água morna e uma barra de sabão para dividir entre um grupo de 30 – a primeira oportunidade que tinham para se lavar, pelo menos um pouco, em várias semanas. Foram levados até uma sala com um sistema rudimentar de aquecimento e todos os cabelos e pelos do corpo foram raspados com uma faca cega; depois lhes aplicaram um mata-piolhos. *Pelo menos vamos nos livrar de alguns dos piolhos*, pensou Max. Mas ele sabia que aquela luta era inútil: os piolhos eram capazes de sobreviver muito melhor do que os seres humanos naquelas condições. Os homens ficaram em silêncio, quase sem trocar olhares. Finalmente, num último procedimento humilhante, mandaram que todos os prisioneiros fizessem fila diante de uma pequena mesa. Um atendente que vestia um casaco listrado, um homem que era claramente outro prisioneiro, chamava os soldados até a mesa, um por um, fazendo uma marca ao lado dos seus nomes num livro de registro.

– Max Meierhauser? – Max assentiu, indo até a escrivaninha. – Seu número. – O atendente entregou a Max duas tiras de tecido que exibiam um número de quatro dígitos. Naquela noite, ao costurar seu número em seu casaco e na camisa, Max Meierhauser, nascido em

Nuremberg em 1902, tornou-se o prisioneiro 3587. Com as cabeças raspadas e usando roupas idênticas, os homens tinham dificuldade para reconhecer seus antigos camaradas. Naquela noite, Max escondeu o príncipe e sua preciosa fotografia embaixo de um saco rançoso de palha e caiu num sono agitado.

—

– *Dawai*, levantem, *aufstehen*. – Uma voz ríspida que vinha de um dos guardas enormes acordou os prisioneiros na manhã seguinte. Mas tirou o príncipe de debaixo da palha e colocou o fantoche dentro de sua camisa.

O guarda acompanhou os prisioneiros para fora do barracão para a chamada. O céu, de um negro aveludado, estava cravejado de estrelas e da faixa esbranquiçada da Via Láctea.

– Meu Deus, estamos no meio da noite – murmurou um homem pálido ao lado de Max. Os alemães estavam em silêncio, esforçando-se para não se mover, esperando até que seus nomes fossem chamados. Um procedimento interminável.

– Não consigo mais sentir meus pés – Peter, um prisioneiro alto que sempre pareceu magro, mesmo quando ainda era um soldado, choramingava.

– Aguente firme. Não vai demorar muito – sussurrou Max.

Cerca de 10 minutos depois eles foram levados até um galpão maior.

– Graças a Deus. Achei que fosse desabar – disse Peter quando eles formaram fila para tomar a refeição matinal: uma tigela com um mingau acinzentado e encaroçado e um líquido castanho e fraco que o cozinheiro da prisão dizia ser chá.

– Ah, chá quente. – O rosto de Peter se iluminou.

– Não fique tão animado – respondeu Max. – Para mim, não parece muito mais do que água quente. Bem, pelo menos está quente. – Eles mal haviam se sentado quando a voz do guarda trovejou mais uma vez pelo salão.

– *Dawai.* Saiam. Hora de trabalhar. – Os alemães engoliram o mingau junto com o chá aguado e saíram a passos trôpegos para o pátio. A escuridão já se desvanecera, e uma pequena faixa rosada de luz se estendia pelo céu.

Dessa vez os guardas entregaram um par de luvas e um boné para cada prisioneiro. Alguns receberam serrotes; outros, pás e picaretas.

O comandante do campo de prisioneiros, um russo alto que usava um longo casaco marrom, um gorro grosso forrado com pele branca e adornado com a estrela vermelha comunista, anunciou à multidão que tremia de frio:

– Se trabalharem, vocês comem. Se cumprirem a cota, vocês comem. Se não cumprirem a cota, não comem. Se trabalharem bem, vocês viverão. Esqueçam a vida que tinham antes. E não gastem energia tentando escapar. Ninguém escapa daqui. Isto é a Sibéria. *Verstanden? Dawai.* Vão trabalhar.

Os prisioneiros tiveram que marchar em filas ordenadas com guardas armados ao seu lado, passando pelo portão do assentamento rumo à floresta escura que tiveram que atravessar no dia anterior. E foi lá que ficaram o dia inteiro, até que o sol tímido de novembro tivesse se posto e eles não conseguissem mais ver as mãos diante dos olhos.

Os prisioneiros voltaram à floresta no dia seguinte, e no dia depois daquele também. As semanas se transformaram em meses e depois em anos. Anos e anos derrubando imensos abetos verdes com serras e machados cegos, cortando os galhos, raspando a casca da árvore até que o miolo branco viesse à tona, arrastando os troncos pela floresta, quatro homens amarrados a cada tronco como cavalos cansados, antes que a madeira fosse transportada rio abaixo, para nunca mais ser vista novamente.

Max e a maioria dos prisioneiros do Campo 267 se tornaram lenhadores, escravos da floresta, 10 horas por dia, todos os dias.

Cada manhã começava com a entediante chamada de nomes antes do nascer do sol em meio ao frio inclemente e uma refeição esquálida composta do mingau ralo, um pedaço pequeno de pão de centeio e chá aguado. Em seguida os prisioneiros eram escoltados até a floresta, curvados sob o peso das ferramentas nos ombros, que, com o passar do tempo, pareciam tornar-se extensões de seus corpos exaustos. As cotas eram brutais, e, se um homem trabalhasse sem o ânimo necessário, todos os membros de sua equipe ficavam sem comer naquela noite.

Acidentes aconteciam todos os dias: alguns dos alemães, incapazes de sair do caminho rápido o bastante, eram esmagados pelas árvores derrubadas; outros acabavam perdendo o controle dos machados e enfiavam a lâmina na própria perna. Sem medicamentos e no meio daquele frio terrível, os ferimentos não cicatrizavam bem, e a infecção podia durar várias semanas. Muitos prisioneiros acabavam desabando com o esforço, e aqueles que não se levantavam a tempo eram alvejados. Na maior parte do tempo, os homens tremiam em suas roupas úmidas, vestindo o mesmo uniforme fino dia após dia. Quando as chuvas da primavera começavam, ninguém conseguia se manter seco, e, por mais que tentassem, os homens nunca conseguiam secar seus casacos no pouco calor que fazia dentro de suas barracas. Os invernos eram os desafios mais cruéis naqueles barracões; as barbas dos prisioneiros reluziam com os flocos de neve, e pequenas estalactites se formavam sob seus narizes. Se os olhos dos prisioneiros lacrimejassem, as lágrimas congelavam quase ao mesmo tempo que começavam a rolar, e às vezes essas mesmas lágrimas eram vermelhas, lágrimas de sangue.

Max tentava se manter o mais limpo que podia. Enquanto alguns dos prisioneiros não se incomodavam em se lavar mais do que uma vez a cada duas semanas, quando recebiam água quente, durante todo o inverno, Max limpava o rosto com a neve, e, se conseguisse suportar o frio, também os braços, o peito e as pernas.

– Parecemos e cheiramos como porcos. É isso que eles querem, transformar-nos em porcos, até esquecermos de que somos humanos. Se eu puder, vou me lavar.

A neve também poderia se transformar numa proteção bem-vinda contra os piolhos. Houve uma ocasião em que Hans enterrou seu casaco na neve e o deixou ali durante a noite inteira. Pela manhã, os piolhos haviam se agrupado num pequeno pedaço da manga, e foi fácil removê-los da roupa – um truque que Max e outros começaram a executar alegremente.

Todos os dias, os prisioneiros marchavam em grupos de 30 até as florestas, onde os guardas russos amarravam tufos de grama às árvores para marcar o limite da área de trabalho dos prisioneiros: até aquele ponto, e nem um passo a mais. Se alguém passasse um centímetro do limite, os guardas disparavam suas armas. Alguns prisioneiros, sentindo a tentação dos arbustos carregados de frutas que cresciam além dos limites ou simplesmente por desconhecer os limites marcados pelos tufos de grama, perderam suas vidas dessa maneira.

No final de um dia de verão, enquanto os guardas cochilavam no chão da floresta além dos tufos de grama, Martin, um dos membros da brigada de Max, resolveu se arriscar e ultrapassou o limite para pegar algumas das amoras alaranjadas das quais eles gostavam muito devido às vitaminas.

– Cuidado, Martin – sussurrou Thomas, um garoto cauteloso que mal completara 20 anos. Antes que qualquer um pudesse respirar, Martin caiu no chão. O guarda que eles haviam apelidado de "Ivan, o Terrível" por seus atos de crueldade despropositada o acertou com um tiro bem no meio do peito. Ele morreu imediatamente. Nenhum dos prisioneiros falou palavra pelo resto daquele dia, depois que receberam ordens de enterrar Martin numa parte mais profunda da floresta. Daquele ponto em diante, eles ficavam cada vez mais desconfiados quando estavam perto dos guardas, cujos atos esporádicos de violência poderiam lhes custar a vida.

Max foi designado para a equipe responsável por derrubar as árvores, manejando o enorme serrote junto com Anton, um rapaz reservado que sonhava voltar à faculdade de medicina quando tudo terminasse. Fora retirado da universidade depois de dois anos e enviado para o *front* oriental. Apesar dos estilhaços em suas pernas e dos horrores que seus jovens olhos já haviam visto, Anton nunca abandonara o desejo de ser médico. Mas suas mãos delicadas doíam; ele nunca fizera nenhum trabalho braçal.

– Isso é loucura. Quatro de nós têm que se esforçar demais para fazer algo que um cavalo faria em muito menos tempo – resmungou Max um dia, enquanto ele e três dos seus camaradas arrastavam um enorme tronco até o rio.

– É irônico. Trabalhei com madeira durante toda a minha vida. Era carpinteiro, mas nunca pensei muito sobre o lugar de onde vinha a madeira excelente com a qual eu trabalhava. Agora eles não me deixam fazer nada além de derrubar estes gigantes.

– Mesmo assim, é melhor do que ficar nas serrarias – considerou Max. – Aquelas pobres almas têm que se equilibrar sobre os troncos que boiam na água congelante do rio o dia inteiro. Se escorregarem e caírem, são esmagados. Desaparecem para sempre sob o mar de toras.

Ninguém sabia o que os russos faziam com toda aquela madeira ou quem recolhia os troncos que flutuavam pelo rio abaixo. Certo dia, Heinrich, outro dos companheiros de Max, teve uma ideia.

– Por que não entalhamos mensagens nos troncos? Ninguém sabe onde estamos, não podemos mandar cartas, nem mesmo um cartão-postal. Mas talvez possamos mandar alguma mensagem dessa maneira.

– Escutem esse sonhador – zombou Heinz, um homem corpulento do norte da Alemanha. – Nunca vamos conseguir sair deste inferno! Devíamos esquecer quem somos e que há outras pessoas lá fora.

Mas nem todos concordavam, e logo alguns dos prisioneiros haviam entalhado mensagens curtas nos troncos usando seus machados. Se fossem pegos, seria o seu fim, mas era verão e os guardas mal se preocupavam em patrulhar o território deles.

Eles alimentavam os prisioneiros com uma sopa aguada, um líquido cinzento com pedaços de repolho, beterrabas e batatas apodrecidas, e raramente havia carne ou gordura. Como quase não havia roupas de cama, apenas um cobertor fino para ser dividido entre cinco homens e uma tábua para servir de cama, os homens tremiam noite e dia. Apertando-se uns contra os outros sem que houvesse nenhuma brecha entre seus corpos, por menor que fosse, eles se deitavam espremidos como sardinhas, e a cada hora um dos homens comandava: *Alle umdrehen!*, e, como se fossem um único corpo, todos se viravam. Todas as noites eram divididas nesses intervalos que aconteciam de hora em hora, pontuados por contorções, gemidos e a virada inevitável. Max ficava no final da fileira, de costas para os seus camaradas. Passava mais frio dessa maneira, mas preferia não ter que ficar prensado entre dois corpos.

Às vezes, nas profundezas da noite, Max pegava o príncipe, deslizando os dedos pelo manto e o rosto do fantoche como se fosse capaz de encontrar uma resposta em suas feições delicadas. Até que, numa noite particularmente gelada, enquanto toda a cama balançava com os tremores e os gemidos dos soldados, Max começou a conversar com o príncipe. Estava deitado de costas para seu vizinho, com o fantoche perto do rosto, abrindo seu coração para ele.

– Estou lhe dizendo, não é fácil ficar aqui, meu amigo. Todo este trabalho extenuante, e também o frio. O frio morde como aqueles cães de guarda horríveis que rosnam e latem para você sempre que têm uma oportunidade. Se eles o pegarem pela garganta, não vão soltá-lo, assim como acontece com o frio: ele transforma o que tem dentro de você em pedra. Eu faria qualquer coisa por um pouco de calor. Mas é impossível conseguir se aquecer neste lugar maldito. A Sibéria é um *freezer* gigante. Faz seus ossos se estalarem.

– Está falando sozinho outra vez, Max? – sussurrou o vizinho. Max o ignorou.

– Talvez seja isso que merecemos depois da guerra. Depois de Stalingrado, Varsóvia, Cracóvia e toda aquela matança. E o que aconteceu com Mika, pequeno príncipe? Ele tinha a mesma idade de meu filho.

Max nunca falou de Mika a seus camaradas e de como ele ajudara a resgatar a mãe e a tia do menino do *Umschlag*, dos espetáculos de fantoches no quartel ou de qualquer coisa relacionada ao gueto. Somente dois soldados que estavam destacados com ele em Varsóvia acabaram no mesmo campo de prisioneiros. Eles não dormiam no mesmo alojamento, e Max não os procurara.

CAPÍTULO 21

Os dias no campo de prisioneiros eram totalmente sombrios, passando como um rio de chumbo, como pérolas cinzentas ligadas por uma força invisível. Dias infinitos, roubados dos prisioneiros, assim como eles roubaram dias, anos e milhões de vidas em cada um dos lugares que declararam ser parte de seu *Reich*. A diferença aqui, naquele lugar gelado e estéril, era que os prisioneiros não eram mortos com a eficiência alemã, mas simplesmente deixados para apodrecer ou congelar até a morte, como algum gigantesco experimento a fim de verificar quais eram os mais preparados para sobreviver. Às vezes os prisioneiros debatiam sua condição e sobre como haviam chegado a uma situação tão miserável.

– É o que merecemos – murmurou baixinho Hans, um dos quatro homens que dividiam a cama com Max, certa noite.

– Não seja idiota, Hans. Nós não sabíamos o que realmente estava acontecendo – disse Heinz, um dos mais jovens. – Fizemos o que tínhamos que fazer. Era nosso dever, apenas isso.

Max se juntou ao debate.

– Eu vi coisas demais em Varsóvia, o suficiente para me dar pesadelos pelo resto da vida. Participei de muitas coisas. Nunca mais conseguirei dormir direito.

– Mas nós estávamos apenas seguindo ordens! Somos apenas soldados rasos do *Wehrmacht*, lembre-se. Meu Deus, deem uma olhada em Michael aqui, ele chegou até a lutar em Stalingrado, perdeu quatro dedos dos pés e quase ficou louco. Por acaso você o culpa pela guerra, ou pelo que aconteceu? – O rosto de Heinz estava corado.

– Não, é claro que não – disse Max.

– Eles o acusaram de ser um criminoso de guerra por haver lutado lá, enquanto os porcos que davam as ordens conseguiram escapar.

Michael era o mais silencioso entre eles. Raramente falava, mas, quando Max lhe mostrou o príncipe, os olhos de Michael se encheram de lágrimas.

– Éramos soldados rasos. Hitler nos fez de idiotas e nos usou. Prometeu que teríamos uma terra de leite e mel. Bem, deem uma olhada no que temos agora: um inferno branco. Alimentou a máquina de guerra conosco como se fôssemos ração, aquele *Herr* Hitler! – Heinz ficou ainda mais corado.

– Isso é verdade – respondeu Max. – Tudo aquilo parecia ser grandioso e convincente. Eles nos convenceram com suas mentiras e nós as engolimos feito doces. Mas e os judeus, e as mulheres? Vocês nunca pensam neles? – A voz de Max ficava cada vez mais exaltada. – Foi errado, tudo errado. Eu sei que foi. – Ele bateu a mão na pequena mesa de madeira.

– Mas isso é o que acontece numa guerra: pessoas morrem. Escute, Max. Nós não éramos membros da SS ou da SA, apenas soldados comuns. Fizemos o que tínhamos que fazer. Agora dê um tempo.

O campo de prisioneiros tinha também cerca de 20 homens e oficiais da SS, alojados num barracão diferente; entretanto, mesmo naquele lugar, a elite do *Führer* tentava se impor e provocava constantemente os outros prisioneiros; ainda estavam convencidos de que o *Reich* alemão fora uma grande ideia e que, se pudessem ter usado equipamentos melhores, se o inverno não fosse tão rigoroso, eles certamente teriam vencido a guerra. Max fazia de tudo para não se aproximar deles.

– Vamos dormir. Não adianta ficar pensando sobre tudo isso se quisermos sobreviver. Acabou, *finito, Schluss, aus*. Se não descansarmos, vamos morrer, simples assim.

Mas não foi fácil para Max dormir naquela noite, nem em nenhuma outra. Como já fizera muitas noites antes, ele pegou o príncipe, segurou-o firmemente contra o peito e começou a conversar com ele.

– Meu Deus, todos esses sonhos horríveis... Estou em Varsóvia outra vez, observando aquela longa rua calçada com pedras. Estou sozinho, com o lança-chamas ao lado. Recebi ordens de ir de casa em casa e incendiar todas elas, queimá-las até não sobrar nada. E é isso o que eu faço: chuto as portas e abro o jato de fogo dentro delas: uma, duas, três, quatro, cinco, seis...

– Em minha cabeça, ouço as palavras que eles me disseram tantas vezes: "Extermine as pragas, livre-se dos *Ungeziefer*, nada deve sobrar! Nada!". Eu agarro a manopla do lança-chamas com força. O fogo grita. Sei que sou um bom soldado e que a pátria vai me agradecer. Quando a escada e o papel de parede começam a queimar, eu vou para a próxima casa... sete, oito, nove... De repente o meu peito começa a doer, queima como se meu coração estivesse em chamas. Olho para baixo e vejo que você está ali! O príncipe, contorcendo-se debaixo de meu uniforme, queimando como brasa sobre minha carne. Arranco você de dentro de meu casaco e tento apagar o fogo, mas não consigo. Você está em chamas, seu rosto está derretendo. E então, seu rosto se transforma no rosto de Mika, e depois no de meu filho, Karl, e no de minha esposa. Em seguida, uma quantidade enorme de rostos que eu nunca vi... gritando... até que eu acordo...

Max ficou em silêncio após dizer tudo aquilo.

– Nós fizemos nosso dever, Max. Não se atormente assim. – A voz rouca de Anton o assustou. Ele não respondeu, mas rapidamente enfiou o fantoche de volta sob o colchão de palha rançosa e fingiu que dormia.

A esperança ficou tão escassa quanto a boa comida, e muitos dos companheiros de Max adoeceram e entraram em colapso. No mundo de sombras do campo de prisioneiros eles morriam aos montes, como moscas no final do verão. Muitos morreram ainda no primeiro ano, mas a maior parte faleceu algum tempo depois, em 1948, quando um inverno particularmente cruel atingiu a Sibéria. As enfermarias não conseguiam atender a todos os doentes conforme o tifo, a tuberculose e a varíola se espalhavam. Os alojamentos fediam a vômito e a ferimentos infeccionados, e a tosse e os gemidos constantes dos moribundos não deixavam que os outros prisioneiros dormissem. Muitos morreram devido à exaustão. Os mortos não puderam ser enterrados durante o inverno e precisaram ser guardados num pequeno depósito, empilhados como se fossem lenha até a chegada da primavera, quando o gelo inclemente finalmente perdeu um pouco de sua força.

Max continuava a encontrar refúgio e alívio em suas conversas com o príncipe.

Certa noite, em maio, ele pegou o fantoche e o segurou bem diante do rosto. Os prisioneiros receberam ordens de passar o dia inteiro cavando covas rasas na terra, que começava a descongelar.

– Sei que eles não podem sentir mais nada, mas esses guardas estão tratando os mortos pior do que tratam as toras que tiramos da floresta. Para ter certeza de que estão realmente mortos, eles atiram nos cadáveres também. No pescoço. Ou pior, eles lhes arrebentam a cabeça com uma picareta. Se algum dia eu conseguir sair daqui, o que vou dizer para os parentes deles? Que eles empilharam os mortos uns sobre os outros e os deixaram naquele depósito durante todo o inverno? Primeiro foi Willy, depois Peter, e agora Michael. Não sei quanto tempo ainda vou durar... – A voz de Max tremia.

... Talvez você não sinta nada nesse seu corpo pequeno de papel machê, mas... sabe de uma coisa? Para mim, a esperança é algo muito mais perigoso do que o desespero. Ela me devora por dentro como aquelas feridas infeccionadas que nunca saram nesse frio maldito. Preciso parar de ter esperança, de imaginar que vou voltar para casa. Talvez eles nunca nos deixem sair deste inferno. Tornei-me um fantasma, uma sombra da pessoa que eu era. Este lugar é tudo que existe agora. – Ele tombou para a frente. Como sempre, o príncipe permaneceu em silêncio, e Max voltou a guardar o fantoche embaixo da palha suja.

... Por que ainda faço isso? Você nunca responde, nunca diz nada... Toda vez que olho para você, eu vejo o rosto de Mika. Nunca deveria ter tirado você das mãos dele.

—

A vida no Campo 267 se arrastava. O plano dos russos, diziam, era fazer com que os alemães reconstruíssem o que haviam destruído quando invadiram o país. Os guardas lhes deram a notícia alegremente:

– Vocês poderão voltar para casa quando reconstruírem tudo o que destruíram. – Mas, assim como os outros prisioneiros, Max sabia que isso era impossível.

– Porcos malditos. Como esperam que trabalhemos sem nada em nossos estômagos e apenas com trapos para nos manter aquecidos? – sibilou Anton, movendo de um lado para outro a serra que estava tão cega que mal cortava. Se não a movessem de um lado para outro, a serra acabaria congelando e ficaria completamente presa.

– Nós também forçamos pessoas a trabalhar até a morte em nossos campos de concentração – respondeu Max. – Aqui se faz, aqui se paga, é o que dizem.

– Disseram que eles tinham até um slogan sobre a entrada, *Arbeit macht frei*, "o trabalho vai libertá-los". Mas não fomos nós que colocamos a placa com essa frase lá. – Anton puxava a serra cada vez com mais força. – Não fui eu que assinei as ordens para enviar os judeus aos lugares onde eles seriam mortos. Nunca torturei ninguém. Tudo o que fiz foi empunhar uma arma e seguir ordens. – Anton caiu num silêncio sombrio. Diálogos como esse sempre faziam com que todos os outros se sentissem como se tivessem andado por um terreno coberto de neve por vários dias, apenas para voltar ao ponto de partida.

—

Certo dia, quando a equipe de Max voltou ao alojamento, exausta após uma jornada de 10 horas de trabalhos forçados na floresta, um dos guardas russos mais graduados e outros três entraram no galpão, pisando com força nas tábuas dos corredores.

– Tirem tudo.

Max ficou paralisado, o último fragmento de cor lhe fugindo do rosto num instante. Ele estava suando apesar da temperatura congelante. *Oh, não, isso não, por favor, meu Deus. Eu devia tê-la deixado com o príncipe.* Vários pensamentos atravessavam sua cabeça ao mesmo tempo; não teve tempo de esconder a fotografia. *Por que justamente hoje? Por que justamente agora?*

Os alemães nunca estavam livres da possibilidade de serem revistados a qualquer momento, mas isso não poderia ter acontecido justo quando, naquela manhã, ele enfiara sua preciosa fotografia de Erna e Karl no bolso do casaco. Embora houvesse aberto uma pequena fenda na lateral do bolso e a deixado ali, ele sabia que, se o revistassem com bastante cuidado, um dos três guardas acabaria encontrando a foto.

– Prisioneiro 3465, um passo à frente – gritou o guarda mais graduado. Era o número de Willi, um homem tranquilo e sensível que, assim como Max, vinha da região de Franken. O guarda foi até ele, segurando um pequeno livro preto bem debaixo do nariz de Willi.

– Isto é seu?

Willi confirmou com um movimento de cabeça.

– O que é isto?

– Uma bíblia. – O guarda golpeou o rosto de Willi com o livro. Em seguida, jogou-o no chão e o pisoteou.

Quando Max ergueu os olhos, um dos outros guardas estava com sua fotografia na mão. Ele sentiu algo se quebrar dentro de si.

– Prisioneiro 3587, um passo à frente.

Max avançou lentamente.

– Isto é seu? – A mesma pergunta, o mesmo guarda.

– Sim. São minha esposa e meu filho.

– Cale a boca. Não há mulheres e crianças no Campo 267. – Ao terminar a frase, o guarda rasgou a fotografia em pequenos pedaços, que se espalharam pelo chão.

Depois que os guardas saíram, Max caiu de joelhos e juntou os pedaços, certificando-se de que não deixara escapar nenhum. Anton colocou a mão no ombro de Max.

– Lamento, Max. Pelo menos, eles não obrigaram você a passar semanas limpando as latrinas, nem o colocaram na solitária.

Max não respondeu. Nenhum castigo poderia ser pior. E não disse palavra durante vários dias.

Com o passar do tempo, Max acabou ficando menos vigilante, e chegava mesmo a pegar seu fantoche quando os prisioneiros tinham um raro dia de folga.

– Quem é esse rapazinho? – Anton estendeu a mão na direção do fantoche, fingindo beliscar a bochecha do príncipe. – Pelo menos alguém aqui tem as bochechas coradas. Você o trouxe de Varsóvia?

Max assentiu.

– Sim. Ele é um príncipe.

O fantoche se curvou diante de Anton, que repetiu o mesmo gesto em resposta.

– É um prazer conhecê-lo, pequeno príncipe. – Eles apertaram as mãos, e Max fez seu príncipe desfilar diante dos camaradas, apresentando-o com apertos de mão galantes. O príncipe estava em seu elemento. Max começou até a fazer algumas brincadeiras diante de seus camaradas, e, enquanto os homens aplaudiam e assobiavam, Max deixou que o príncipe fizesse um pequeno discurso:

– Bem, cavalheiros, mesmo num lugar como este, eu recomendo seriamente que tentem manter um mínimo de higiene. Limpem seus corpos com neve, deixem seus cobertores ao ar livre e abram as janelas para que o ar infecto deste lugar se dissipe. Vocês não querem voltar para casa como se fossem ladrões, não é? – Embora os homens estivessem rindo a princípio, aquela última frase os fez lembrar-se da situação horrenda em que se encontravam.

– Já chega, Max – resmungou Hans.

– Acho que nosso príncipe precisa de alguns companheiros – declarou Anton. – Que tal um *Kasperltheater* inteiro, com uma princesa, um crocodilo e um vilão? Talvez até um diabo. O que acham?

– Sim, e Herr Tod também – emendou a voz forte de Sepp.

Uma trupe inteira de fantoches? Poderia ser uma ótima ideia.

– E então, quem quer participar? Quem sabe fazer trabalhos manuais? – Alguns homens ergueram as mãos, com sorrisos cheios de expectativa nos rostos. Max delegou quem seria responsável pela criação de cada fantoche e deu a si mesmo a tarefa de criar Herr Tod, o Senhor Morte e o crocodilo. Anton tentaria fazer o diabo e a menina, e Peter ficaria encarregado de fazer o próprio Kasperl. Os homens não tinham nenhum material especial, mas todos aprenderam a improvisar com quaisquer objetos que conseguissem encontrar, e alguns tinham um olho bom para detalhes.

Max encontrou um pedaço de madeira, pediu a Peter que lhe emprestasse uma pequena faca que conseguira esconder de todas as revistas e começou a entalhar os dentes do crocodilo. Foi difícil encontrar tecido e uma agulha, mas, no final, ali estava, um crocodilo que girava o corpo e mordia – com um longo corpo listrado. Na verdade, todos os fantoches, com exceção do Senhor Morte e da menina, usavam roupas feitas com as camisas listradas dos prisioneiros.

Certa noite, para o aniversário de seu colega Klaus, Max reuniu os fantoches que estavam prontos – o crocodilo, a menina e o Senhor Morte – e tentou improvisar uma apresentação com os fantoches. Aniversários eram uma ocasião especial até entre os prisioneiros, pois os homens recebiam uma dose dupla da sopa rala e um pedaço extra de pão. Assim, cada um deles tentava celebrar pelo menos três aniversários a cada ano.

Em seu fantoche Herr Tod, Max entalhou dois olhos fundos numa cabeça de batata e usou um pedaço de pano que esfregara em fuligem para fazer seu manto e um graveto com um pedacinho de metal que tirou de sua caneca para fazer a foice. Alguém doou um lenço bordado, que fora cuidadosamente escondido, para fazer o vestido da menina, e ali estavam eles agora: os primeiros fantoches do Campo 267.

Max estendeu um cobertor entre dois beliches para formar um palco improvisado e o espetáculo teve início. Não foi nada que pudesse se comparar a Schiller ou Goethe; em vez disso, o que aconteceu foi uma perseguição tumultuada entre o crocodilo, o Senhor Morte e o príncipe. Enquanto o príncipe desfilava despreocupadamente diante do palco, falando sobre as coisas belas da vida, o Senhor Morte o seguia, agitando sua foice, perseguido pelo crocodilo listrado, que tentava mordê-lo. Os companheiros de Max na prisão riam como jamais haviam rido antes, uma profusão incrível e trovejante de risos que surgia do fundo de suas barrigas. E todos queriam participar, tentando pegar e manipular os fantoches.

A noite passou com mais perseguições, brigas, fantoches sendo devorados, abraços e gritos. Agora que os prisioneiros sentiram o gosto da diversão, eles queriam mais.

– Que tal um Kasperl? – gritou Hans. Kasperl, o famoso bufão, um personagem com um nariz longo e pontudo, um chapéu cônico, um sorriso enorme e bochechas vermelhas como maçãs.

– Peter disse que ia tentar fazer o Kasperl – respondeu Max. – Como está indo, Peter?

– Desculpem. Ainda nem comecei. – Peter parecia derrotado. – Fiquei muito triste ao pensar nos fantoches. Costumava brincar com minha filhinha. Ela se chama Lisa. – Uma longa pausa se estendeu entre os dois homens antes que Peter respirasse fundo.

– Tudo bem, vou tentar montá-lo.

E assim, pouco a pouco, o teatro alemão de fantoches ganhou forma com o Kasperl, o diabo e sua avó, um policial e Herr Tod. O príncipe se destacava bastante entre eles com suas roupas opulentas coloridas em comparação ao restante da trupe com seus trajes listrados. Mas nenhum dos fantoches parecia se importar com aquilo.

Max sempre pensava em Varsóvia e nas apresentações que Mika fizera para os soldados. Como as coisas haviam mudado – aqui estavam eles agora, homens, adultos, que um dia já haviam sido soldados orgulhosos e trazido tanta morte e destruição à Polônia e ao mundo. Agora, eram apenas sacos de ossos brincando com um monte de fantoches.

Os prisioneiros trabalhavam dia após dia, ano após ano, naquela floresta escura – nos verões curtos, outonos cinzentos e chuvosos e invernos implacáveis, com apenas três dias de descanso por mês, e às vezes ainda menos. Nunca viram nada ser construído com todas as árvores que derrubavam e nunca receberam nenhuma resposta para as mensagens que entalharam toscamente nas toras.

Os fantoches os alegraram por algum tempo, mas Max e seus companheiros de prisão estavam ficando mais fracos a cada dia que passava. E mais desesperados também, pois o campo de prisioneiros os reduzira a pele e ossos, os olhos encovados e a carne sumindo. A fome excruciante e o frio persistente afloraram o pior, e às vezes o melhor que havia nos homens: alguns prisioneiros dividiam seu último pedaço de pão, enquanto outros roubavam o que seu vizinho escondera, na calada da noite. Alguns que poderiam ter-se considerado homens decentes haviam se transformado em predadores implacáveis, enlouquecidos pelas dores que sentiam no estômago, enquanto outros haviam descoberto uma gentileza que não sabiam ser capazes de expressar. Conforme a fome apertava, Max ficava tão imprevisível quanto o tempo durante a primavera siberiana.

Numa manhã de dezembro ele acordou cedo, com uma dor horrível no estômago. A fome nua e implacável, roendo suas entranhas. Ainda estava escuro quando ele girou suas pernas enrijecidas por cima da beirada da cama e se levantou, andando lentamente pela fileira de beliches. Lembrava-se de ter visto Sepp, um dos homens que dormiam perto da entrada do barracão, esconder um pedaço de pão do tamanho de metade de uma mão aberta embaixo de seu travesseiro improvisado, na noite anterior. Max prestou atenção na respiração compassada do homem enquanto procurava cuidadosamente, perto da cabeça. Com um movimento rápido, puxou o pão e o envolveu num pano velho. Sepp se moveu, mas não acordou. Max voltou para sua cama, rasgou o pão em pequenos pedaços e engoliu tudo de uma vez.

Uma lembrança surgiu diante de seus olhos. Quantas vezes ele marchou diante de crianças que estavam morrendo de fome nas ruas do gueto, com seus braços finos como gravetos estendidos para ele? Uma onda de náusea tomou conta de seu corpo, e Max correu para fora, vomitando todo o pão roubado. Uma hora depois o som monótono de um martelo batendo contra metal soou – o despertador da prisão.

– *Schweinehund!* Porco imundo! – A voz de Sepp ressoou pelo alojamento alguns minutos depois. – Quem foi o desgraçado que roubou meu pão?

Ninguém respondeu, mas Max sentiu uma profunda vergonha. Daquele ponto em diante ele passou a dividir suas rações magras sempre que podia.

O Campo 267 também era devastador para a mente: somente alguns poucos livros contrabandeados passavam de mão em mão e, nos primeiros dois anos, ninguém recebeu permissão para enviar cartas.

No terceiro ano, numa noite fria de fevereiro em 1948, os prisioneiros receberam ordens de ir até o refeitório e sentar diante das longas mesas. Os guardas colocaram pequenos cartões-postais, impressos com uma cruz vermelha, diante deles, junto com um toco de lápis para cada prisioneiro.

– Escrevam. Vocês podem mandar um cartão por mês. Não se estendam. Apenas palavras boas. Nada de reclamações – gritou um dos guardas. Talvez os alemães pudessem ter escrito cartas ou histórias inteiras em suas mentes, mas fazia três anos que os homens não escreviam nada.

– Palavras boas? Mas o que significa isso? Será que não vão enviar os cartões se dissermos a verdade? – pensou Max. Sua mão tremia. O que ele deveria dizer? Como resumir a saudade de três anos em algumas linhas tortas? No final, escreveu uma mensagem simples: *Meine liebste Erna, mein Karlchen – estou detido na Rússia como prisioneiro de guerra. Estou a salvo e com saúde. Por favor, não se preocupem comigo. Espero que vocês estejam bem. Sinto muita saudade e espero poder abraçá-los novamente em breve. Beijos aos dois. De seu Max.*

Nas semanas seguintes, muitos dos homens ficaram em silêncio, perdidos em meio às lembranças dos seus entes queridos. Haviam perdido a guerra, mas ninguém sabia o que aconteceu com a volta de suas famílias para casa. Max ouviu rumores sobre a destruição de Nuremberg. Será que Erna e o menino haviam sobrevivido?

Demorou três meses. Uma noite, em maio de 1948, os prisioneiros foram reunidos no pátio. Depois da lista de chamada da noite, alguns nomes foram chamados outra vez. – Peter Schreiber. Heinz Bauer. Max Meierhauser.

Max deu um passo à frente e recebeu um cartão-postal.

De volta ao alojamento, ele abraçou Anton.

– Eles estão vivos, Erna e Karl, meu garotinho. A casa foi destruída, estraçalhada num bombardeio, mas eles estão a salvo. Mudaram-se para um vilarejo nos arredores de Nuremberg.

– Fico feliz por você, Max – disse Anton, com a voz baixa. Não recebera nenhum cartão-postal.

– Lamento, Anton. Foi muito egoísta de minha parte. Você logo vai receber uma resposta.

– Talvez. – A voz de Anton não revelava nenhuma emoção.

Alguns prisioneiros recebiam apenas uma mensagem de três linhas escrita por algum funcionário do governo. Uma quantidade enorme de vida espremida em poucas linhas de um cartão-postal. Finalmente, no verão de 1948, eles tiveram permissão para receber um cartão-postal por mês e um pacote postal por ano. Max levava seus cartões-postais debaixo da camisa o tempo todo, perto do coração.

CAPÍTULO 22

Certa manhã, no verão de 1949, Max tirou o príncipe de debaixo da palha. Havia um brilho perigoso em seu olhar, quase como se ele estivesse delirando de febre.

– Não posso mais continuar assim. Estou começando a esquecer. Não consigo me lembrar do rosto de minha esposa nem de meu filho. Fico tentando imaginá-los, lembrar de suas feições, de seu jeito de caminhar, suas vozes, seus sorrisos, mas tudo é apenas um enorme borrão. Meu Deus, eu os perdi. O que devo fazer? – Ele olhou para o príncipe como se pudesse conseguir uma resposta se esperasse o bastante, mas o príncipe permaneceu em silêncio.

Daquele ponto em diante, Max debatia com o príncipe todas as noites.

– Olhe, eu acho que não vou conseguir sobreviver a mais um inverno aqui. Muitos de nós já morreram.

– Tornei-me um esqueleto ambulante. Não quero morrer e ser enfiado num depósito por vários meses para depois ser jogado numa cova rasa neste lugar maldito. O que poderia ser pior do que ficar neste inferno?

– Você pode acabar levando um tiro se eles descobrirem o que está fazendo – sussurrou Anton.

Será que ele nunca dorme?, pensou Max, Irritado.

– Lembra-se de quando Otto, o soldado de Hamburgo, tentou escapar no inverno passado? Eles o apanharam depois de três horas apenas – prosseguiu Anton. – E Peter Karpf, também de Hamburgo. Os dois foram fuzilados no meio do pátio, bem diante de nós. E também aquele grupo que estava com Rainer e os rapazes de Munique, os que arriscaram a sorte no primeiro ano. Passaram cinco dias foragidos, mas os guardas também os pegaram com seus cães. E foram fuzilados no dia seguinte, lembra-se? É impossível, Max.

– Sim, mas houve também a fuga de Thomas e Stefan – sussurrou Max. Os dois desapareceram num dia brilhante e azul no outono do ano anterior, e nunca chegaram a ser capturados.

– Quem sabe? Mesmo assim, o fato de que os cães não os terem pegado não significa que eles não tenham morrido congelados. Podem ter enlouquecido, morrido de fome, perdido o rumo ou tombado mortos pela exaustão. E lembre-se dos lobos, também; você os viu. A Sibéria é uma enorme prisão.

Era doloroso para Max perceber que o rapaz que já fora um dedicado estudante de medicina aparentava estar completamente derrotado. Sim, havia rios para atravessar, um exército de soldados e funcionários governamentais soviéticos para se esquivar e um continente inteiro para atravessar. Mesmo assim, não seria tudo isso melhor do que morrer naquele campo de prisioneiros?

Max tomou sua decisão. Mas seria mais fácil agir em grupo. Por sorte, depois de três outras noites de conversas sussurradas, Anton mudou de ideia. Pouco tempo depois, Hans se juntou ao grupo. Assim como Max, ele trabalhava como carpinteiro antes da guerra, e, embora viesse do norte da Alemanha, sempre estava disposto a fazer piada com sua situação, mesmo em meio às circunstâncias mais desesperadoras.

O Campo 267 era tão remoto quanto a lua, e, assim, não era muito bem guardado; os russos sabiam que poucos prisioneiros se atreveriam a tentar escapar durante aqueles invernos horríveis. Mas havia outras estações também. Os verões na Sibéria ardiam com o calor durante algumas poucas semanas, e os prisioneiros aproveitavam para absorver todo aquele calor. Cada dia ensolarado era uma dádiva preciosa para seus ossos congelados. O verão também trazia um pouco de cor, um conforto para os olhos e corações após o infindável preto e branco do inverno: o marrom em todos os seus tons, verde-musgo e até algum vermelho-amora. Céus azuis e limpos se estendiam para o alto e até o horizonte, e os ventos cortantes do inverno arrefeciam até se transformar em brisas suaves. O verão seria um alívio ainda maior se não fosse pela praga da Sibéria: nuvens de mosquitos sugadores de sangue que chegavam em enxames que zuniam, atacando a todos com ferroadas que transformavam sua carne numa polpa vermelha e inchada.

– Malditos insetos, vocês querem sugar até a última gota de sangue que me resta? – xingava Max, agitando os braços com força. – Esses pequenos demônios são piores do que o frio.

Os mosquitos faziam com que o trabalho entre as árvores ficasse insuportável. Os prisioneiros precisavam de toda a força de vontade que ainda lhes sobrava para não se coçar até rasgar a pele, e os guardas ficavam com um humor ainda pior.

– Vamos partir bem no fim do verão – sugeriu Max. Anton e Hans concordaram, e os homens começaram a fazer seus preparativos. Poupavam um pouco do pão que recebiam, algumas beterrabas murchas, amoras secas e um pequeno pote de banha. Anton conseguiu também encontrar duas pederneiras. Sem fogo eles não teriam nenhuma chance.

Embora fossem bastante cuidadosos, alguns dos outros prisioneiros acabaram ficando sabendo dos planos deles.

– Quer dizer que este lugar não é bom o bastante para você, hein? – zombou Sepp. Ele sempre suspeitou de que Max roubara seu pão.

– Deixe-me em paz – esbravejou Max em resposta. Mas outros prisioneiros apoiavam aquele pequeno grupo, compartilhando um pouco de suas preciosas rações. E, apenas uma semana antes da data da fuga, os russos aumentaram o número de guardas no portão.

– Não vamos conseguir – sussurrou Hans. – Há muitos deles aqui.

Anton também parecia estar desanimado. – Vão nos pegar antes de conseguirmos sair.

– Vou fugir assim mesmo – resmungou Max, em voz baixa. – De um jeito ou de outro nós vamos morrer. Se eu tiver que morrer, quero ao menos estar um passo mais perto de ser um homem livre. Posso esperar um pouco mais, mas não muito. Vocês estão comigo ou não?

O outono chegara quando eles finalmente resolveram arriscar a sorte. Inspirados por Max, Anton e Hans se uniram a eles. Os três concordaram que o outono seria a melhor estação para empreender seu plano, pois, no verão, com as imensas quantidades de neve que derretiam, o chão se transformava numa esponja, e eles poderiam acabar se afogando nos brejos da tundra. O outono secava a terra. O outono ainda os pouparia das neves por várias semanas e lhes daria muitas amoras e cogumelos durante a fuga.

Na noite que antecedeu a data planejada, Max enrolou o príncipe num pedaço de pano e guardou o fantoche debaixo de suas roupas finas, junto com o crocodilo, a menina e o Kasperl.

– Por favor, deixe ao menos alguns de seus fantoches comigo, Max, ou vou morrer de tédio neste lugar – implorou Martin Schneider. Desde que Martin sofrera um acidente no ano anterior, quando o machado que usava escorregou de suas mãos e lhe fez um corte profundo na perna esquerda, ele andava com bastante dificuldade, mancando. E, embora desejasse poder se juntar ao pequeno grupo de fugitivos, sabia que só iria atrasá-los.

– Cuide bem deles, Martin, e talvez eles cuidem bem de você – disse Max, entregando o resto da trupe: Herr Tod, o diabo, a avó e o policial.

– Boa sorte para vocês.

– Para você também. – Os homens se abraçaram.

Max, Anton e Hans haviam estudado os movimentos dos guardas cuidadosamente e descoberto um pequeno intervalo, alguns minutos preciosos nos quais eles poderiam passar por debaixo da cerca sem serem percebidos. No decorrer das semanas anteriores eles haviam conseguido cavar um pequeno buraco, raso o suficiente para que pudessem se esgueirar por ele.

Vestiam também todas as suas roupas de inverno: duas camisas, um casaco forrado e puído, um boné, luvas e as botas. Conseguiram reunir também um cobertor para cada um, alguns pedaços de pão endurecido, um punhado de amoras secas da floresta, as pederneiras, suas tigelas amassadas de metal e as colheres.

Max levava também o objeto mais precioso do grupo: um mapa da Rússia que Heinrich, que fora professor de geografia em Munique antes da guerra, desenhara para eles no decorrer de várias noites num pedaço de papel amassado. Heinrich tentara recordar cada rio, cordilheira e floresta com a maior clareza possível. Os três homens se curvaram sobre o mapa como se olhassem para uma bola de cristal.

– É uma missão louca – dissera Heinrich. – Vocês têm apenas este mapa básico, o inverno está chegando, e precisam atravessar um país que é tão grande quanto o oceano.

– Qualquer coisa é melhor do que isto aqui – sussurrou Max. – Sei que existe uma coisa que é mais importante que todas: nossa direção é sempre para o oeste. Vamos seguir o sol durante o dia e as estrelas durante a noite. Vamos comer o que encontrarmos e não vamos voltar.

Ao ver a determinação de Max, alguns dos outros homens no alojamento resolveram contribuir e acrescentaram pequenos presentes aos suprimentos do grupo: mais alguns legumes mirrados, um pequeno pedaço de linguiça seca e até um torrão de açúcar.

Agora o sol desaparecera por trás da floresta, e a noite se aproximava rapidamente. Os três homens estavam à espera de seu momento.

– Vamos rápido, agora – sussurrou Max. Eles se arrastaram por debaixo da cerca e depois correram diretamente para a floresta, onde a densa cobertura de árvores lhes daria a maior proteção. Podiam ouvir os latidos selvagens dos cães e os gritos dos guardas, mas eles não pareciam estar se aproximando.

Os três correram e marcharam durante toda aquela primeira noite, permanecendo juntos, cuidando de não se afastar demais uns dos outros. E foi somente quando o dia começou a amanhecer que os três se deitaram juntos, quase amontoados, num buraco que cobriram com uma grossa camada de folhas e galhos.

Eles tiveram sorte. Muita sorte. Após algum tempo já não conseguiam mais ouvir os guardas que os perseguiam, nem os cães sanguinários que certamente haviam sido colocados para seguir seus rastros. Dia após dia os homens andavam, passo após passo, com a floresta se estendendo à sua frente e sem que seu final surgisse. E, embora todos soubessem que a Sibéria era enorme, eles não haviam se dado conta de toda a sua extensão, sua vastidão sem limites. A Sibéria era tão grande e vazia quanto a lua.

Os três homens marchavam um atrás do outro, sem nunca se deparar com nenhum sinal de vida humana, alimentando-se do que haviam trazido consigo do campo de prisioneiros e das amoras e cogumelos que encontravam pelo caminho. Embora estivesse longe de casa, Max tinha um olho afiado para encontrar cogumelos comestíveis.

– Eles são iguais em todo o mundo. Olhem para esta beleza – disse ele, sorrindo, apontando para um enorme cogumelo marrom que crescia no chão úmido da floresta.

Max colocou a mão por debaixo da camisa e pegou o príncipe. Fez com que o fantoche se sentasse em cima do cogumelo e riu.

– Dance em cima do maior cogumelo da Sibéria, meu amigo.

– Tem certeza de que podemos comer isso aí? – perguntou Anton, desconfiado. – Não quero morrer por causa de um maldito cogumelo depois de tudo isto!

No final, a fome se mostrou maior que a cautela, e eles comeram o cogumelo inteiro cru. Ninguém morreu naquele dia, mas as entranhas dos homens reclamaram e, vez por outra, um deles desaparecia atrás de uma árvore, apertando a barriga. Foi somente depois de quatro dias, quando estavam suficientemente longe do campo de prisioneiros, que eles se atreveram a acender uma fogueira para cozinhar alguns dos cogumelos.

Alguns dias depois, o tempo mudou repentinamente, e a primeira neve do inverno caiu.

– Isso não devia acontecer. Não agora. Ainda estamos em setembro – resmungou Anton.

– Veja isso de outra maneira: teremos água disponível em qualquer lugar a que formos. Podemos derreter a neve e *voilà!* – respondeu Hans. Max sorriu; essa era a razão pela qual ele aceitou de bom grado a presença de Hans em seu grupo. Hans era um homem prático, sempre tentando ver o lado positivo das coisas. Mas, conforme a neve continuava a cair, o dia ficava cada vez mais frio. Os homens mal conversavam, mas continuavam a andar.

– Eu não me importaria nem um pouco se nunca mais visse outra árvore na vida – disse Max.

– Você tem ótimos motivos para dizer isso. Mesmo assim, a floresta nos deu os cogumelos e as amoras. – retrucou Hans.

– E a diarreia – acrescentou Anton.

Depois de 10 dias, a floresta começou a ficar mais inclemente. Hans, que marchava no meio dos três homens, subitamente desabou no chão, deitando-se com os braços e pernas abertas na neve como se fosse um pássaro ferido. Ele abriu os olhos azuis, olhou para Max e sorriu.

– Ei, Max. Acho que, se eu voltasse para casa, acabaria sentindo saudade de toda esta neve. É melhor eu ficar por aqui. Vá em frente com Anton. Boa sorte. – Com isso, ele encolheu o corpo ao redor de si mesmo e não voltou a se mexer.

Aquela perda abalou profundamente Max e Anton, mas eles não podiam se dar ao luxo de parar por ali. Cobriram o corpo do companheiro com galhos e continuaram avançando. Três dias depois, Anton, que agora aparentava não estar apenas em silêncio mas ter emudecido completamente, anunciou subitamente que não estava se sentindo bem e que precisava se deitar.

– Ainda não, Anton. Por favor, nós podemos descansar depois. Precisamos continuar andando mais um pouco, *na, komm schon, vamos lá.*

– Só um minuto, Max, por favor.

E então, assim como aconteceu com Hans, Anton deixou o corpo cair sobre a neve.

Max tentou erguê-lo, mas Anton simplesmente sorriu para ele e fechou os olhos. E, exatamente da mesma maneira, Max perdeu seus dois companheiros.

Logo foi a vez de Anton ser coberto com galhos, mas não antes que Max revirasse seus bolsos para ver se ele estava carregando algo de útil.

– Olhe só isso. Era o rapaz mais quieto do alojamento, e mesmo assim conseguiu surrupiar uma faca. Desculpe-me, Anton. Estou muito triste por ter que deixá-lo aqui, mas este é um presente muito bem-vindo.

Max guardou a faca no fundo do bolso e, pouco tempo depois, voltou a andar, envolvido agora em três cobertores, com o boné enterrado na cabeça e quase lhe cobrindo o rosto. Para se distrair, ele começou a contar os passos, sempre recomeçando do zero quando perdia a conta – *einhundertdrei, einhundertvier, einhundertfünf...* – Max nunca conseguia avançar muito na contagem.

Foi nesse momento que ele começou a conversar com o príncipe novamente numa torrente infindável de pensamentos.

– *Mein kleiner Kerl*, vou lhe dizer uma coisa: Hans e Anton escolheram o jeito mais fácil de fugir. Queria poder me deitar ou hibernar até a primavera, mas preciso continuar em frente. Por que, por quê? Diga-me você. Meus pés estão me matando, e eu estou com tanta fome que seria capaz de comer minha própria mão.

Seus sonhos sempre eram recheados de linguiças de Nuremberg, chucrute e bolos de maçã.

Ele lutou por vários dias para conseguir atravessar a floresta, até que, subitamente, um espaço amplo e vazio se abriu à sua frente. Ele parou e pegou o mapa.

– Bem, finalmente chegamos à tundra. Agora é mais fácil saber para onde fica o oeste. Veremos o sol durante o dia e as estrelas à noite.

Mesmo assim, não havia nenhum lugar onde ele pudesse se abrigar, e Max poderia facilmente ser visto a milhas de distância.

– Preciso de sapatos para a neve, meu amigo. Senão, como vou conseguir atravessar este deserto branco? – Ele tirou a faca do bolso e procurou por alguns galhos. Algum tempo depois, tinha duas formas ovais nas mãos.

– Olhe só para estas coisas lindas.

Ele as prendeu às suas botas e, equipado com dois gravetos longos, avançou para a área aberta, mas não antes de amarrar um pedaço de tecido diante do rosto, deixando duas pequenas frestas para os olhos.

– Não quero ficar ofuscado pela neve. Isso seria meu fim.

Não havia abrigo naquele deserto de gelo. Assim, a cada noite, Max cavava um buraco na neve para dormir, ou, se a neve estivesse muito endurecida, ele a cortava com a faca para criar blocos toscos, empilhando-os para improvisar um iglu. O céu noturno sem nuvens e a estrela polar ajudavam Max, mas lhe traziam pouco conforto além disso. Noites estreladas sempre eram o indício de queda na temperatura.

– Por favor, permita que eu acorde novamente amanhã – orava ele, a cada noite. – Por Erna e Karl. Pelos meus camaradas no campo de prisioneiros. – Ele voltava a se levantar assim que o sol se erguia, forçando seus braços e pernas semicongelados a continuar a marchar como se fosse um fantoche, lembrando a si mesmo que ele era seu próprio manipulador e que, sem determinação e força de vontade, ele simplesmente tombaria como Anton e Hans.

Ao final de uma tarde, uma onda de ânimo tomou conta de seu interior.

– Ei, *Kamerade*. Olhe ali. Há algo no horizonte. Pode ser uma fazenda ou uma casa, um lugar onde podemos passar a noite.

Ele marchou mais rápido do que andara nos últimos dias. Descobriu que o objeto que vira de longe era um celeiro de madeira que estava inclinado precariamente sobre uma de suas paredes e com frestas enormes entre as tábuas, mas, mesmo assim, seria um abrigo.

– Preciso descansar. Meus pés estão inchados e ensanguentados. Não consigo continuar – disse Max, em voz alta.

A esperança e o medo se misturaram em seu peito. Se havia um celeiro, provavelmente haveria um vilarejo por perto. Comida e abrigo, talvez. Mas ele não podia ter certeza daquilo. E se houvessem oferecido uma recompensa por sua cabeça? E se fosse um *kolkhoz*, uma das cooperativas de Stálin, cheia de funcionários do partido comunista?

– Vamos dar uma olhada no vilarejo amanhã – resmungou Max antes de desabar sobre uma pilha de feno, enterrando-se sobre ela, envolvido em seus cobertores esfarrapados.

Naquela noite o seu corpo finalmente cedeu, desmoronando como o pão escuro e duro que davam aos prisioneiros do Gulag. Ele se encolheu e caiu num sono profundo. O celeiro estava silencioso como uma sepultura, exceto pelo vento que uivava a seu redor como um fantasma agitado.

A febre começou uma hora depois. Max queimava como o sol dos verões curtos da Sibéria, e o suor escorria por seu corpo dolorido.

Ele gemia, agitava os braços de um lado para o outro como se estivesse lutando contra os mosquitos ou contra um gigante invisível. Depois de uma hora, seus braços ficaram entorpecidos e não se moviam mais. E, em seguida, nada.

CAPÍTULO 23

Com a primeira luz da alvorada, um milagre aconteceu. Max estava deitado, inconsciente e delirante, sob a palha e não percebeu o ranger da porta do celeiro, o som dos passos pesados e as vozes graves. Mãos fortes se enfiaram no feno e ergueram seu corpo, carregando-o para fora sob o ar gelado e colocando-o num trenó. Mais tarde ele se lembraria de uma vaga sensação, como se estivesse sendo erguido por seres celestiais, anjos com casacos de peles. Os homens envolveram Max em mantas espessas de pelos grossos antes de correr por entre o terreno coberto de neve em seus trenós puxados por renas.

Após um percurso curto, os homens pararam num pequeno povoado de tendas. Levaram sua carga humana até uma das tendas e a colocaram numa cama baixa forrada com pele de animais. O interior da tenda era escuro, iluminado apenas por um fogareiro de madeira que projetava sombras bruxuleantes contra a lona. Um grupo de mulheres envolveu Max em cobertores, sussurrando entre si enquanto alisava as cobertas e umedecia com uma esponja sua testa suada. Após alguns minutos a notícia já se espalhara, e a tenda se encheu com homens, mulheres e crianças curiosas, todos querendo dar uma olhada no homem que estava quase morto. Pouco tempo depois um homem alto e corpulento, com uma longa cabeleira negra e uma barba decorada com tranças, entrou. Tinha um chapéu de feltro pontudo encimando o rosto vermelho e um manto, costurado a partir de retalhos coloridos e adornado com inúmeros guizos e placas de metal reluzentes que tilintavam com cada um de seus movimentos. O xamã chegara.

O murmúrio da multidão parou, e um silêncio cheio de expectativa tomou conta da tenda. O xamã colocou seu enorme tambor ao lado da cama e ajoelhou-se ao lado de Max, deixando que sua mão pairasse sobre o corpo do estranho, sem tocá-lo, como se sentisse o calor de uma fogueira. Ele colocou a mão no bolso de Max e tirou um pequeno embrulho. Ele o desfez rapidamente e um enorme sorriso se abriu em seu rosto quando o fantoche rolou sobre seu colo – o príncipe. Ele pegou o fantoche com as duas mãos, jogou-o para cima e agarrou-o novamente, apertando-o contra o peito. Em seguida, removeu as camadas de cobertores e colocou as mãos por dentro das roupas de Max. Com um movimento exagerado e floreado, removeu o crocodilo, o Kasperl e a menina antes de colocar todos os fantoches gentilmente sobre o peito de Max. O grupo de pessoas se agitou, tentando vislumbrar aquelas pequenas criaturas.

Em seguida, o xamã tirou um embrulho de ervas de sua bolsa de couro e colocou-as no fogo. Uma fumaça forte e aromática encheu a tenda. Ele pegou seu tambor, pintado com imagens de animais e pessoas pequenas, com longas tiras de tecido e couro presas a ele e um rosto parecido com uma máscara que ficava ao lado da alça do instrumento. Ele começou a batê-lo logo acima do peito de Max: *bum*, *bum*, *bum*, rápido como um coração em fuga...

Max estava deitado, imóvel como um tronco de árvore, respirava com dificuldade. O xamã começou a entoar um cântico rítmico e baixo. Não era exatamente uma melodia, mas uma repetição hipnótica de palavras e notas simples. Alguns homens e mulheres se aproximaram do xamã e de seu paciente, acrescentando mais vozes ao cântico. Com um grito alto, o xamã subitamente se ergueu com um salto e começou a executar uma dança agitada, batendo furiosamente em seu tambor, batendo os pés contra o chão, com os olhos fechados e a cabeça curvada para trás.

Até que, de maneira tão repentina quanto começara, tudo parou. O silêncio encheu a tenda e o ar estava denso pela expectativa. A expressão do xamã se transformou numa careta e, dedo por dedo, sua mão se fechou num punho enorme. Ele se ajoelhou e, com um baque bastante ruidoso, bateu com o punho no peito de Max, logo acima do coração, várias e várias vezes. Quando parou de golpear, aspirou com um ruído alto algo que estava no peito de Max, cuspindo a substância invisível dentro de uma pequena caixa de madeira e fechando-lhe a tampa em seguida com uma pancada. Um suspiro correu pela plateia. O xamã dispôs o príncipe, o crocodilo e a menina em lugares diferentes do corpo de Max – o príncipe sobre o coração, o crocodilo sobre o abdômen e a menina deitada sobre o pescoço.

Subitamente a mão de Max se agitou, movendo-se até tocar o príncipe, que estava sobre seu coração. Um murmúrio de alívio percorreu a tenda, e o grupo se moveu ao redor, aproximando-se ainda mais dele. O xamã tocou a testa de Max delicadamente e sorriu. Logo depois, sussurrou algumas instruções para uma das mulheres mais velhas e saiu da tenda.

Max passou várias semanas na tenda aconchegante dos aldeões e lentamente se recuperou. Os aldeões eram nômades que haviam sido forçados a colonizar aquele lugar como parte do plano de Stálin, obrigados a prestar contas a um colcoz, uma fazenda coletiva que ficava a vários quilômetros dali. De tempos em tempos, os homens matavam uma de suas renas, o que alimentava a aldeia por vários dias. Homens, mulheres e até crianças vinham alimentar Max com porções nutritivas de carne de rena e poções quentes e agradáveis. No campo de prisioneiros, Max era capaz de contar suas costelas sem dificuldade, mas, após algumas semanas naquela tenda, ele ganhara peso e lentamente fora recuperando as forças. Numa manhã, ele pegou o príncipe. Um sorriso enorme se estampou em seu rosto.

– Ei, amiguinho. Fico feliz que ainda esteja comigo. Não acha que tivemos sorte? Não me lembro de muita coisa depois que tombei naquele celeiro. Você acha que eles sabem que eu era um prisioneiro? Ou que sou alemão? Será que se importam? Ou será que a guerra não chegou a tocar estas pessoas?

Conforme o tempo passava, um número cada vez maior de crianças do povoado se reunia ao redor da cama de Max como se ele fosse uma criatura de outro mundo. Elas se sentavam a seu lado, rindo e apontando para suas feições, seus olhos azuis brilhantes, e cuidadosamente acariciando seus cabelos loiros, suas roupas esfarrapadas. Nessas ocasiões, Max pegava todos os fantoches – o príncipe, a menina, o crocodilo e o Kasperl – e os alinhava um ao lado do outro; em seguida, brincava com seus pequenos visitantes. Os olhos das crianças seguiam os fantoches sem perder nenhum detalhe, e elas explodiam em risos com as peripécias dos bonecos.

– Eu me sinto muito melhor – confessou Max aos fantoches certa noite, depois que as crianças haviam ido embora.

– Toda essa comida está me trazendo de volta à vida. E, é claro, aquele médico estranho, com sua barba trançada e aquele casaco esquisito... Fico imaginando o que ele pensou quando viu vocês. – Max se espreguiçou e bocejou, e depois voltou a se deitar na cama confortável de peles grossas que o povo das renas fizera para ele. Mas, conforme as semanas passavam, Max se inquietava cada vez mais.

– Meu príncipe, essas pessoas foram muito boas conosco, mas não podemos ficar aqui para sempre. Não arrisquei tudo para passar o meu tempo numa tenda aconchegante e engordar feito um urso. Tenho que ver Erna e Karl de novo. Já perdi tempo demais.

Naquela noite, um dos anciãos se sentou ao lado de Max enquanto o alemão estudava seu mapa. O homem deu uma rápida olhada no pedaço de papel amarrotado e começou a rir, apontando para um dos rios que Heinrich desenhara. Ele tirou um pequeno graveto do fogo e, com a ponta enegrecida, desenhou algumas linhas. Em poucos minutos o mapa mostrava um terreno muito diferente: o rio pequeno e serpenteante crescera como se houvesse engolido um monstro gigantesco, e a cordilheira, agora, estava bem mais ao sul. O ancião apontou para Max, para si mesmo e para a tenda, e depois enfiou o lápis bem no meio do mapa.

– Ainda estamos aqui? Como pode ser? – gritou Max, percebendo que ainda nem se aproximara da tundra, mas o homem lhe deu um tapinha amistoso nas costas.

– *Sibir. Bolshoi.* Sibéria. Grande. – O ancião descreveu um círculo enorme com os braços abertos.

– A Sibéria é grande?

– *Da.* – O homem assentiu, e depois sua expressão ficou mais sombria ao fazer um gesto diante do pescoço, como se estivesse cortando a própria garganta.

– *Sibir plohaya*. – Seja lá o que significasse esta frase, Max sabia que não era nada de bom. Em seguida a careta desapareceu e o homem sorriu outra vez, tocando Max na altura do coração.

– *Sibir karsivaya.*

– *Schön*. Bonita? – perguntou Max. O velho fez que sim com a cabeça, e os dois apertaram as mãos.

Como um presente de despedida, Max apresentou um espetáculo com os fantoches. No final, ele agradeceu a todos os presentes, curvando-se para eles, com o crocodilo, o Kasperl e a menina nas mãos. Em seguida, com um sorriso, entregou-os às crianças que estavam mais perto dele. O sorriso dos pequeninos aqueceu seu coração, mesmo que Max se sentisse triste por deixar para trás os fantoches que criara em meio a todas as dificuldades do campo de prisioneiros. Na manhã seguinte, os anciãos lhe deram um par de botas feitas com pele de rena e um casaco. Já era quase fevereiro, e a neve estava alta. Max caminhou pela imensidão branca, partindo sem olhar para trás.

CAPÍTULO 24

A longa jornada para casa das profundezas da Sibéria até Nuremberg foi traiçoeira, e Max precisou de quase três anos e muita sorte para empreendê-la.

Com o inverno cortante aliviado por sua estada com o povo das renas, Max conseguiu chegar até Yakutsk no primeiro ano. Mas, no segundo inverno, ninguém o recebeu, e, com exceção de alguns dias que passara descansando em celeiros e casas abandonadas, ele continuou andando por entre as florestas de taiga, exposto ao frio implacável. Todo o seu corpo doía devido à caminhada infindável, e sua respiração se congelava em pequenos cristais que se prendiam em seu nariz e em sua barba. À noite, ele se abrigava sob árvores ou se encolhia em buracos rasos, cobrindo-se com galhos. Quando não havia nenhum vilarejo à vista, ele acendia uma pequena fogueira para aquecer ao menos uma parte do corpo e derreter neve para saciar a sede.

Uma noite, já bem tarde, Max mastigava um pedaço de carne de rena seca, com suas pernas enrijecidas estendidas diante de si. Quando ergueu as mãos na direção do fogo crepitante, ele sentiu uma presença: uma mudança discreta no ar, um aroma forte de algo selvagem e perigoso. Levantou os olhos, tentando enxergar no meio da floresta escura, agarrando o cajado que usava para caminhar. Os uivos começaram no momento em que ele se pôs de pé: estridentes, longos e muito próximos, respondidos por três ou quatro outros uivos que vinham das profundezas da floresta. Max prendeu a respiração. Quando um galho estalou ele viu os olhos de um lobo: fendas âmbar que brilhavam com a luz do fogo. Seu coração disparou. O lobo se aproximou, rosnando. Max viu a pelagem grossa e cinzenta e os dentes afiados. Ele agarrou o cajado com força e o bateu contra o fogo, jogando fragmentos de gravetos flamejantes e brasas contra o animal. O lobo saltou alguns metros para trás, ganindo.

Em poucos segundos, Max decidiu correr. Seu truque com o fogo lhe permitira ganhar tempo, mas ele não teria chance contra uma alcateia inteira de lobos famintos. Ele pegou a mochila que o povo das renas lhe dera e saiu correndo pela floresta, procurando freneticamente por uma árvore na qual pudesse subir. Sob o pálido luar que brilhava por entre as árvores, ele conseguiu enxergar a casca branca de uma bétula, e instintivamente seus braços tentaram alcançar um galho, depois outro, com os pés empurrando a árvore conforme ele subia o mais alto que podia. Os lobos rapidamente farejaram seu rastro e logo havia um grupo de cinco deles ao redor da árvore, uivando e rosnando, saltando o mais alto que conseguiam alcançar e mordendo o ar. Max conseguiu ficar fora do alcance deles por pouco e agarrou-se à árvore, temendo pela própria vida e sabendo que, se fizesse um único movimento errado, todos aqueles lobos fariam um banquete com seu corpo.

O impasse durou a noite inteira. Quando o dia raiou, os lobos desistiram, afastando-se um depois do outro e voltando para a floresta. Max esperou uma hora inteira antes de descer, combalido pela exaustão.

Uma semana mais tarde ele chegou aos limites da taiga. Estava farto daquela floresta sem fim, e tinha certeza de que desta vez havia realmente chegado à vastidão da tundra. Max cortou duas frestas para os olhos numa folha de casca de bétula e prendeu-a diante do rosto como se fosse uma máscara.

– Pode não ser bonito, mas não posso me arriscar a ficar ofuscado pela neve – disse ele, em voz alta.

No primeiro dia, ele apreciou o fato de estar finalmente andando em espaço aberto, mas logo o quadril esquerdo se pôs a latejar e, apesar do apoio do cajado de madeira, ele começou a mancar. Depois de alguns dias a sola de sua bota esquerda já estava bastante gasta, e Max sentiu os dedos do pé começarem a coçar e arder. Sempre que parava para descansar, ele desenrolava os trapos que estavam ao redor do pé e os esfregava com força. Manchas brancas, vermelhas e amarelas haviam começado a se espalhar por ele, e os dedos do meio já estavam entorpecidos havia um bom tempo. Dois dias depois, bolhas se formaram sobre a pele pálida, e ele não conseguia mais sentir seus dedos. Ele sabia que as bolhas iriam ficar roxas, e depois pretas. Ele já vira queimaduras provocadas pelo gelo no campo de prisioneiros – alguns de seus companheiros haviam perdido dedos das mãos e dos pés dessa maneira. Naquela noite, enquanto se encolhia num abrigo improvisado, mastigando um pedaço de pão seco, as lágrimas lhe arderam nos olhos. Não seria tão doloroso perder aqueles dedos entorpecidos, mas se sentia esgotado pela crueldade implacável da Sibéria como jamais se sentira antes.

No fim da primavera, seus dois dedos enegrecidos se soltaram do pé como folhas secas. Naquele momento o frio já não era mais tão forte e a neve já estava derretida.

Em fevereiro do terceiro ano, Max seguia pelas margens do Volga e, conforme março se aproximava, ele desfrutava do despertar dramático do rio – um gemido profundo antes que o gelo se despedaçasse, como fragmentos da crosta terrestre; enormes pedaços de gelo que deslizavam uns sobre os outros, afastando-se da margem. O inverno abria caminho para uma primavera volátil. Uma vaga lembrança de uma canção sobre o Volga fazia cócegas em seu cérebro como se fosse uma pluma, enchendo-o de esperança e saudade de casa. Depois que o gelo começou a derreter, o rio ganhava volume, inchando até se transformar numa torrente furiosa.

Max se mantinha longe da margem instável, mas, certa noite, sob uma lua cheia de março, o rio conseguiu quebrá-la. Max gritou e se debateu na água gelada, tentando desesperadamente se manter na superfície enquanto o rio o arrastava junto com galhos, folhas e outros detritos. Ele tinha sido um bom nadador no passado, mas, conforme o rio escuro o engolia e suas roupas encharcadas o arrastavam para o fundo, pensamentos e imagens surgiam em alta velocidade em sua mente, tão rápido quanto o rio: o sorriso de Erna no dia em que se casaram; o bebê Karl, com seus grandes e belos olhos azuis; o gueto em chamas; o campo de prisioneiros; a tenda do povo das renas...

Alguma coisa bateu em sua perna e uma dor forte o fez recobrar os sentidos. Sob a luz do crepúsculo, ele conseguiu ver um tronco esguio de árvore flutuando a alguns metros de distância, e, com algumas braçadas desesperadas, Max o alcançou e agarrou-se a ele. Juntos, eles flutuaram por vários quilômetros pelo rio caudaloso. Quando amanheceu, Max percebeu que se aproximara da margem, e, com um último empurrão, conseguiu alcançar a terra. Afastou-se rapidamente da água, praguejando e agitando-se como um cachorro. Quando tirou as roupas e pegou o príncipe do bolso do casaco, Max perdeu o fôlego: a cabeça de papel machê do fantoche estava amassada e um pouco de sua cor escorrera. Levou alguns dias para que suas roupas secassem adequadamente e para que Max conseguisse moldar cuidadosamente a cabeça do fantoche de volta ao seu formato original.

—

Max marchou pelo terreno dia após dia, mês após mês, atravessando a tundra e a taiga, a planície siberiana e incontáveis rios e lagos, forçando as pernas machucadas e os pés queimados pelo gelo a continuar, sentindo o corpo inteiro arder com a dor.

Tinha que manter a vigilância o tempo inteiro – atento a sinais de perigo, alerta para conseguir qualquer pedaço de comida que fosse. Às vezes, exausto após caminhar por tanto tempo, ele se arriscava e pegava uma carona com alguém. Certa vez ele subiu num caminhão após ouvir o motorista dizer que estava a caminho de Bratsk. Escondeu-se na traseira do veículo, cobrindo-se com uma lona atrás de uma pilha de caixotes de madeira, e saltou da caçamba sem que ninguém percebesse quando o caminhão entrou na cidade, oito horas depois, mas não antes de pegar duas latas de salmão dos engradados.

Outra vez ele encontrou uma bicicleta quando caminhava por uma estrada no meio da floresta, encostada numa bétula. Max hesitou por alguns momentos mas não conseguiu resistir, e, durante vários dias, conseguiu prosseguir em sua jornada num ritmo diferente. Qualquer veículo o levaria para casa mais rápido que seus pés estropiados. Tentou até arriscar a sorte com um burro surrado que encontrou pastando no meio de uma campina. Contente por ter a companhia de um ser humano e por receber o punhado de água que

Max dividiu com ele, o burro permitiu que o alemão montasse em suas costas largas por algumas horas antes de derrubá-lo no chão e disparar para longe num galope ligeiro.

Certa vez, já tarde da noite, Max saltou sobre um trem de carga que ia de Novosibirsk a Omsk. Caiu num vagão carregado de legumes sujos de terra e se entrincheirou num esconderijo sob uma montanha de batatas no canto. Mesmo assim, o que no início parecia ser uma boa ideia logo se transformou num pesadelo conforme as batatas sujas lhe caíram por cima numa avalanche. Na manhã seguinte, antes do nascer do sol, ele abriu caminho por entre as batatas, jogou alguns punhados delas para fora do trem e depois saltou, recolhendo os legumes espalhados enquanto o trem sacolejava pelos trilhos a caminho de seu destino.

Além do corpo dolorido, embora constante, foi a gentileza de pessoas estranhas que o salvou mais de uma vez: aldeões que lhe davam pão e água, um pote de banha ou um gole de vodca feita em casa, dando-lhe informações vitais sobre o rumo que deveria seguir ou uma cama onde pudesse passar a noite. O instinto de Max ficava mais aguçado conforme sua fuga se alongava, e, apesar de alguns encontros quase fatais com fazendeiros armados e autoridades soviéticas na forma do administrador de algum colcoz ou um vigia de trem, Max continuou a ter sorte.

Durante todo o caminho para casa, ele levou o príncipe e os preciosos cartões-postais de Erna sob a camisa. Quase todos os dias conversava com o príncipe, e, à noite, ele colocava o fantoche sobre seus joelhos, ponderando sobre o caminho que tinha pela frente. Naquele momento, o príncipe já estava definitivamente bem desbotado e desgrenhado, e a roupa brilhante e colorida do fantoche era apenas uma lembrança distante.

Finalmente, na primavera de 1952, Max retornou para casa. Havia partido quase 13 anos antes. No momento em que colocou os pés em solo alemão, após atravessar a fronteira com a Tchecoslováquia, ele calculou o que precisaria fazer para chegar a Nuremberg e enviou um telegrama para Erna e Karl. Não conseguia ficar parado durante a última parte da jornada no trem, andando pelos corredores, olhando ocasionalmente para os outros passageiros em seus compartimentos ou pelas janelas, procurando por qualquer coisa familiar na paisagem. *Como Erna conseguiu manter sua esperança viva*, perguntou a si mesmo, *sem saber se eu conseguiria voltar para casa ou não? E o que dizer de todas aquelas esposas, mães, filhos... O que elas fizeram com seus corações feridos?*

Quando o trem finalmente entrou em Nuremberg, Max começou a suar profusamente. Abriu os três botões da parte de cima de sua camisa e começou a dedilhar a cabeça do fantoche no bolso de seu casaco. Como já se tornara um hábito para Max, ele compartilhou sua agitação com o príncipe.

– Ó meu Deus... Aquela é Erna? E aquele rapaz alto é meu filho Karl? – sussurrou ele quando percebeu duas figuras esticando o pescoço, procurando o marido e o pai que haviam se perdido fazia tanto tempo, quando o trem chegou à estação.

No momento em que o trem parou, Max saiu cambaleante do trem, correndo em direção àquelas duas pessoas.

– Erna! Karl! – gritou ele, agitando os braços como se fosse um moinho de vento. Erna o viu primeiro.

– Max, *mein Gott, bist du das wirklich*? – Sua voz estava tão aguda e alta quanto um sino.

– Erna! – Max se jogou nos braços da esposa. Trocaram um abraço apertado que durou um longo tempo. Um aroma sutil de lírios do vale emanava dela. Max lhe beijou carinhosamente os cabelos, que estavam bem penteados, de um castanho-escuro marcado por tons grisalhos, e depois a beijou na boca.

– *Mein Gott!* – O rosto dela estava vermelho e manchado, e ela parecia ter perdido o fôlego. Erna enxugou algumas lágrimas com o dorso da mão. – Não consigo acreditar que você está realmente aqui, Max! – Ela afagou o peito dele. Erna se afastou do abraço e estendeu a mão para o filho deles. Max olhou para o rapaz, que estendeu a mão. Max o cumprimentou e depois colocou o outro braço ao redor do corpo de Karl, num abraço desajeitado.

– Meu Karl! – Suas primeiras palavras para o filho. Karl era um menino de 11 anos quando os dois se despediram com amargura. Na época, o menino se agarrou a ele, esforçando-se muito para não chorar. Max lhe disse que não demoraria a voltar.

– Bem-vindo, pai. – O rapaz alto estava em pé, com o corpo levemente enrijecido, apoiando o peso do corpo sobre uma das pernas e depois outra, olhando para Max, e depois baixando os olhos como se houvesse perdido alguma coisa. O garoto esguio com sorriso maroto que Max abraçara havia tanto tempo naquela mesma estação, em 1939, já desaparecera. E ainda assim, naquele exato lugar, a plataforma número quatro, Max decidiu entregar seu presente.

– Eu lhe trouxe uma coisa, Karl. Bem, na verdade… Trouxe alguém. – Max estendeu a mão para Karl, segurando o fantoche.

– Oh, obrigado, pai. Eu recebi o médico há bastante tempo. – A expressão no rosto de Karl sequer chegou a mudar. Ele pegou o fantoche pela cabeça, segurando-o com dois dedos, e olhou para ele.

– Vamos, vocês vão ter bastante tempo para conversar depois. Nosso trem sai em alguns minutos. – Erna levou Max e Karl até uma plataforma diferente.

– Quer dizer que moramos em Wolkersdorf agora? – Max se lembrava do nome, pois vira escrito no precioso primeiro cartão--postal que recebera na Sibéria.

– Sim, é um bom lugar, você vai ver. Acho que vai gostar de lá – respondeu Erna.

Karl não disse nada, mas enfiou o fantoche no bolso da calça e caminhou atrás de seus pais pela plataforma.

Quando chegaram à pequena estação de Wolkersdorf, Erna deu um braço para Max e outro para Karl; em seguida, os três fizeram uma caminhada curta pelas ruas calçadas de pedras, com suas residências bucólicas. Uma grande faixa com a palavra BEM-VINDO pintada a mão recebeu Max quando eles entraram em casa.

O primeiro banho que ele tomou foi rápido, pois Max estava ansioso para se juntar a Erna e Karl à mesa da cozinha; entretanto, no dia seguinte, passou quase quatro horas seguidas no banheiro. Sentado na banheira fumegante, esfregando o corpo todo até tirar os últimos resquícios de sujeira até que a pele ficasse irritada e com um forte tom rosado, ele foi dominado por acessos violentos de choro. Como poderia se esquecer do legado enregelante da tundra? E, mesmo que seus ossos voltassem a se aquecer, o lugar gelado que existia dentro de seu coração conseguiria ainda derreter? Varsóvia, o campo de prisioneiros, a jornada brutal para voltar para casa… Max percebeu que, para amaciar e curar aquelas feridas, precisaria de muito mais que uma manhã na banheira. Ele saiu do banheiro e se enrolou nas toalhas que Erna lhe trouxera.

– Toalhas… Toalhas brancas… – murmurou ele, enfiando o rosto no tecido macio. Quando olhou para cima, ele paralisou. Conforme seu rosto apareceu lentamente no espelho coberto pelo vapor, como um retrato que surge na sala escura de um fotógrafo, ele estremeceu ao perceber o reflexo: os olhos opacos e encovados, a pele acinzentada, rugas onde não se lembrava de ter nenhuma, o cenho franzido com linhas de expressão profundas, como se estivesse sempre irritado. Seu cabelo, bastante curto e já rareando, mostrava uma faixa esbranquiçada sobre a têmpora esquerda.

Durante vários dias Max tocava todas as coisas, pegando até os objetos mais comuns como se fosse um explorador, examinando-os por todos os lados: uma escova de dentes, um pente, uma xícara de porcelana, pequenos bibelôs e enfeites que ele não reconhecia. Tentava ignorar os olhares de Erna e Karl.

– Olhe, Erna. – Ele tirou a pequena colher de prata que levara consigo por 12 anos. – Você ainda tem o açucareiro?

Erna olhou para ele, com lágrimas se formando nos olhos.

– Max, nós perdemos tudo. Acho que você não entendeu o que houve. Quando as bombas caíram nós tivemos a sorte de conseguir escapar com vida. Quem se importa com o açucareiro?

Max olhou para a colher. *Ele* se importava com o açucareiro. Trouxera a colher de volta para casa, cuidara dela durante todo aquele tempo. A colher e o açucareiro tinham que ficar juntos.

– Foi em 28 de novembro de 1944 – disse Erna, com a voz baixa. – Foi um ataque aéreo curto, mas dessa vez eles nos pegaram. Você nunca sabe se sua hora vai chegar ou não. Se não fosse assim, nós provavelmente teríamos morrido naquela noite horrível, em 2 de janeiro. Mas por que eu estou lhe contando isso agora? Você acabou de voltar para casa. Desculpe.

– Não, não precisa se desculpar. Eu quero saber – respondeu Max.

– Agora não, Max. Temos bastante tempo.

Apesar das boas-vindas, poucas coisas aconteceram da maneira que Max esperava ou imaginava. Várias vezes ele sonhou poder abraçar a esposa. Acariciou os cartões-postais com a caligrafia delicada de Erna, relia-os sempre que conseguia ficar sozinho – o mísero cartão-postal que chegava a cada poucos meses e tinha que sustentar e manter viva a conexão delicada que havia entre eles.

Mas, quando finalmente voltou a um vilarejo que não conhecia, com um filho que mal conseguia reconhecer e uma esposa que era amigável, mas ao mesmo tempo fria, a esperança se desfez por completo. E tudo que restou foram as ataduras quebradiças de suas lembranças.

Max não conseguia baixar a guarda. Havia dias em que pensava que Erna observava cada um dos seus movimentos, e sempre que saía para fazer uma caminhada pelo vilarejo ele cobria o rosto com um chapéu. Embora Karl houvesse seguido os seus passos e se tornado aprendiz de carpinteiro após a guerra, ele mal conversava com Max. O menino de 11 anos que admirava o pai desaparecido.

Max também não conseguia relaxar durante as refeições, e cortava cada pedaço de comida em partes muito pequenas, saboreando cada pedaço de pão como se fosse o último, refestelando-se com uma maçã como se fosse a única fruta que brotara naquela árvore.

Certo dia, sem nenhum motivo aparente, ele gritou com Erna.

– Ficou louca? Você está jogando o pão no lixo!

– Não seja tolo, Max, é apenas a casca. Qual é o problema? O que há com você? – A voz de Erna soou ríspida e irritada. Max cobriu o rosto e começou a chorar.

– Por favor, Max, não chore por causa de um pedaço tão pequeno de pão. – A voz de Erna ficou mais suave.

– Você não entende, Erna. Um homem não pode viver sem pão. Temos uma fartura tão grande aqui que eu nem sei o que comer. Mesmo assim, alguns de meus camaradas ainda estão apodrecendo naqueles campos de prisioneiros, sem ter nada que possam colocar na boca. Nada além de uma sopa aguada e um pedaço pequeno de pão amanhecido.

Erna não disse nada, mas ele percebeu que ela buscava em seu rosto o homem de quem se despedira na plataforma de Nuremberg havia tantos anos. Antes de a guerra ter transformado tudo.

Max sentia saudades do príncipe. Não via o fantoche desde que o entregara a Karl na estação de trem, e o lugar sobre seu coração onde ele guardava o príncipe parecia vazio.

Certa tarde, quando Erna e Karl estavam fora de casa, ele procurou o príncipe no quarto de Karl.

– Ah, aí está você. Eu o procurei por toda a parte. – Max segurou o fantoche diante do rosto e sorriu. – Tive que tirar você de debaixo de uma pilha de roupas sujas de Karl.

Ele se sentou no chão, olhando para o fantoche com olhos sonhadores.

– Você é o único que realmente me conhece agora. Tudo é tão normal por aqui... Não consigo me encaixar neste mundo. Não sei mais o que é certo, o que realmente aconteceu. Mas você, meu amigo, você sabe de tudo. Você é a minha testemunha. Olhe para mim: sou diferente de tudo que há ao meu redor. Não sou realmente parte desta família. Não conheço realmente essas pessoas... Ou meu povo. – Ele suspirou, abraçando o príncipe com carinho enquanto caminhava pela casa.

... Sim, aí está minha esposa. Ela ainda é bonita, mas emana a frieza de um vento polar. Todos agem de maneira perfeita. Erna prepara meu prato preferido, o *Nürnberger Zipfel* do qual lhe falei. Deitamos juntos na mesma cama e chegamos até a fazer amor algumas vezes. Mas há um vazio entre nós, tão profundo e amplo quanto um penhasco. Como se ela fosse outro país. E Karl? Ele é cortês, mas está sempre tenso. Anda na ponta dos pés quando estou por perto, o estranho nesta casa que não aguenta ouvir muito barulho. Karl já tem quase 24 anos. Irá embora para cuidar de sua vida a qualquer momento.

Daquele momento em diante, Max levava o fantoche a todo lugar a que ia, em seu bolso.

Esforçava-se bastante para conseguir se adaptar. Após alguns meses ele encontrou um emprego de carpinteiro numa pequena fábrica na cidade vizinha, mas ficava tenso e arredio perto das máquinas barulhentas e sempre sentia frio. O cheiro de madeira cortada lhe dava dores de cabeça e, numa determinada manhã, ele se apanhou procurando por tufos de grama, temendo que os guardas finalmente o pegassem. Max ficava de cabeça baixa e logo os seus colegas de trabalho já não tentavam mais puxar conversa com ele.

– Ele é como um morto que anda – ouviu-os sussurrar. Após algumas semanas suas mãos começaram a inchar e doer.

– Esse frio maldito continua atacando minhas articulações. A Sibéria me encontrou mesmo aqui.

Em muitas noites Max não conseguia dormir, e, sempre que acordava de um pesadelo, ele se levantava e sentava-se com o príncipe na cozinha.

– Não sei o que vou fazer. Como podemos continuar vivendo como se nada tivesse acontecido, depois de tudo o que fizemos na

Polônia, na Rússia, em Auschwitz? Levamos a morte para todos os lugares onde pisamos.

Max se arrastou até o fogão para esquentar um pouco de leite.

– Tentei conversar com Erna sobre Varsóvia, sobre as deportações, mas ela não quis escutar. Ficou sentada descascando batatas. Depois, levantou-se e começou a cozinhar, sem dizer nenhuma palavra.

Logo o silêncio se tornou seu companheiro diário: refeições feitas em silêncio, tarefas domésticas feitas em silêncio, e faziam até amor em silêncio. Até que aquilo também acabou. Max, assim como Erna, sentia saudade do homem orgulhoso que se casara com ela havia uma eternidade, mas Max Meierhauser com seu bigode grosso, sorriso amplo e mãos quentes e fortes desaparecera.

Depois, após alguns meses de trabalho e apesar do clima muito mais ameno da Alemanha, Max começou a tossir. Dia e noite seu peito tremia como se estivesse acometido por terremotos.

– O médico disse que é asma. – contou ele ao príncipe uma noite – Uma criatura maldosa que está tentando arrancar até meus últimos suspiros, devorando-me como as gralhas faziam com os mortos no campo. O médico disse que não posso mais ficar perto de madeira ou serragem. *Auf Wiedersehen*, trabalho. – Ele olhava para a frente, um olhar estático. – O que é que eu vou fazer?

O dia seguinte seria seu aniversário de 50 anos. O aroma de manteiga, amêndoas e creme, o delicioso *Frankfurter Kranz* que Erna preparara para a ocasião, ainda tomava conta da cozinha. Era seu favorito. Ele tirou a tampa da forma de cerâmica onde o bolo estava e inspirou profundamente. Subitamente, a tristeza atacou seu coração e ele precisou se sentar. Sobre a mesa estava seu costumeiro copo de leite com mel; hoje, entretanto, um copo menor, cheio até metade com água, estava ao lado do outro como se fosse um irmão mais novo, e a velha colher de prata estava logo a seu lado.

– Já basta. Sou apenas um fardo para todo mundo – disse ele ao príncipe, que estava sentado entre os potes de sal e pimenta na mesa.

– Não consigo sequer continuar a trabalhar. Fui jogado fora como um pedaço de sucata. – Ele pegou os comprimidos que passou a noite inteira tentando esquecer, rolando-os lentamente entre os dedos.

– Tudo que eu quero é uma boa noite de sono. O que você acha? – Ele não olhou para o príncipe, mas abriu a embalagem e soltou os comprimidos na água, um depois do outro. O último ergueu alguns respingos antes de se dissolver. Max acrescentou três colheradas de açúcar ao copo e mexeu o líquido.

– Minha velha amiga, a colher de prata. Estou fazendo uma tempestade num copo d'água, é isso que me dizem. Ou que estou exagerando, que estou reagindo de maneira desproporcional. Mas... e se você for um daqueles pequenos cristais de açúcar dentro do copo? – Max segurou o copo com as duas mãos, olhando para o líquido turvo e rodopiante.

– Quer dizer que vai desistir? Depois de tudo que sofreu?

Max ergueu os olhos, sobressaltado. O príncipe não se moveu, mas Max poderia jurar que ouvira o boneco falar.

– Por que você se importa com isso? Você nem deveria estar aqui. Você pertence àquele garoto, Mika.

Mas aquela interrupção o enervou. Ele poderia esperar até que seu aniversário passasse, poderia ao menos saborear o bolo. Levantou-se e despejou a água na pia. Engoliu o leite e depois pegou o príncipe.

– Tudo bem, mas isso ainda não acabou, meu príncipe. – Ele dobrou os braços sobre a mesa e baixou a cabeça. Não se sentia tão cansado desde o tempo em que estava caminhando pela tundra gelada. Erna o encontrou dormindo na manhã seguinte, e, quando Max acordou e sentiu o cheiro forte do café, encontrou um enorme pedaço do *Frankfurter Kranz* a seu lado.

CAPÍTULO 25

Uma noite, depois que Erna e Karl haviam ido dormir, Max se serviu de mais uma dose de *schnapps* e colocou o príncipe sobre a mesa da cozinha. Seu rosto estava corado e os olhos, arregalados.

– Adivinhe só. Encontrei nosso antigo vizinho de Nuremberg. Fiquei sabendo que ele também estava na Rússia. Primeiro em Stalingrado; depois o condenaram a 10 anos de trabalhos forçados na Sibéria, assim como a mim, mas eles o soltaram em 1948. Não o reconheci imediatamente, mas acho que eu também mudei bastante desde aquela época.

Eles se encontraram para tomar algumas canecas de cerveja de trigo e *Schnapps* barato no *Gasthaus* local, e ficaram conversando até tarde.

– Mas os sinais estavam ali, Bert. Nosso médico, Jacob Rosenzweig, desapareceu uma noite. Ouvi nosso vizinho sussurrar "Dachau". Todos nós já ouvíramos falar de Dachau, não é? E depois nós vimos as lojas vandalizadas, os incêndios e as fogueiras com os livros. Como pude ser tão cego? Quando cheguei a Varsóvia já era tarde demais. Eu já fazia parte da máquina. – Como um cão que não solta o osso, Max também não conseguia se desapegar do passado, e fazia sempre as mesmas perguntas. Bert não disse nada.

– Você soube? O Amis fez o povo da vila desfilar diante das montanhas de cadáveres deixados em Dachau – prosseguiu Max. – Mas será que eles chegaram a perder o sono por causa do que aconteceu bem debaixo de seus narizes? Será que se sentiram responsáveis, se contorceram de vergonha, ou simplesmente voltaram para casa e cozinharam suas *Weisswurst*?

Mesmo assim, Bert não dizia nada. Mas não agiam dessa forma quando falavam sobre a neve.

– A morte não é uma figura cadavérica coberta com um manto negro e empunhando uma foice – proclamou Max, engolindo sua quarta dose de *Schnapps*. – A morte é o vento que vem do norte, nuvens carregadas de neve que enterram todas as coisas vivas. É o frio que queima os seus pulmões, quebra seus ossos e arrebenta sua alma. Faz você querer matar para conseguir um lugar perto do fogo, mesmo se for um daqueles malditos fogareiros a lenha.

Bert olhou para as mãos. Seu dedo anular esquerdo não estava mais lá.

– Havia um buraco em minha luva. Não consegui consertá-lo. Depois de três dias, não havia mais volta. Meu dedo ficou preto e eles tiveram que cortá-lo fora.

Frequentemente, os dois homens apenas fumavam e bebiam em silêncio, mas às vezes Max compartilhava seus pesadelos.

– Bem, há um sonho em que eu estou tentando desesperadamente chegar a algum lugar, mas tudo que vejo é uma branquidão ofuscante. Estou me afogando, sufocando em meio à neve. Mas o mais estranho é que nunca sinto frio. É como se eu já estivesse morto. Sempre acordo sem conseguir respirar, e não sei onde estou.

Bert simplesmente assentia.

– E às vezes eu vejo Mika, o garoto sobre quem lhe falei. Ele está sendo levado para um caminhão. Estou ali, empurrando-o para dentro junto com todos os outros judeus. Pouco antes de o trem partir eu vejo um fantoche espiando pela janela: uma princesa, com seus braços finos enfiados por entre o arame farpado. E, como uma sombra atrás dela, o rosto de Mika. Em seguida eu estou dentro do trem. Está tão abarrotado de gente que eu não consigo respirar. Tento afastar todos de mim, esforço-me para chegar até a pequena janela coberta com arame farpado para respirar, mas nunca consigo alcançá-la. Em seguida, volto para aquele horrível vagão de gado que nos levou para a Sibéria, raspando o gelo da parede com a minha pequena colher de prata... Acho que você também se lembra desses trens – murmurou Max.

– Eram os mesmos malditos vagões de gado. Aqueles trens que levaram os judeus para Treblinka eram os mesmos que nos levaram para a Sibéria. – A voz de Max começava a se arrastar.

– Todo o mal que existe no mundo começou com aqueles trens. Eu não colocaria nem mesmo uma vaca neles agora.

Durante várias noites os homens reclamavam sobre a falta de apoio do governo alemão.

– Milhares de nós foram mandados para a Sibéria. Milhões, eles acham. Dá para imaginar? E os poucos de nós que retornaram eram apenas espectros do que éramos antigamente. Nunca saberemos quantos morreram, os russos nunca se importaram com números. – O rosto de Bert estava tão vermelho que parecia que ele iria explodir a qualquer momento. – Morremos como moscas e agora ninguém quer saber de nossa história. Como se fôssemos uma mancha, uma marca de sujeira em seus casacos brancos. Ainda há homens apodrecendo nos campos de prisioneiros, mas os figurões do alto escalão conseguiram escapar. Bem, quase todos eles. Estão escondendo seus traseiros nazistas em algum lugar ou até sendo reeleitos. Toda essa conversa sobre "desnazificação" soa como falassem sobre tirar piolhos, se você quer a minha opinião. Mas ainda há muitos nazistas por toda parte. Está um caos.

Às vezes, depois de uma boa quantidade de cerveja e *schnapps*, Max tentava falar sobre Varsóvia. Mas Bert sempre o interrompia.

– O que está feito está feito Max. *Schnee von gestern*, meu amigo; é a neve que caiu ontem. Já sofremos o bastante, Max. Estou falando sério.

Mesmo na companhia de Bert, Max alcançara um beco sem saída.

Numa noite de dezembro, de céu límpido, cambaleando para casa pela neve após a bebedeira com Bert, Max se viu num estado de espírito filosófico. Tirando o príncipe de seu bolso, ele apontou para a neve que estava empilhada à sua volta.

– Tenho certeza de que ainda há montes de neve na Sibéria que não derreteram desde que estávamos lá. Aquela neve já viu de tudo. Você acha que a neve se lembra de tudo? Ou as ruas de paralelepípedo de Varsóvia, será que elas se lembrarão de nossas botas marchando por elas, de todo aquele sangue? – Max olhou para as estrelas. – Acho que essas coisas nunca vão embora. Não é aterrorizante e maravilhoso ao mesmo tempo, meu amigo? Assim como essas estrelas?

Naquela noite, Max percebeu que nunca conseguiria se livrar do passado, e que sempre levaria o gueto em sua alma, ao lado do Campo 267 e de sua cidade natal, Nuremberg, que agora jazia em ruínas.

O tempo passou, mas Max nunca conseguiu se acostumar à vida no vilarejo de Wolkersdorf.

– Sou um homem da cidade – proclamava frequentemente. – Não posso ficar entocado num vilarejo tão pequeno. Sinto saudades da velha cidade, do castelo, do ar da cidade.

– Eu sei, Max. – Erna tentava reconfortá-lo. – Mas você ficaria com o coração despedaçado se visse Nuremberg depois dos bombardeios. A cidade inteira destruída, somente algumas poucas paredes em pé, escombros por toda parte. Uma única fonte de água para a cidade inteira. E tivemos que abrir caminho por entre os destroços para que os Aliados pudessem chegar e fazer seus desfiles para comemorar a vitória. Foi horrível... E o cheiro era muito ruim. Eles não conseguiram encontrar todos os mortos sob as ruínas.

Max não disse nada, mas pensou em Varsóvia, na praça do mercado, suas belas casas antigas derrubadas ou esburacadas por estilhaços. Seus cidadãos também não eram nada além de escombros.

Ainda assim, Max queria ver sua antiga cidade natal. E então, certo dia, ele vestiu seu melhor terno e foi até a estação de trem do vilarejo, colocando o fantoche do príncipe no bolso do paletó.

Depois de uma viagem curta, ele chegou à estação principal de Nuremberg. Atravessou a rua e começou a andar rumo à velha praça do mercado. Durante todo o trajeto Max fazia comentários sobre o lugar, divagando em voz baixa sobre cada característica, prédio ou monumento da cidade – visível ou ausente. Não se importava com as pessoas que o observavam com uma expressão confusa no rosto. Já estava tão acostumado a conversar com o fantoche que aquilo não lhe parecia mais estranho.

– Olhe para aquela estação. A fachada ainda é a mesma, ainda é bonita. – Enquanto caminhavam pela Königstrasse, Max acelerou o passo, como se estivesse sendo puxado na direção do centro de Nuremberg por uma força invisível.

… Não me importo mais com o que as pessoas pensam. Ninguém me entende, mesmo. Não posso voltar ao mundo normal. Sou uma aberração. Mal consigo reconhecer este lugar. – Ele olhou para as casas recém-construídas que ladeavam a rua. Quanto mais avançava, menos falava. Conseguiu ver a silhueta do antigo castelo, mas seus olhos procuraram em vão pelo açougue que ficava diante da prefeitura.

… Meu Deus, tudo desapareceu. Devem ter bombardeado a cidade até não sobrar nada. – Ele sentiu tontura e sentou-se na soleira de uma porta. E colocou o príncipe sobre o colo.

… Olhe só para as coisas que eles construíram aqui. Tudo é tão feio. Sem alma. – Ele estudava os prédios e seus traços sóbrios.

… O que está olhando? – esbravejou ele com uma mulher que o observava atentamente, ele e o príncipe. – Nunca viu um fantoche? Bem, nós viemos juntos de muito longe, ele e eu.

A mulher se afastou, correndo. Max se levantou com certo esforço e continuou a andar. Quando virou uma esquina, a rua de paralelepípedos se abriu diante da enorme praça do mercado, flanqueada por casas coloridas e a fachada imponente de uma enorme igreja.

– Ah, bem. Pelo menos nossa orgulhosa *Frauenkirche* ainda tem a mesma aparência de antigamente. – Quando se aproximou, Max viu que havia andaimes cercando a igreja, em ambos os lados. Sentiu o coração afundar no peito.

… Nossa Senhora também não sobreviveu, então. – Ele se aproximou da porta de madeira cuidadosamente entalhada.

… Vamos entrar. – Ele segurou a alça de bronze a abriu a pesada porta.

Max se sentiu pequeno e insignificante como um camundongo quando entrou na catedral majestosa. Quando avançou alguns passos para dentro do ventre da igreja, percebeu que, embora a fachada continuasse intacta, todo o resto sofrera danos imensos por causa dos bombardeios. Mesmo seis anos depois do final da guerra ainda havia reparos sendo executados por toda a parte. Max olhou ao redor.

– Juro que havia um anjo com uma espada enorme bem aqui. Muitas das esculturas desapareceram – sussurrou ele.

Ele andou pelo corredor, olhando para o alto das colunas de arenito vermelho que se erguiam no espaço, sustentando o teto gigantesco.

Este lugar é capaz de engolir uma pessoa inteira, pensou. *Colunas tão altas quanto os maiores abetos da Sibéria.*

Max parou diante de um pequeno altar cheio de velas acesas e tremeluzentes.

– As pessoas as acendem para os mortos, como você sabe – ele explicou ao príncipe. – Mas quantas velas nós precisaríamos acender? – Ele olhou para as velas até seus olhos começarem a marejar. Em seguida, pegou uma vela branca e fina, acendeu-a e colocou-a num pequeno pedestal de metal ao lado das outras. E ficou em silêncio por alguns momentos. Em seguida, estendeu a mão para pegar outra vela e acendeu-a também. Depois outra. E mais outra. E assim por diante, uma após a outra, com o mesmo ritmo constante. Max acendeu todas as velas, até não restar nenhuma.

Max ficou sentado com o príncipe nos últimos bancos da igreja, observando as velas crepitantes, com a luz da tarde iluminando o interior da igreja pelas janelas de vitral que o banhavam com fachos iluminados de todas as cores imagináveis.

– Eu poderia ficar aqui para sempre – suspirou Max. – Talvez... com este mar de luz, eu seria capaz de superar tudo. Faz com que eu me sinta mais tranquilo por dentro.

Conforme a luz da tarde esmaeceu e seu estômago começou a roncar, ele se levantou e começou a caminhar de volta para a estação de trem.

CAPÍTULO 26

Uma semana depois, Karl anunciou aos pais que queria trabalhar como carpinteiro viajante, tentar a sorte dessa maneira. Já tinha 25 anos, e seu período de aprendizado estava terminado.

– Mas você não vai poder voltar para casa durante três anos e um dia! – exclamou Max. A tradição ditava que os trabalhadores viajantes deveriam ficar a uma distância mínima de 50 quilômetros de sua cidade natal.

– Eu sei, pai. Mas posso escrever. Preciso conhecer o mundo e sair deste vilarejo abafado. Você, entre todas as pessoas, deveria entender como me sinto.

Era verdade. Max não havia apenas sobrevivido à jornada épica através da Sibéria, mas, quando tinha a idade de Karl, fez o mesmo. Quando era criança, Karl sempre lhe perguntava sobre as histórias de suas viagens.

– Faça o que tiver que fazer, filho. – Max manteve o rosto impávido. – É que… – Max não conseguiu terminar a frase quando Erna colocou a mão no braço dele. Ele entendia a inquietação do filho, mas não conseguia suportar a ideia de perdê-lo outra vez, em tão pouco tempo.

Assim, Max e Erna se despediram do filho com abraços e Karl saiu de casa a pé, usando o traje tradicional: um chapéu negro de aba larga, um colete com botões, calças boca de sino e um *stenz*, um cajado de peregrinação retorcido.

– Vai ficar tudo bem com ele, Max – disse Erna. Max assentiu, mas não respondeu.

Os anos se passaram. Karl escrevia cartas, enviando-as de várias partes da Alemanha, e telefonava para os pais uma vez por mês, aos domingos.

Até que um dia, sem nenhum aviso, um envelope particularmente bonito chegou, de papel grosso e enfeitado com letras douradas. Max e Erna o abriram juntos.

– Você não vai acreditar, Karl vai se casar! – Max se trancou no banheiro para conversar com o príncipe.

– Meu filho, meu garoto, ele vai se casar. Olhe só para ela, não é linda? E é inteligente, também. Tão jovem e já é médica. Chama-se Maria.

Depois do casamento, Karl e Maria vinham visitá-los duas vezes por ano – no Natal e no verão. Dias antes da chegada dos dois, a casa começava a cheirar a sabão e bolo de maçã. Ainda assim, as visitas curtas frequentemente eram motivo de decepção, pois o casal ficava apenas por um curto período de tempo antes de viajar para lugares com nomes mais exóticos como Veneza, Roma e Salzburgo.

Sete anos depois, o primeiro bebê nasceu – uma menina que eles chamaram de Mara. Max a aninhou em seus braços como se fosse o pacote mais precioso de todos enquanto ela balbuciava e se contorcia.

– Ela é tão linda – disse ele, maravilhado. – É perfeita. – Lágrimas lhe escorreram pelo rosto. Erna sorria, mas Karl parecia estar constrangido. No decorrer dos próximos meses, e nos anos seguintes, Max acompanhou o progresso de Mara como um cão feliz perseguindo uma bola.

– Ela já sabe andar? Já tem dentes? Já disse alguma coisa?

Max queria saber tudo o que fosse possível sobre a neta, e lhe doía profundamente o fato de vê-la apenas duas vezes por ano. Realmente, a pequena Mara tocou um lugar do qual ninguém mais conseguiu se aproximar. Sempre que Mara estava por perto, Max cantarolava, inventava músicas, entalhava pequenos animais em madeira, e chegou mesmo a construir uma casa de bonecas para a neta; a única criança que ele conseguiria ver crescer.

Max compreendeu a mensagem ao ouvir as poucas palavras que saíram pela boca de Karl pelo telefone, três dias depois do terceiro aniversário de Mara.

– Pai... tivemos um acidente. – Seu filho se esforçava para falar. O coração de Max se contraiu como se fosse um punho fechado.

– Fomos até a praia perto de Kiel, apenas um piquenique no domingo. Estávamos cantando no carro... e um caminhão atrás de nós... – A voz de Karl ficou embargada. – Ele se chocou contra nosso carro. Nosso pequeno Ford não teve a mínima chance. Estou bem, mas Maria está morta, pai. Ela sangrou até morrer em nossos braços. Eles não chegaram lá a tempo. – Karl chorava.

– E Mara? – O coração de Max batia com a força de um martelo.

– Está com uma perna quebrada. Está em choque. Não disse uma palavra desde o acidente.

– Por favor, venham para casa, Karl. Nós vamos cuidar de vocês.

Karl e Mara ficaram na casa de Max e Erna por algumas semanas, e, mesmo depois de terem retornado a Hamburgo, eles ainda os visitavam sempre que podiam. Certo dia, em meio à tristeza que sentia, Max se lembrou dos fantoches da Sibéria. Não foi assim que ele e seus camaradas tinham encontrado certo alívio durante aquela época terrível, fazendo fantoches com alguns trapos, batatas, um pedaço de madeira e um pouco de palha? Mesmo quando sentiam um frio de gelar os ossos e uma fome tão grande quanto a dos lobos, os fantoches não alimentavam os seus espíritos, pelo menos? Ele foi até a cozinha, revirou as gavetas e armários e pegou vários objetos aqui e ali: um abridor de latas, uma peneira, alguns garfos e um quebra-nozes. Enquanto juntava os objetos com arame e barbante, entortava os garfos e adornava a peneira com retalhos de uma toalha que cortara em tiras, criaturas estranhas começaram a surgir. Conforme suas mãos as moviam sobre a mesa da cozinha, elas ganharam vida; e, bem ali, ele fez um espetáculo para sua neta. Naquela tarde, Mara abriu o primeiro sorriso desde o acidente, e até Erna começou a rir, ainda em seu avental, sem se importar com a devastação que Max causara em sua cozinha.

Mesmo assim, o príncipe continuou enfiado em seu bolso, pois Max temia que as perguntas inocentes de Mara acabassem despedaçando seu coração.

Mara cresceu rapidamente. Nunca ficava parada por muito tempo; criava músicas com sua voz borbulhante, corria pelo jardim perseguindo pássaros e procurando insetos debaixo de pedras – era o sol que brilhava sobre aquela família. Seus cachos loiros com um toque avermelhado se agitavam por cima dos ombros, e Mara gritava quando Erna tentava prendê-los em tranças comportadas. Os olhos de Mara faziam Max se lembrar da cor dos lagos da Sibéria no outono, um verde-escuro, quase da cor de esmeralda.

Max amava muito sua neta, e, mesmo assim, toda aquela vivacidade o sufocava. Enquanto sua pequena Mara corria de um lado para outro, rindo, no gueto de Varsóvia, uma Mara com a mesma transbordante força vital fora esmagada como um verme, sua chama de vida extinta com um único golpe. Aquelas crianças o assombravam; durante o dia, na presença de sua neta, e à noite, em seu sono agitado. Sempre havia duas Maras que viviam dentro dele: sua própria neta e uma Mara cuja vida ele ajudara a ceifar. Os olhos de Mara e os olhos de outra. Sempre uma duplicação que o seguia como uma sombra, gêmeas de poeira e cinza.

O humor de Max mudava conforme a passagem das estações ou das fases da lua. Em alguns dias ele brincava com Mara, deixando-a sentar em seu colo, contando-lhe histórias; de repente, ele resmungava para a menina como um velho urso cujo sono fora perturbado. Ainda assim, com o passar dos anos, Mara encontrou uma maneira de chegar ao coração do avô e o ajudou a encontrar momentos novos e preciosos: seus braços abertos quando corria na direção dele; perguntas que saíam de sua boca como bolas de gude coloridas, derramando-se sobre seu colo. Por que o sol é quente? Quanto pesa um coração? De onde nós viemos? Por que nós morremos?

– Será que estou recebendo uma segunda chance? – perguntou ele ao príncipe, certa noite.

Ainda assim, Max prendia a respiração. Será que Mara era realmente a eterna luz do sol que parecia ser? Às vezes, quando olhava para ela, podia ver quanta dor a menina ainda sentia. Nas profundezas de seu coração havia um lugar que era como um ninho vazio. Sua mãe fora levada, e não havia nada que pudesse substituí-la. Mesmo assim, ela continuava a sorrir para seu pai e seu avô.

Um dia, Mara estava sentada no colo de Max no jardim enquanto ele lia uma história para ela.

– Você acha que foi minha culpa, Vovô? – perguntou ela repentinamente.

A pergunta pegou Max de surpresa.

– Como assim?

– A Mamãe morreu por minha causa?

– Não, é claro que não, querida! Nunca mais diga uma coisa dessas. – Ele a abraçou com força. Foi nesse momento que Max decidiu apresentar Mara ao príncipe.

– Vou lhe mostrar uma coisa, Mara. – Ele tirou o fantoche surrado de dentro do bolso. O rosto de Mara se iluminou.

– Posso brincar com ele?

– É claro que pode. Pegue. – Max entregou o príncipe à menina, e dentro de poucos minutos Mara já fizera uma pequena apresentação.

O príncipe parecia muito contente pela oportunidade de dançar mais uma vez nas mãos de uma criança, assim como aconteceu quando estava com Sara, Hannah e os órfãos. Já fazia muito tempo.

Certo dia, Max decidiu comprar um fantoche para Mara: um Kasperl. Mara colocou a mão por dentro da roupa do fantoche do Kasperl, fazendo-o pular de um lado para outro, implorando a Max que lhe contasse mais histórias.

– Por favor, Vovô. Conte aquela de novo! – E Max o fazia.

Daquele momento em diante, todos os anos, no dia do aniversário de Mara, Max presenteava a neta com um novo fantoche, às vezes dois. Quando Mara completou 10 anos, já tinha uma bela coleção, completa com um Kasperl, sua companheira Gretl, um crocodilo, uma princesa, um vilão, um policial e um macaco. Max chegou mesmo a construir um pequeno palco para ela.

As visitas da neta mantinham uma pequena fagulha acesa, mas frequentemente, durante a noite, os demônios assombrosos de Varsóvia e da Sibéria voltavam para atormentar Max.

– A guerra tirou tudo de mim, até a minha vida; estripou-me como a um peixe. Não sei como vou viver com toda essa culpa e raiva que ferve dentro de mim. Ninguém quer me ouvir falar sobre a guerra, nem os vizinhos, nem Erna, nem Karl. Dizem que eu estava somente cumprindo com o meu dever, mas eu sei que sou culpado. Sabia que nada de bom surgiria das deportações para o leste. E, sim, eu tentei proteger a mãe e a tia do garoto; sim, foi um risco que assumi. Se Peter não houvesse ficado de boca fechada, eles descobririam o que eu fiz. Mas, no final, todo o meu esforço não deu em nada. Eles foram capturados e levados para longe, junto com todos os outros. Além disso, não fui eu quem botou fogo naqueles últimos esconderijos, com meu lança-chamas? Nunca vou saber se o garoto conseguiu sair de lá vivo. – Max estava sentado com o corpo encurvado, a cabeça enterrada nas mãos, pesada como o mundo.

... Sinto-me como se flutuasse sobre um fino bloco de gelo. Afastei-me das pessoas e, embora eu consiga ver todos eles, não consigo voltar a me aproximar da terra. Mesmo Erna e eu, mal nos falamos... – Max ficou em silêncio por um longo tempo, olhando para o príncipe.

... E ainda assim eu a amo. E amo meu filho Karl. E a minha Mara. E você. Mas não consigo demonstrar isso. Talvez você possa mostrar o que sinto a Mara, pelo menos – Ele enxugou os olhos e levantou-se da cama.

Somente Mara era capaz de enxergar o que havia por trás de sua máscara. Max criava uma história após a outra para ela, e, após algum tempo, chegou até a relatar alguns episódios de sua vida e da fuga da Sibéria.

– O que aconteceu depois, Vovô? – Tudo era uma enorme aventura para Mara, e, sentada em seu colo, brincando com os fantoches, ela fazia Max rir. Aqueles verões que passava com seu avô acenderam um desejo profundo dentro dela, e Mara compreendeu que, com os fantoches, seria capaz de ultrapassar barreiras e chegar até os corações das pessoas.

CAPÍTULO 27

Nos primeiros dias da primavera de 1969, a tosse de Max piorou. Quando um acesso de tosse o dominava, ele não conseguia parar. A resposta do médico foi curta e triste: três meses de vida, se tivesse sorte. No fim, Max viveu por cinco. Foi a árvore em seu peito que desistiu de lutar; o câncer já tomara seus pulmões e se espalhara pelos rins e ossos.

– A morte não me assusta – sussurrou ele para o príncipe, certa noite. – Já a olhei nos olhos várias vezes. Mas preciso que Karl saiba de minha história. E você, meu amigo, não vai poder vir comigo para o lugar onde estou indo. Você precisa ficar aqui e contar a história.

Erna suspirou e virou de lado na cama. Várias vezes ela escutou Max conversando tarde da noite, abrindo o seu coração para o príncipe. Ela se enchia de tristeza ao perceber que não conseguia lhe dar tanto apoio quanto aquele fantoche velho e surrado.

– Mas eu amo você de verdade, Erna. – Percebendo que a esposa estava acordada, Max tentou reconfortá-la.

– Eu sei, Max – disse ela. Mas sabia que o vazio entre os dois nunca poderia ser completamente preenchido. E agora, após aquela espera de tantos anos, já não tinham mais tempo.

Erna deu a notícia, e Karl e Mara vieram imediatamente. E então, algo extraordinário aconteceu. No espaço de alguns poucos dias, todo o distanciamento e a formalidade que havia entre pai e filho se dissiparam. Diante daquela ampulheta cruel, eles compartilharam suas verdades – de pai para filho, de filho para pai. Era como se o cilindro alto e azul de oxigênio que havia a seu lado ajudasse Max a trazer as lembranças do fundo de seu ser, libertando-as suavemente pelos lábios aos ouvidos do filho. Ele falava sobre tudo: sobre Varsóvia, o gueto, Mika, a Sibéria, o campo de prisioneiros, os camaradas que não conseguiram se libertar e a longa jornada para casa.

E dessa vez Karl ouviu tudo com o coração aberto. Transformara-se novamente num garotinho naquela sala, no final do verão, ouvindo as histórias de seu pai. Alguns dias, ele também chorava.

– Pai, há tantas coisas que eu quero lhe perguntar, tantas coisas que eu ainda quero saber. – Karl finalmente demonstrou todo o amor que sentia por seu pai. Ambos admitiram arrependimentos e ressentimentos numa última torrente de emoções. E sentimentos. Os dois estavam tão tomados pelos sentimentos agora, expressando-os de bom grado com suas falas, seus olhos e até sua respiração. Finalmente. Não havia tempo a perder.

Mas, ainda assim, Erna se continha, trazendo comida e chá quente, almofadas e remédios. Estava ali para ajudar, para deixar tudo o mais confortável possível, mas seus olhos continuavam secos. Ela chorava sozinha.

Numa manhã, quando a luz do quarto passou de um tom cinzento para o dourado, Max tirou o príncipe de debaixo do travesseiro e fixou os olhos em seu filho.

– Karl, eu quero lhe dar este meu querido amigo. Por favor, cuide bem dele. Talvez não pareça grande coisa, mas ele foi meu companheiro, a testemunha de minhas provações. Este fantoche tem mais vida do que eu agora. Deixe que ele seja um conforto para você e para Mara.

– Obrigado, pai. Vou cuidar dele. – Karl pegou o fantoche com as duas mãos e olhou para ele por um longo momento.

– Por favor, conte a minha história para Mara quando ela tiver idade para entendê-la. Quero que conte tudo, sem deixar nada de fora. E quero que ela fique com o príncipe.

Max tinha que se esforçar para falar agora, tossindo, o peito chiando.

– E Karl, há outra coisa também. O nome do garoto é Mika. Mika Hernsteyn. Karl, por favor, tente descobrir o que aconteceu com ele. Isso me corrói, não saber. Sempre foi assim. Eu devia ter procurado por ele. Por favor, Karl. Talvez ele ainda esteja vivo.

– Não sei, pai... Já faz muito tempo. – Sua voz parecia estar um pouco tensa, mas Max sabia que era apenas medo.

– Por favor, Karl. Eu realmente quis ser um pai melhor, quis estar ao seu lado. Queria que nunca tivessem me mandado para Varsóvia. Eu lamento muito. Por favor, perdoe-me se for capaz.

Karl não disse nada. Não falou sobre ir em busca de Mika ou sobre perdoar o pai. Como poderia perdoá-lo? Não dependia dele, e a maioria das pessoas que poderiam perdoá-lo já estava morta. Em vez disso, Karl disse a Max que o amava.

Naqueles últimos dias Mara frequentemente se sentava na cama de Max, com suas duas mãozinhas animando sua trupe de fantoches para o avô. Ela trouxe toda a sua coleção e inventava uma história após a outra, com tanto fervor e paixão, como se os seus espetáculos animados pudessem infundir uma nova vida em Max. Mas Mara também conhecia a morte, e, de certa maneira, suas apresentações também eram uma lembrança de que a vida iria continuar.

Max morreu nas primeiras horas de um dia ensolarado de setembro. No enterro, Karl percebeu que estava segurando o fantoche que levava no bolso, deslizando os dedos pelo rosto do príncipe.

Alguns dias mais tarde, depois do funeral, quando Erna estava guardando um dos casacos de Max, percebeu um pequeno volume. Colocou a mão no bolso e seu rosto se contorceu com o asco.

– O que é isso? – Ela retirou um pedaço de pão duro e embolorado. E foi nesse momento que finalmente encontrou suas lágrimas.

Karl e Mara se mudaram para um apartamento pequeno e bonito na cidade de Hamburgo. Na primeira noite após o funeral, Karl enfiou o príncipe na gaveta do armário de seu quarto. Várias semanas se passaram, até a noite em que Karl começou a revirar suas meias em busca do fantoche.

– Bem, meu amigo, Mara precisa de você! – Segurando o príncipe diante do rosto, ele prosseguiu: – Ela está chorando durante o sono, perguntando sobre você. Vá lá ficar com ela, mas vou lhe dizer uma coisa: Mara não precisa saber de tudo o que você viu. Estamos entendidos? – O fantoche pendia em sua mão, flácido.

Na manhã seguinte, Mara acordou e encontrou o príncipe sentado num travesseiro a seu lado. Ela abraçou o fantoche com força.

– Onde você estava? O papai me disse que o Vovô queria você no caixão com ele. – Ela acariciou a cabeça do príncipe, sua coroa e os detalhes de pele que embelezavam seu manto. Em seguida, deixou que o príncipe deslizasse gentilmente para dentro de seu bolso. Suas mãos, como as de Mika e as de Max antes dela, sempre tocariam o fantoche brevemente durante o dia, apenas para garantir que ele ainda estava lá. Qualquer que fosse a roupa que estivesse vestindo, Mara sempre se certificava de que o príncipe estivesse em seu bolso.

CAPÍTULO 28

Mara não teve outros irmãos e Karl não voltou a se casar. Ele a protegia como uma flor preciosa, mas, por algum motivo, ela não desabrochava. Quase todos os dias ela conseguia ignorar sua solidão, mas à noite a sensação pesava sobre seu peito como uma pedra enorme, e sentia dificuldade para respirar. Após o seu décimo terceiro aniversário, a situação ficou pior. Os médicos disseram que era asma: um aperto ao redor do coração. Assim como Max lutou para conseguir ar, para ter mais espaço ao redor do coração.

Mara visitava o túmulo de sua mãe toda semana. Caminhando junto dos densos arbustos de teixo que contornavam o cemitério, ela sempre chegava com as mãos esverdeadas e com um cheiro forte e amargo – como a tristeza ou a dor, mas, ainda assim, estranhamente reconfortante. Falava sobre seu pai, sobre a escola ou sobre os pombos que vira em cortejo no alto de um poste de luz.

Na maior parte do tempo, Mara brincava sozinha. Além dos fantoches, ela também tinha bichinhos de todos os tamanhos: um cervo, uma zebra, um tigre, uma girafa e uma boa quantidade de ursos – e todos eles se transformavam numa plateia interessada, dispostos em fileiras ordenadas à sua frente, prontos para mais uma apresentação. E ela tinha um bom talento para lidar com os fantoches, o que era confirmado pelas crianças das redondezas, sempre que eram convidadas para assistir a um espetáculo.

– Você sabe, meu pequeno príncipe – disse Mara uma tarde. – Muitas vezes eu sinto que pertenço a uma tribo diferente. Simplesmente não consigo me encaixar neste lugar.

Por mais que Mara se sentisse solitária, ainda assim ela adorava a companhia dos seus livros: seu cheiro, seu peso e o fato de que cada um deles, quando aberto, trazia um mundo inteiro dentro de si. Semana após semana, estante após estante, Mara se refestelava com os livros da biblioteca de seu bairro. Viveu aventuras com Karlsson no Telhado, combateu dragões com o Príncipe Coração de Leão, sonhou com a casa maluca de Pippi Meias Longas, estremeceu no covil do Barba Azul e empreendeu uma jornada pelo rio Mississipi na jangada de Huckleberry Finn. Às vezes ela lia em voz alta quando o príncipe se sentava em seu colo para lhe fazer companhia.

– Acho que já li tudo que havia na biblioteca das crianças. Queria saber o que é que os adultos estão lendo – proclamou ela certo dia, sem nenhuma razão aparente. Rapidamente, ela desceu as escadas para a seção dos livros para adultos e descobriu um mundo completamente novo.

E assim, numa tarde, Mara estava sentada no chão da ala de História com um enorme livro em seu colo, com nomes e fotografias borradas em preto e branco que se desdobravam diante dos seus olhos: *Auschwitz, Buchenwald, Mauthausen, Treblinka*. Nomes que soavam estridentes a seus ouvidos, embora ela não soubesse o por quê. Estava sentada completamente imóvel e ainda assim seu coração batia como um tambor.

– O que é isso? – sussurrou ela. Seus olhos assustados tentavam compreender o que estava vendo. Ela folheou o livro inteiro, e depois pegou outro. Arame farpado, esqueletos que andavam pelo campo de concentração usando uniformes listrados, cadáveres nos campos, corpos mutilados empilhados uns sobre os outros, quartéis, soldados... Ela ergueu a cabeça e olhou para a frente. Esses livros eram janelas para um lugar terrível que ela não tinha certeza se realmente queria conhecer. Com um gesto rápido, ela fechou os livros, deixando-os no chão, e saiu correndo da biblioteca. Suas pernas pareciam estar enrijecidas e estranhas conforme ela corria como se realmente não fossem parte dela. Ela correu por vários quilômetros, até chegar ao porto. Ali, sentou-se num banco, observando os enormes navios que entravam no porto, e também os que saíam. Não falou com ninguém e só foi embora muito depois de o sol ter-se posto.

Naquela noite ela pegou o príncipe e colocou o fantoche em seu travesseiro.

– Não sei o que tudo isso significa, mas estou com medo. Na semana passada Papai me proibiu de assistir àquele filme *Noite e Neblina*, mas, quando fui lhe dar boa-noite, consegui ver um trecho: pessoas, muitas pessoas, arrastando os pés enquanto andavam, como se fossem fantasmas em fila. Pareciam zumbis: quase nus e muito magros, como esqueletos ambulantes. Nem pareciam humanos. E hoje, na biblioteca, eu percebi que tudo era verdade.

O que Mara vislumbrou serviu para lhe incitar um desejo, uma necessidade feroz de enxergar o que havia no abismo do coração humano. E, conforme o tempo passava, ela conseguia encontrar fotografias, desenhos, histórias e até mesmo poemas feitos por pessoas que haviam sobrevivido e que ainda eram capazes de falar. Aprendera o nome daquela escuridão maligna: "Holocausto". A palavra deixava um gosto amargo e ruim em sua boca. Que atrocidades as pessoas são capazes de fazer umas às outras.

Mas ninguém queria saber. Na escola, Mara aprendia sobre Barba-Roxa e a Guerra dos Cem Anos, mas poucas coisas sobre o homem de bigode.

– Como isso pôde acontecer? – Ela passava boa parte da noite conversando, aflita, questionando o príncipe e a si mesma.

... Será que eu teria me juntado às *Bund Deutscher Mädel*, marchando orgulhosamente com meu uniforme engomado e tranças em ordem? Ou teria arriscado a minha vida imprimindo panfletos secretos? Será que teria a coragem de pegar uma arma e me juntar à resistência?

O fato de não saber a resposta a deixava devastada.

– E o que dizer de todos aqueles *Mitläufer*, todas aquelas pessoas que marchavam com Hitler e aplaudiam seus discursos, sua guerra? Alguns deles nem se chamavam de nazistas. Então talvez seja verdade que alguns deles não soubessem o que acontecia com os judeus. Imagino que eles pensavam somente que eram cidadãos bons e civilizados. Mas não seriam cúmplices também? Ajudando os nazistas a executar sua máquina mortal sem dizer nada ou apenas cantando aquelas músicas idiotas? Como podiam ignorar o fato de que os seus vizinhos judeus estavam sendo arrancados de casa durante a noite, seus colegas de trabalho, donos de lojas, amigos que desapareciam... simplesmente assim? E Vovô? O meu avô, o que ele fez durante a guerra?

Mara sentia que estava submersa num rio de perguntas que flutuavam à sua volta. Mas não havia nenhuma resposta.

Uma noite, ela despejou todas aquelas perguntas em cima de seu pai.

– Meu Deus, Mara. Tudo isso aconteceu há tanto tempo! E você ainda é uma menina. Não teve nada a ver com aquela época ruim.

– Mas eu sou alemã. Sou feita do mesmo sangue e ossos das pessoas que criaram aqueles campos de concentração, não sou? Como isso pôde acontecer?

Karl olhou para suas mãos.

– Foi uma época ruim, Mara. Muito ruim. Mas a Alemanha não é somente isso.

– Sim, eu sei que nosso país trouxe música, arte e poesia ao mundo. E filosofia também. Sei disso, papai! Sei quem foram Bach, Goethe, Schiller, Schubert e todos os outros. Mas como pudemos criar poesia e música tão bonitas, e também essa matança tão horrível? Ouvi dizer que os nazistas obrigavam algumas meninas a tocar marchas e valsas em Auschwitz para os outros prisioneiros enquanto eles iam para as câmaras de gás. Não consigo entender isso!

—

Então, certa noite, pouco tempo depois de Mara ter completado 15 anos, o passado finalmente surgiu. Talvez fosse o ar agradável ou a noite macia e aveludada que se aproximava que fez com que Karl abrisse seu coração quando estava sentado com Mara na varanda.

– Mara, você sempre me pergunta o que aconteceu naquela época, durante a guerra e antes dela.

Mara o encarou com os olhos arregalados. E se aproximou do pai.

– Bem, Hitler disse que o lugar onde morávamos, Nuremberg, era a "mais alemã de todas as cidades alemãs". Foi por isso que fizeram todas aquelas passeatas pela nossa cidade, por isso que construíram as áreas reservadas aos comícios e o campo de pouso dos

Zeppelins. Toda Nuremberg estava bastante animada enquanto nos preparávamos para os enormes comícios. Dois tios, Heinrich e Herbert, viajaram de Hamburgo até lá e dormiram sobre cobertores no corredor de nossa casa. Cheguei mesmo a fazer xixi na calça porque não queria sair do lugar onde estava, esperando que o *Führer* passasse por ali marchando. Meu coração se enchia de orgulho quando assistíamos aos desfiles estrondosos pelas ruas de pedra. No dia seguinte nós fomos até o campo de pouso do Zeppelin. Imagine milhares e milhares de pessoas marchando em formação, cantando como se fossem uma só. E, à noite, lá estava a magnífica "redoma de luz", centenas de fachos iluminando o céu. Cheguei até a passar alguns bons momentos na Juventude de Hitler, cantando aquelas canções compostas por Horst Wessel e marchando com os meus amigos. Como seria possível para nós, só um bando de meninos, saber que tudo aquilo era tão errado, tão venenoso? Eles nos seduziram e encheram nossa cabeça com mentiras todos os dias. Quando descobrimos a verdade, já era tarde demais. Então... Sim, eu admirava meu pai com seu uniforme, e, assim como minha mãe, senti uma mistura de tristeza e orgulho quando ele partiu em sua jornada para a Polônia em 1939. Mas não estávamos todos orgulhosos de nossos pais? Não demorou muito até a guerra começar.

... Os Aliados bombardearam Nuremberg em agosto de 1942, e novamente em 1943. Passávamos os dias entrando e saindo de nosso abrigo antibomba. Nossas vidas foram poupadas, mas estávamos exaustos. Irritados e esgotados por dormirmos tão pouco. Em 3 de outubro de 1944 as sirenes começaram a soar outra vez. Pegamos cobertores e corremos para o abrigo. Logo percebemos que aquela noite seria diferente. O zumbido dos motores dos aviões começou do mesmo jeito, mas desta vez o barulho não parou; era como se um enxame de vespas cobrisse a cidade, esperando pelo momento de atacar. E então, *bang*! Uma explosão enorme, e a terra tremeu como se um gigante tivesse pisado bem em cima de onde estávamos. Todos gritaram. Havia mais ou menos trinta pessoas lá embaixo. Se o abrigo desabasse, será que acabaríamos enterrados vivos? Do lado de fora não havia nada além do silêncio.

... Minha mãe chorava. Fiquei com a cabeça enterrada num livro. Olhava para as palavras, mas nunca consegui passar da primeira frase.

...Uma menininha com um enorme laço cor-de-rosa no cabelo andava pelo abrigo como se fosse um gato enjaulado, juntando-se aos grupos de pessoas encolhidas, inventando historinhas e músicas para confortar a todos. Quanto a mim, só conseguia pensar em mim mesmo. Precisava de toda a minha energia para conseguir parar de tremer. Apertei os dentes com tanta força que senti a cabeça doer. Não estava orgulhoso de mim mesmo.

... Em algum momento acabei adormecendo. Até que finalmente a manhã chegou e, com ela, a sirene estridente que indicava que já podíamos abandonar os abrigos.

... Alguém empurrou a escotilha, e ela miraculosamente se abriu. Um após o outro, nós nos arrastamos para fora do abrigo. Quando saí de lá, não consegui reconhecer nada. Havia incêndios e escombros por toda a parte. Nada foi poupado. Todas as casas de nossa rua foram arrasadas ou incendiadas. Destruídas pelos bombardeios.

... Olhei para nossa casa. Ou para o que restou dela. No início, não consegui entender. Até que finalmente me dei conta: a fachada inteira havia desaparecido! Podíamos ver o interior da cozinha e de meu quarto como se fosse uma casa de bonecas. Na mesa da cozinha ainda havia um ovo cozido numa pequena taça e um pouco de pão sobre um prato, as sobras de nossa refeição da noite anterior. Pela primeira vez eu percebi nosso papel de parede: flores com pétalas enormes, um vermelho-escuro sobre um fundo cor de creme. Saí correndo e vomitei.

Mara estava sentada, mal respirava. Não se atreveu a falar, temendo que a torrente de palavras de seu pai acabasse se esgotando.

– Tivemos que nos mudar para um apartamento em Wolkersdorf, um vilarejo rural que ficava perto de Nuremberg. Algumas semanas depois, quase toda a parte antiga da cidade foi destruída em poucas horas. Ouvimos o enxame sinistro de bombardeiros se aproximando, prontos para soltar sua carga de bombas em nossa cidade. O céu brilhou a noite inteira num tom alaranjado, e as bombas explodiam como tempestades distantes.

... Aqueles que ainda resistiam na cidade precisavam de toda a sorte que pudessem conseguir. Era uma loteria! Otto, um de meus amigos da escola, sobreviveu ao inferno, enquanto nossos vizinhos, os Müller, não conseguiram sequer chegar ao abrigo.

– Fico feliz por saber que Vovô Max não chegou a ver sua cidade natal naquele estado. Quando ele voltou, a maior parte dos escombros de Nuremberg já havia sido removida, e prédios novos e feios foram construídos, como um curativo feito às pressas numa ferida aberta.

– Os últimos meses da guerra foram caóticos. Estávamos todos tentando resistir, tentando conseguir comida, até buscando coisas para comer no meio da floresta. Até que um dia um aviso de alistamento obrigatório chegou, convocando-me para ir ao front e combater na "guerra total" de Hitler. Garotos de 13 anos eram obrigados a se alistar num último esforço desesperado. Foi sua avó Erna que me protegeu dessa loucura. Mandaram que eu me apresentasse na prefeitura no dia seguinte. Minha mãe deu uma olhada na carta e disse: "Prepare uma bolsa, Karl, e leve o bastante para que você consiga carregá-la em suas costas por algum tempo. Vamos partir esta noite".

... Passamos os meses seguintes escondidos no interior, com pessoas diferentes. Acontece que minha mãe arriscou sua vida e a minha ao fazer isso, pois os desertores eram mortos como *Vaterlandsverräter,* traidores da pátria. Mas, se não fosse por ela, talvez eu não estivesse aqui agora.

... Um dia, chegamos a um pomar. Minha mãe tentou me puxar para longe, mas eu já havia avistado a cena: quatro corpos, sendo dois soldados e dois meninos de minha idade, talvez até um pouco mais novos, pendurados em galhos e balançando ao sabor do vento, com placas de papelão ao redor dos pescoços com a palavra *Desertor!*

... Minha mãe segurou minha mão. "Não vamos terminar assim, entendeu? Não se preocupe". Mas eu não conseguia esquecer aqueles rostos inchados, o ângulo estranho em que suas cabeças pendiam. Eu e minha mãe poderíamos estar no lugar daqueles corpos.

... Naquelas últimas semanas loucas da guerra, a *Gestapo* montou as "cortes marciais sumárias" na beira da estrada, executando qualquer soldado que voltasse para casa sem a autorização necessária. Algumas das estradas estavam cheias de corpos de soldados pendurados em postes e árvores.

... Sua avó nunca mais falou sobre isso depois da guerra, sobre toda a coragem dela. Duvido que tenha contado a meu pai tudo o que fez, mas tenho certeza de que ela salvou minha vida. Não foram muitos os jovens que sobreviveram à loucura daqueles últimos dias.

... Num dia quente de abril, tudo finalmente terminou. Hitler se matou e Nuremberg não era nada além de uma pilha fumegante de escombros. Em 20 de abril de 1945, o aniversário do *Führer* que já não existia mais, o exército dos Estados Unidos entrou na cidade e celebrou sua vitória no campo de pouso dos Zeppelins. Eles cobriram a suástica gigantesca que se erguia sobre a tribuna com a bandeira americana e, naquele mesmo dia, explodiram o símbolo nazista num milhão de fragmentos. O Terceiro *Reich* finalmente chegou ao fim.

... Quando ouvimos a notícia de que os americanos estavam chegando, todos entraram em pânico. Esconderam seus últimos pertences preciosos, enterraram sua prataria e peças de porcelana, joias e até seus álbuns de fotografias. Eu só consegui recuperar uns poucos livros do que sobrou de meu quarto. Nunca consegui encontrar o fantoche que meu pai tinha me mandado de Varsóvia, o médico. Não tínhamos nada que fosse precioso. Karl serviu a si uma taça de vinho.

... Sabe, eu tive medo do que os americanos fariam conosco, mas, no final, até que eles foram bastante amistosos, entregando-nos chicletes e pacotes de café e açúcar. Mas nossas vidas tinham virado de cabeça para baixo, e o moral de todo mundo estava bastante combalido. Afinal, havíamos perdido a guerra e estávamos cercados por ruínas.

... Um dia os americanos começaram a espalhar cartazes expondo fotografias dos campos de concentração. *Buchenwald, Auschwitz, Dachau.* "Estas ações vergonhosas – a culpa é de vocês!", eram as palavras impressas em todos eles. Eu não sabia para onde devia olhar, não sabia o que sentir. Como eu poderia saber? Tudo o que meu pai nos enviara de Varsóvia foi um pequeno fantoche e uma carta dizendo que sentia saudades de mim. Eu não fazia a menor ideia do que acontecia no gueto, nos campos de concentração ou o que estava acontecendo com os judeus.

... E meu pai ainda estava desaparecido. Não recebíamos notícias dele desde o fim da guerra. Demorou um ano inteiro até descobrirmos o que havia lhe acontecido, e depois mais alguns meses até recebermos aquele primeiro cartão-postal da Sibéria. Durante anos, tudo o que recebemos eram aqueles cartões-postais toscos, algumas poucas linhas apertadas num cartão. Acho que foi aí que perdi a ligação que tinha com meu pai, o sentimento que havia dentro de mim.

Mara se aproximou de seu pai.

– Deve ter sido muito difícil. Os bombardeios, o abrigo, não ter Vovô por perto. Tudo. – Mara colocou a mão no ombro de Karl.

– Foi sim, Mara. É por isso que não costumo falar muito sobre aquela época. Mas talvez seja importante colocar tudo para fora; pelo menos era isso que o seu avô achava. Ele me contou tudo. E há muito mais. Sabe, Mara, pouco antes de seu avô morrer, ele me pediu para lhe contar a história do príncipe. O fantoche dele.

Uma longa pausa se estendeu entre os dois. Mara olhou para seu pai.

– Por favor, papai, conte-me.

E assim, Karl começou. Ficaram sentados até tarde da noite, e Karl não parou até contar tudo para Mara.

– Quando seu avô morreu, ele pediu que eu procurasse aquele menino, o garoto dos fantoches. Chamava-se Mika Hernsteyn. Mas não consegui reunir a coragem para procurá-lo. Duvido que ele tenha escapado.

Mara finalmente encontrou algumas peças daquele quebra-cabeças gigantesco. Mas ainda havia poucas respostas. Seu avô bondoso fora um soldado no gueto de Varsóvia, e agora havia um garoto com um nome…

Uma semana depois, Mara começou a tricotar. No início, parecia ser algo inofensivo: apenas um par de meias listradas em azul e branco.

– Fico feliz que tenha encontrado algo para se divertir além dos livros de história – disse Karl, e sorriu quando ela lhe mostrou as meias. Mas, após algum tempo, Mara não saía de casa sem as agulhas, e tornou-se uma tricoteira voraz, devorando novelo após novelo. Despejava absolutamente tudo nas peças que tricotava: sua solidão e fúria, todas as suas questões não respondidas. Quanto mais complexos fossem os desenhos, melhor. Desenhos estrelados de origem norueguesa para absorver sua tristeza, detalhes em mohair que agiam como um antídoto para sua agitação; um casaco tricotado com agulhas grossas como escovas para protegê-la contra a culpa e a vergonha. Como uma aranha que criava blusões em vez de teias, Mara tricotava a sua lã, dia após dia, e os movimentos repetitivos enchiam sua cabeça com um vazio felpudo, uma espécie de casulo.

– Eu sei que é uma tarefa sem fim – explicou ela ao príncipe, certa noite. – Mas a lista de pessoas assassinadas não é algo sem fim também?

Às vezes, durante a noite, Mara colocava o fantoche no beiral da janela e, abrindo as persianas, olhava para o céu noturno sem nuvens. Não sabia quantas vezes Max se sentara com seu príncipe, observando o céu cravejado de estrelas sobre a Sibéria, apontando a Ursa Maior e Cassiopeia para o fantoche. Elas e também a gigantesca faixa nebulosa que atravessava o céu. – *Schau, kleiner Kerl,* é a Via Láctea! – dizia ele. Sempre que a via, um suspiro profundo enchia o peito de Max, assim como acontecia agora com Mara.

CAPÍTULO 29

Lentamente, Mara cresceu e virou adulta. Quando chegou o momento de escolher o que iria fazer de sua vida, decidiu estudar enfermagem. Talvez a possibilidade de ajudar os outros poderia ajudá-la a responder aquelas perguntas tão difíceis sobre o coração humano...

Ela se mudou para um pequeno apartamento ao lado do hospital na cidade vizinha de Bremen. Trouxe seus fantoches consigo, mas parou de levar o príncipe no bolso a toda a parte. Em vez disso, deixava-o sentado em sua estante de livros, levemente encurvado para a frente e com as pernas dependuradas, entre o *Lobo da Estepe*, de Herman Hesse, e *O Pequeno Príncipe*, de Saint-Exupéry. Os outros fantoches estavam cuidadosamente guardados numa caixa debaixo de sua cama, junto com suas agulhas e novelos de tricô.

Mara trabalhava bastante, e conforme os meses e anos se passavam, uma fina camada de poeira se formou sobre o príncipe, e suas cores desbotadas se distanciaram ainda mais dos matizes originais. Mesmo assim, a paixão de Mara por fantoches nunca desapareceu completamente. Quando passou nas provas e nos exames de certificação, ela começou a criar fantoches de luva em forma de animais. O primeiro foi um leão com uma tira de pele felpuda ao redor da cabeça de papel machê, seguido por uma zebra, um lobo e depois uma girafa. Logo, ela tinha uma trupe inteira.

Como enfermeira, Mara se especializou em trabalhar com crianças. Certa noite, após um dia difícil na ala de oncologia, ela tirou seus velhos fantoches de debaixo da cama. Limpou a poeira que cobria o manto do príncipe, lustrou sua pequena coroa e recoloriu suas bochechas e lábios com uma nova camada de vermelho-maçã.

– Aí está – disse ela, criando uma pequena história de improviso.

Quando Mara levava o príncipe para o hospital, ele finalmente estava em seu elemento, como se atuar diante de uma plateia de crianças doentes sempre tivesse sido sua ocupação preferida. Logo ela acrescentou seus animais e o resto da trupe, trazendo um pouco de leveza até todo aquele sofrimento.

Muitos anos se passaram. Vinte, para ser exato. Até que, num dia ensolarado de julho, quando Mara completou 40 anos, ela estava sentada com o príncipe em sua mão.

– Pensei bastante no caso. Quero ser manipuladora de fantoches, meu príncipe. É a única coisa a fazer que realmente me parece certa. Vocês, fantoches, trazem muita alegria e diversão para as pessoas. Vou transformar isso em meu trabalho! – Daquele momento em diante ela viveu e respirou os fantoches. E, durante todo aquele tempo, nunca se esqueceu da história que seu pai lhe contara; sobre o garoto de Varsóvia, Mika, e seu avô Max. A história sobre o que acontecera durante a guerra. Essa era a história que ela queria que seus fantoches contassem.

Mara mergulhou de cabeça naquilo, passando longos dias e, às vezes, até noites inteiras trabalhando, modelando, costurando, criando cada vez mais fantoches, pintando cenários, entalhando objetos de cena e escrevendo as falas de seu espetáculo. Tinha uma visão e se apegou a ela como um cão faminto a um osso.

Frequentemente, tarde da noite, algumas dúvidas abriam caminho dentro dela e chegavam à superfície.

Será que vou conseguir contar a história da maneira certa? Será que conheço todas as partes? Sei que tenho boas intenções, mas será isso o bastante? Como poderei realmente mostrar a situação desesperadora do gueto usando somente pedaços de papelão, madeira e alguns fantoches?

Durante várias semanas Mara dormiu mal, mas não desistiu. Esmerou-se bastante para criar o fantoche de Mika como o imaginava. Como ele seria o personagem principal, ela o criou de modo que fosse maior que o restante.

Até que, num dia de outono, quando os fantoches e os adereços estavam quase finalizados, Mara percebeu o que estava faltando. Ela tinha que ver a cidade com seus próprios olhos, sentir o lugar, e talvez descobrir alguma coisa sobre o garoto também.

Assim, na semana seguinte, Mara preparou uma pequena mala, colocou o príncipe no bolso de seu casaco e partiu para Varsóvia.

– Seremos uma ótima equipe, você vai ver – sussurrou ela quando se sentou na poltrona do pequeno avião. Enquanto bebia suco de laranja, ela olhou pela janela, admirando toda aquela imensidão de nuvens brancas. *Igual à Sibéria, embora não tão inclemente.* Por um momento, os seus pensamentos a levaram a seu avô. Os segredos que ele nunca dividiu com ela, sua fuga das garras brutais da Sibéria.

Enquanto estava no trem que a levaria do aeroporto até Varsóvia, Mara calculou que, se seu pai houvesse falado a verdade sobre o avô, o príncipe mudara de mãos há cerca de 66 anos. Em 1942, bem aqui, em Varsóvia. Suas mãos encontraram os detalhes felpudos de pele da capa do príncipe. Ela sorriu, sentindo-se segura com sua presença.

Mara chegou à estação ferroviária Centralna de Varsóvia, um prédio cinzento, feio e quadrado que cheirava a borracha queimada. Pegou a primeira saída e ficou imóvel, sem conseguir avançar: havia um prédio colossal, com vários pavimentos, coroado com uma enorme antena que se estendia até o céu à sua frente.

O Palácio da Cultura – um presente dos russos para o povo polonês. "O Bolo Russo de Casamento", como o chamavam. Mara fizera a sua lição de casa, estudando o guia de viagem exaustivamente. Registrou-se no Polônia Palace hotel, um dos poucos prédios que não foram destruídos durante a guerra. Deixou a bagagem no quarto e, após alguns minutos, estava novamente na rua. Guardou o príncipe no bolso do casaco e, empunhando um guia de viagem e um mapa, rumou para o norte. Para qualquer direção que olhasse, torres e arranha-céus cinzentos exibiam letreiros de neon e tinham enormes placas de publicidade no topo. Entre os gigantes de concreto, carros passavam rapidamente em avenidas largas, com os motores roncando.

Chegando ao canto mais distante do Palácio da Cultura, ela encontrou uma placa que marcava o lugar onde ficava o muro do gueto: *MUR GETTA* – MURO DO GUETO 1940-1943. Mas não havia nenhum muro, nem um único tijolo, apenas letreiros enferrujados entre as pedras do calçamento, como se fossem linhas de um mapa. Aquele era o começo do circuito do gueto. Examinando seu mapa, Mara vagou pela região, sempre indo para o norte, rua após rua.

Onde prédios de três andares com sacadas de ferro se ergueram orgulhosamente há algumas décadas, restavam apenas prédios de janelas com esquadros tristes, interrompidos vez por outra por arranha-céus ultramodernos de aço e vidro.

Até que, subitamente, Mara viu que estava diante de alguns dos velhos prédios de apartamentos. Exibiam-se como testemunhas cegas, com janelas cobertas por tapumes e uma pequena bétula que crescia numa das sacadas, destacando-se como uma pluma num chapéu. Mas não havia ninguém morando naquela casa. Há muito tempo, ninguém mais morava ali.

Na esquina da mesma rua Mara encontrou outra placa, marcando o lugar onde os portões principais do gueto ficavam, a entrada na rua Zelazna. Uma fotografia exibida debaixo da placa mostrava soldados patrulhando o portão, ladeados por um cartaz que exibia em letras grossas "*Seuchengefahr*: Risco de epidemia. Mantenha distância". Mara sabia que essa era a explicação que os alemães davam aos poloneses do lado ariano para justificar a existência do gueto. Ela estava perto do lugar onde, naquele tempo, havia uma ponte de madeira que ligava o gueto grande ao gueto pequeno. Rua Chlodna. Mais adiante havia algumas casas mais altas do que as outras. Havia tantos escombros e destroços depois que os alemães arrasaram o que restava do gueto que, em vez de limpar o terreno, novas casas, e até propriedades inteiras, foram construídas bem em cima das ruínas.

Com toda a extensão do gueto, não restou nada além de um metro de escombros cobertos pela vegetação?, Mara pensava consigo mesma. *Será que as pessoas aqui pensam no que há debaixo de suas casas ou sentem a presença dos fantasmas do gueto tarde da noite, tentando encontrar a saída?* Mara procurou por um banco onde pudesse se sentar, mas não conseguiu encontrar nenhum. Voltou a se concentrar em seu guia.

O livro dizia que, após os levantes no gueto, os alemães destruíram sistematicamente aquela região até não sobrar quase nada. O restante da cidade foi destruído durante a grande Revolta de Varsóvia de 1944, antes que ela fosse finalmente libertada em 1945. Varsóvia tinha 1,3 milhão de habitantes antes da guerra. Quando o Exército Vermelho entrou na cidade, somente mil pessoas saíram do meio dos escombros. Durante toda a ocupação alemã, mais de 400 mil judeus pereceram.

Mara começou a sentir-se fraca. Não sabia exatamente o que esperava encontrar aqui, mas não havia nada. Absolutamente nada. Ela tremeu e puxou o casaco com força ao redor do corpo. Subitamente, lembrou-se de uma imagem dos prédios incendiados de Nuremberg depois dos bombardeios, uma fotografia que viu num dos livros de seu pai. – Uma ruína é uma ruína – pensou ela na ocasião. – Sempre parte o coração.

Mas o que se pode fazer quando não resta nem mesmo uma ruína? Apenas grama. E casas que são um pouco mais altas do que o resto da cidade.

—

Mara balançou o corpo. Ainda não era hora do almoço. Tirou uma barra de chocolate do bolso do casaco e comeu um pedaço grande. Depois, foi na direção do lugar onde ficava a antiga prisão de Pawiak, seguindo pela Rua Dzielna. Subitamente, os restos dos portões da prisão a saudaram: um portão de arame farpado cortado ao meio. No centro do pátio vazio da prisão, estendendo os galhos para o céu como se fossem braços nus, havia uma árvore solitária, coberta com placas de metal pregadas a seu tronco como se fossem um manto de metal. Uma árvore para recordar, um monumento àqueles que morreram.

Enquanto lia silenciosamente as placas, ela percebeu que seus olhos procuravam pelo nome do garoto. Mika, Mika Hernsteyn. Aquele nome não estava entre os outros. Ela respirou fundo e avançou mais alguns passos, penetrando nas entranhas de Pawiak. O ar úmido e bolorento a atingiu com força, e ela acariciou a cabeça do príncipe em seu bolso.

Mara andou pelo corredor escuro. As portas pesadas das celas estavam escancaradas e ela entrou em cada uma das unidades de encarceramento. Vitrines de vidro exibiam fragmentos das vidas dos prisioneiros por todos os lados: desenhos esmaecidos, feitos com lápis, retratando rostos e paisagens; cartas, fotografias, cartões postais, um tabuleiro de xadrez feito a mão, com peças construídas com massa de pão; dados entalhados em madeira, um pequeno baralho desenhado a mão, bolsas de tricô, uma composição musical. Todas aquelas coisas estavam expostas como se fossem tesouros. Os últimos vestígios daqueles que tiveram que viver naquele lugar sombrio. O que aconteceu com a mulher na fotografia, com os jogadores de xadrez e de cartas? E o compositor? Numa das celas, Mara soube mais a respeito da árvore no pátio central – um olmo, a única testemunha do que acontecera naquele lugar, e uma das poucas coisas que sobrevivera a toda aquela destruição.

Numa das últimas celas, Mara se debruçou sobre as vitrines de vidro por um longo tempo, decifrando cartas e cartões postais, olhando para as fotografias em preto e branco. Nenhuma das cartas mencionava o nome de Mika. Não sabia o que as fotografias mostravam. Ela olhou para uma mensagem, marcas pálidas de lápis escritas no verso de um pequeno cartão-postal acinzentado, a carta de um prisioneiro de Auschwitz para a sua amada em Varsóvia, escrita num alemão claro e cortês. Uma onda de náusea tomou conta de Mara, e ela sentiu dificuldade para respirar.

Ao sair das entranhas escuras de Pawiak, ela inspirou o ar fresco com força. A luz se enfraquecera, mas o ar ainda brilhava num tom intenso de azul-cobalto. *Wie Samt. Suave como veludo*, pensou Mara, olhando para cima. Vindo de um lugar qualquer, um balão vermelho-vivo flutuava pelo ar, subindo cada vez mais, dançando pela vastidão do céu outonal de Varsóvia. Ela seguiu o balão com os olhos até não conseguir mais vê-lo.

– Por hoje, chega. Acho que já vimos o bastante. – Foi somente naquele momento que ela percebeu que estava com o rosto úmido. Imaginava que, se começasse a chorar, talvez não conseguisse mais parar. Mas, no caminho de volta ao hotel, ela deixou suas lágrimas correrem livremente, grata pelo anonimato desta cidade onde ninguém a conhecia.

Naquela noite Mara sonhou que era um cachorro, um vira-lata grande e cinzento, procurando por Mika em meio ao enorme labirinto de corredores de uma prisão, cheirando e farejando em cada uma das celas, sem conseguir encontrar nada. Quando saiu da prisão, ela olhou para cima. E lá no alto estava Mika, pendurado num balão, aproximando-se cada vez mais do sol.

No dia seguinte, após um farto café da manhã com peixe marinado, queijo e cereais, Mara começou a andar na direção noroeste, rumando para o monumento erguido em memória dos mortos outra vez. Hoje, uma fina camada de gelo cobria tudo com uma brancura reluzente.

Ela viu o monumento cinzento de longe, mas, quando chegou diante dele, um ônibus cheio de turistas estacionou na calçada e despejou sua carga na rua. O grupo colorido de pessoas cercou o monumento como borboletas, fotografando-o por todos os ângulos. Eles conversavam em voz baixa, mas Mara reconheceu o sotaque típico do sul da Alemanha. Desejou ter chegado ali mais tarde.

Sentou-se num banco e começou a ler seu guia. "O monumento em memória aos heróis do gueto de Varsóvia foi criado a partir de um imenso bloco de basalto cinzento que os nazistas haviam trazido da Noruega, já antecipando sua vitória". Um dos lados do monumento retratava a marcha miserável das pessoas do gueto, avançando como se estivessem sob o peso de uma tempestade: homens com casacos pesados, crianças no colo das mães, um rabino segurando a Torá; do outro lado, homens e mulheres de várias idades se erguiam orgulhosamente, empunhando suas armas em direção ao céu como se fossem tochas – os guerreiros do gueto, os heróis. Pedras pequenas, velas e flores estavam colocadas na base do monumento, como se houvessem sido deixadas ali pelo mar. Mara sentiu vontade de acrescentar uma pedra, mas hesitou.

A próxima parada em sua caminhada era o monumento do abrigo subterrâneo, na altura do número 18 da Rua Mila, o principal refúgio da resistência. Foi ali que Mordecai, o líder dos rebeldes, e cerca de 200 combatentes lutaram em sua última batalha antes que os alemães destruíssem sua base. Tudo o que restava do abrigo agora era uma simples elevação coberta de grama cercada por apartamentos residenciais cinzentos. A grama reluzia como açúcar refinado sob a geada da manhã enquanto Mara lentamente subia os degraus. No topo da elevação havia um enorme bloco de granito com uma longa lista de nomes cinzelados em sua superfície: os nomes dos guerreiros. Mara ficou ali, rígida como a própria rocha, lendo cada um dos nomes.

Todos esses bravos combatentes soterrados sob os escombros. Será que temos o direito de ficar aqui? Ela fechou o guia de viagem com força, desceu os degraus até chegar ao outro lado do monumento e continuou a marchar, dessa vez na direção do antigo *Umschlagplatz*, o lugar onde milhares eram reunidos para serem mandados a Treblinka, o campo de extermínio que ficava algumas horas a oeste de Varsóvia. Mara tinha medo do que poderia encontrar ali. O antigo *Umschlagplatz* não era mais uma praça, na realidade; em vez disso, era um memorial de mármore branco com o formato de um vagão de transportar gado com a porta aberta. Quando ela passou pela entrada, como se estivesse entrando no interior do vagão, viu-se diante de uma parede suja com vários nomes entalhados: uma lista de 448 nomes judaicos cinzelados na pedra, de A a Z. Mara estava sozinha diante do monumento de mármore, balbuciando em silêncio enquanto lia os nomes da esquerda para a direita: Desde Aba até Zygmunt, Abel até Zanna, Abigail até Zlata, Anna até Zofia, e todos os outros nomes que havia entre os extremos. Ela procurou pelo nome de Mika. Não havia Mika, mas sim Mikhail. Mara sentou-se. Tantos nomes que nunca ouvira antes. Era difícil imaginar o *Umschlag*, aquela praça suja que, para muitos, foi o última pedaço de Varsóvia que viram na vida. Ainda assim, Mara sentiu um calafrio. Apertou o casaco ao redor do corpo e suas mãos buscaram o príncipe que estava em seu bolso.

– Para onde vamos agora, meu pequeno amigo? – Ela deixou seus dedos deslizarem sobre o mapa. Sabia qual seria sua próxima parada: o velho cemitério judaico na Rua Okopowa.

Ela se levantou e caminhou até a parte nordeste da cidade. Chegou até um portão pequeno, pagou o ingresso e parou diante de um enorme mapa do cemitério, procurando pela indicação do local onde o memorial a Janusz Korczak fora construído. Atravessou rapidamente o cemitério e logo o encontrou. Ali estava ele, aquele homem idoso, alto e com um ar de autoridade, esculpido em pedra negra, com sua preciosa carga de crianças logo atrás, andando para a frente como se lutasse contra uma forte tempestade. Pequenas pilhas de pedras se acumulavam na base da estátua, deixadas ali por visitantes.

– Amor e Respeito. – Mara leu em voz alta as palavras simples que adornavam a escultura.

A caminhada daquela manhã mexeu muito com as emoções de Mara, mas ela não conseguiu descobrir nada sobre o garoto, Mika. Lembrava-se de que havia um arquivo no Museu Histórico dos Judeus Polacos, o arquivo Ringelblum. Talvez conseguisse encontrar Mika ali. Mas não seria uma tarefa fácil. Embora as pessoas fossem bastante atenciosas na seção que abrigava o arquivo, disseram-lhe que ela não podia simplesmente entrar ali e encontrar alguém. Era um processo que levaria tempo. Semanas, talvez meses. Mara sentiu o coração afundar no peito. Eles lhe prometeram que entrariam em contato, anotaram seu endereço e o nome completo de Mika. Ela não conhecia quaisquer outros detalhes. Agora o céu já lançava longas sombras, pelas ruas, escuras como tinta azul.

Ela decidiu voltar pela parte velha da cidade. Quando se aproximava do castelo, encontrou uma multidão de turistas que tagarelavam em dezenas de idiomas diferentes, caminhando rumo ao coração da cidade velha. Na praça do mercado, com o piso calçado em pedra, guias turísticos empunhando seus guarda-chuvas reuniam seus rebanhos animados, indicando detalhes nas fachadas coloridas.

A atmosfera é tão diferente aqui, pensou Mara. *Tudo é tão turístico, doce e continental.* Foi até o meio da praça, atraída por uma estátua intrigante: uma sereia que brandia uma espada acima da cabeça como um guerreiro feroz – Sirena, o símbolo de Varsóvia.

Seu livro-guia dizia que a parte velha da cidade fora reconstruída, pedra por pedra após a guerra, a partir de desenhos e fotografias. Levou vários anos, e as pessoas dançaram e choraram durante a noite inteira na praça quando o trabalho foi concluído.

Ao sair da praça, Mara caminhou por entre as ruas bucólicas da cidade velha, passando pelo castelo e voltando para o centro moderno. Reconheceu a igreja branca com duas torres, que fora retratada em seu livro: o lugar onde o coração de Chopin estava enterrado, sob um bloco de mármore. Seu corpo jazia em Paris, mas ele quis que seu coração voltasse à sua terra natal. Mara passou alguns momentos diante da tampa de mármore branco cercada por flores, estudando o alto-relevo de seu rosto: Fryderyk Franciszek Chopin, seu nome polonês.

Deixando o coração de Chopin debaixo do mármore frio, ela voltou para o hotel, desabando na cama enorme. Levaria mais um ano até que, certa tarde, Mara se deparasse com um artigo sobre o antissemitismo de Chopin. "Mais sutil do que Wagner", escreveu o jornalista. *Que conforto isso pode trazer?*, pensou ela. Sempre amou a música de Chopin, durante toda a sua vida.

Mara encheu seu caderno de anotações durante o voo que a levou de volta à Alemanha, enchendo páginas e páginas com ideias e desenhos. No dia seguinte, voltou a trabalhar em seu espetáculo de fantoches sobre Varsóvia durante a ocupação. Três semanas depois, a carta chegou.

– Nada. Não encontraram nada a respeito de Mika, absolutamente nada – disse Mara após rasgar o papel do envelope com os selos poloneses coloridos. Entretanto, a carta mencionava uma pequena chance de que ele poderia ter sobrevivido: após a guerra, Mika poderia ter emigrado para Israel ou para a América, como tantos outros. A carta trazia também o endereço de outro arquivo que continha informações sobre pessoas que mudaram de país.

Naquela noite, Mara ficou debruçada sobre seu computador, digitando furiosamente.

– Pronto. Vamos ver o que acontece agora.

Dessa vez a resposta não chegou por carta, mas sim por e-mail.

O arquivo não continha nenhum registro sobre alguém chamado Mika Hernsteyn; entretanto, alguém de nome Mikhail Hernsteyn saíra de Varsóvia rumo a Nova York em agosto de 1948. Seria o mesmo Mika? Ela tentou encontrar informações no site da lista telefônica de Nova York, mas não teve sucesso. *Acho que ele pode ter ido para qualquer lugar dos Estados Unidos*, pensou ela, voltando a se ocupar do roteiro de seu espetáculo.

Após algum tempo, Mara percebeu que, se realmente pretendia contar a história com a fidelidade necessária, precisaria de mais do que apenas suas duas mãos. Precisava de ajuda para mudar as luzes, fazer com que tropas de nazistas marchassem em grupo e manipular todos os fantoches. Não demorou muito até conseguir reunir um pequeno grupo de pessoas para tomar o café da manhã e fazer seu primeiro ensaio: Rainer, um saxofonista ruivo bastante entusiasmado; Martin, um ex-namorado que tinha uma voz grave e poderosa; e Sibylle, sua amiga havia vários anos, uma das poucas pessoas com quem conseguiu fazer amizade na infância. Após um mês de ensaios, a apresentação estava pronta: *O Menino dos Fantoches de Varsóvia*, uma produção da Trupe de Teatro de Fantoches Alce Negro, o nome que orgulhosamente escolheram para si.

O Menino dos Fantoches foi apresentado primeiramente nos salões comunitários de Bremen, e, após algumas resenhas favoráveis, foi levado para um pequeno teatro. Jornais e programas de rádio falavam sobre o show, e ele sempre era o foco de bastante controvérsia: um espetáculo de fantoches sobre o Holocausto? E não era só isso, mas que autoridade aquela trupe alemã de manipuladores de fantoches teria para falar sobre a história do gueto de Varsóvia? Mas, mesmo que alguns críticos tenham julgado o espetáculo e a trupe de Mara com bastante aspereza, outros aprovaram a iniciativa e declararam que *O Menino dos Fantoches de Varsóvia* era uma iniciativa incrivelmente inovadora.

Durante os três meses seguintes, o quarteto de manipuladores de fantoches viajou por toda a Alemanha numa turnê – de Hamburgo a Düsseldorf, de Frankfurt a Nuremberg, Munique e muitos lugares menores também. Claramente, *O Menino dos Fantoches de Varsóvia* acabou sendo um sucesso inesperado.

Um dia, logo depois que Mara e a Trupe Alce Negro retornaram de Munique, ela recebeu um e-mail com um convite para apresentar o espetáculo num festival de fantoches no sul da França. Uma semana depois a peça foi apresentada na Espanha, e posteriormente na Itália e na Grécia.

Durante todo esse tempo, Mara estava tão ocupada que não teve tempo para continuar sua busca por Mika. Até que, num dia no final de setembro, numa de suas raras viagens para casa, Mara saltou de detrás da mesa do computador, bastante empolgada. Pegando o príncipe, que sempre ficava sentado em sua mesa ao lado do computador quando não estavam viajando, Mara dançou e rodopiou por sua sala de estar como se fosse uma bailarina.

– Não acredito! Vamos viajar para a Big Apple, vamos para Nova York! Estão promovendo um festival de fantoches e nós fomos convidados. Todos nós!

– Tudo é enorme naquele lugar, meu príncipe. Você vai ver. – Ela abraçou o príncipe, segurando-o junto ao coração.

Eles partiram três semanas depois. Apresentar-se em Nova York significava mais para Mara do que as apresentações que a trupe fizera em outros lugares anteriormente. Não apenas pela empolgação de estar naquela cidade que nunca dormia, mas também por uma esperança que se agitou em seu coração: a possibilidade de encontrar algum elo com o menino, o senhor idoso que, havia muito tempo, fora o dono de seu fantoche mais querido.

Parte 3

Voltando para Casa

CAPÍTULO 30

Cidade de Nova York. Hospital Central, 14 de janeiro de 2009

Uma luz pálida atravessa o vidro translúcido da janela que fica de frente para o norte, iluminando o linóleo xadrez preto e branco que cobre o piso. Ninguém naquele quarto está ciente do murmúrio constante do trânsito, interrompido apenas por uma sirene ocasional – o pano de fundo familiar da vida em Manhattan. Aquele pequeno quarto é um local à margem do tempo, um pedaço do limbo, um lugar de espera; silencioso, exceto pelos bipes a intervalos regulares e uma máquina que bombeava oxigênio para encher os pulmões de Mika, seu fole de plástico se inflando e se esvaziando como um velho acordeão. Deitado e envolto em lençóis engomados, o velho está bem seguro no abraço frio do leito do hospital.

Mika flutua além do tempo e do espaço; todo o seu ser fora aberto e despedaçado pelos eventos dos últimos dias: um pôster em cores vivas que anunciava um espetáculo de fantoches; um telefonema misterioso; contar toda a história de seu passado para o neto, seguido por uma caminhada ao redor do quarteirão; a dança sob um poste de luz entre os flocos de neve que rodopiavam; a dor férrea e lancinante em seu coração; o rosto de Danny na ambulância enquanto lhe segurava a mão…

Quando Daniel ligou, Hannah acabara de preparar um bule de forte chá preto. Estava pronta para se acomodar no sofá e assistir a um *thriller* na madrugada. A notícia a atingiu como uma pancada, fazendo seu plexo solar se contrair e tirando o seu fôlego.

– Como assim ele está no hospital? O que aconteceu? – Ela tinha uma sensação esquisita, como se estivesse fora do corpo, percebendo sua voz estridente, até um toque de histeria.

– Na neve? No escuro? Que diabos vocês estavam fazendo na neve? Ele estava fazendo… o quê? Dançando? – Uma onda de raiva tomou conta dela. Em seguida, lembrou-se de que estava conversando com seu filho.

– Desculpe, Danny. Vocês estão bem? Onde estão? Vou para aí imediatamente.

Ela foi para o centro da cidade, chegando lá o mais rápido que conseguiu, praguejando contra a neve e a imprudência de seu pai.

Desde então, as horas se mesclavam umas às outras como se fossem um riacho de águas preguiçosas e turvas. Exceto pelas longas horas em que escutou Danny repetir o relato épico de seu avô: sua infância em Varsóvia, o gueto, os fantoches, os incêndios, as deportações, enquanto o velho estava inconsciente, mantido vivo apenas por um aparelho.

Hannah está sentada ao lado da cama de Mika. Suas mãos se movem nervosamente pelo tecido desgastado do velho casaco preto com o qual ela cobriu as pernas. Não se afastava do casaco desde que o encontrou sobre a cama de seu pai, esperando-a como se fosse um animal fiel. Não desde que tateara seus bolsos e passagens secretas, encontrando os indícios do passado de Mika. Nada conseguiria forçá-la a largar o casaco agora – a testemunha da vida de seu pai que finalmente a encontrara, e finalmente conseguira voltar para casa.

Na mesa de cabeceira ao lado do leito do pai há um par de óculos de aros dourados, uma pequena flauta de madeira, um pacote de cartas e seis fantoches, sentados um ao lado do outro como uma trupe de teatro colorida num desfile. Mesmo agora, dois dias depois, ela continua a acariciar os objetos como se fossem preciosos animais de estimação. Às vezes ela estende o braço para tocar a mão de Mika.

– Papai, consegue me ouvir? – Sua voz é gentil e tranquila. Ela não sabe se deve continuar falando com ele ou ficar em silêncio. Tem dificuldade para conversar. Não que seja impossível encontrar algo para dizer; ela simplesmente não sabe por onde começar. A represa que vigorara por tanto tempo ainda não está pronta para um dilúvio, pronta para que tudo fosse despejado assim.

Sente-se feliz por não estar sozinha. Grata pela presença de Danny, seu filho. Ela estende a mão na direção de Mika, e, por um momento, hesita.

Danny está sentado, folheando uma revista. Entra e sai do quarto do hospital como um animal inquieto, não sabe o que fazer consigo mesmo. Traz xícaras de café para a sua mãe, feliz por poder sair do quarto, mesmo que apenas por alguns minutos; anda pelos corredores, compra uma lata de Coca-Cola para si mesmo numa máquina e depois noutra. Pode fazer isso hoje, sem se preocupar, sua mãe não notará.

Apesar do ambiente estéril, Daniel está feliz por ver seu avô na cama do hospital, coberto por um lençol branco e limpo. E, mesmo que esteja ligado àquela máquina, pelo menos ele ainda está respirando. Ele olha para Mika e, por um segundo, acha que é capaz de ver as pálpebras do velho se agitarem, como se estivessem prestes a se abrir. Ao ver aquele movimento fraco, ele se lembra do telefonema.

– Mãe, preciso voltar ao apartamento para ouvir a secretária eletrônica do Vovô.

– Por quê? – Sua mãe parece estar um pouco alarmada. – O que foi? Tem que ser agora?

– Eu esqueci completamente. Quando Vovô acordou na ambulância, ele disse: "Danny, alguém me ligou. Veja a secretária eletrônica", antes de desmaiar de novo. Ele apertou minha mão. Deve ser importante.

Sua mãe fica em silêncio por um momento. Em seguida, suspira, leva a mão ao bolso e pega algumas notas.

– Certo, mas pegue um táxi e volte logo.

– OK.

Danny pega o dinheiro, dá uma olhada no velho, que ainda está deitado, imóvel, e depois sai do quarto. *Vai ser bom sair deste lugar,* pensa ele. *Eu odeio hospitais.* Ele pega o elevador, passa pelas portas pesadas de vidro, encara o ar frio e acena para um táxi amarelo.

– Para onde vai, então? – pergunta o motorista, sorrindo para Daniel pelo retrovisor. Daniel lhe dá o endereço, mas não diz mais nada. Não está a fim de conversar. Senta-se no banco de couro preto, suspira e observa o mundo coberto de neve passar pela janela. O trânsito está lento. Embora as ruas já estejam limpas, as pessoas ainda dirigem como se o asfalto estivesse coberto por uma grossa camada de gelo: lentamente, cuidadosamente. O motorista buzina e xinga com frequência; aquilo deixa Daniel inquieto.

Finalmente, o táxi estaciona diante do prédio.

– Pode esperar aqui? Não demoro – diz Daniel, já com metade do corpo para fora do táxi.

Ele entra pela porta principal digitando a senha, depois vai até o elevador. Dá um chute na porta prateada do elevador, que exibe uma placa zombeteira com os dizeres "Em manutenção", e depois dispara pelas escadas, subindo cinco andares, suando e praguejando. Ele hesita por um momento antes de colocar a chave na fechadura. Daniel nunca usou a chave antes. Ela sempre ficava com o avô.

Ele vai direto até a secretária eletrônica, que pisca com uma luz vermelha e nervosa como a de um rádio relógio, "5", "5", "5", e depois aperta o botão que reproduz a mensagem. É a voz de sua mãe. Ele avança para a próxima. Sua mãe novamente, querendo notícias do pai. A terceira mensagem é sobre ele: "Oi, pai! Danny pode passar o domingo com você? Espero que esteja tudo bem. Ligue para mim, por favor!" O domingo parece estar tão distante quanto o verão passado.

Por que Vovô não apagou essas mensagens? O velhote gosta de guardar tudo. Daniel percebe quanto o lugar ficou abarrotado de coisas desde que sua avó faleceu. *Ela mantinha o lugar limpo e organizado, mas agora isto aqui está uma bagunça. Ele não consegue se desfazer de nada.* Uma voz feminina e intensa com um sotaque que ele não consegue identificar o assusta. A mulher parece estar nervosa, até um pouco ansiosa.

Esta é uma mensagem para Mikhail Hernsteyn. Meu nome é Mara Meierhauser. Se você algum dia foi conhecido como o Menino dos Fantoches de Varsóvia, eu adoraria poder conversar com você. Estou em Nova York no momento, com minha trupe de manipuladores de fantoches, o Teatro de Fantoches Alce Negro. Estamos nos apresentando no Tríade, na Rua 72. Você pode entrar em contato comigo neste número.

Daniel pega uma caneta, anota o número e depois escuta a mensagem outra vez, comparando suas anotações e o digita no teclado do telefone. Não sabe o que vai dizer se a mulher responder.

– Carmen Hotel, recepção. Posso ajudá-lo?

– Gostaria de falar com Mara Meier... Meierhauser, por favor.

– Um momento, por favor.

O coração de Daniel está aos saltos.

– Receio que ela não esteja no quarto. Gostaria de deixar um recado?

– Não, obrigado. Voltarei a ligar.

Ele coloca o fone no gancho e olha para o aparelho por um momento como se fosse um objeto alienígena. Espera que o telefone toque outra vez.

Acho que devia ter deixado um recado. Mas o que eu iria dizer? Que o "Menino dos Fantoches" está no hospital? Surpreso, Daniel percebe um lampejo de raiva lhe atravessar o corpo. Ele rasga o pedaço de pedaço de papel onde anotou o telefone, guarda-o no bolso e sai do apartamento. Desce cinco andares pelas escadas, correndo, três degraus de cada vez. Está quase voando, e sente-se um pouco tonto.

– De volta ao hospital, por favor. – Desabando no banco macio do táxi, Daniel está contente por estar no mesmo carro que o trouxe até ali. Sabe que o motorista não espera que ele puxe conversa.

Quem diabos é essa Mara Meierhauser? Danny repete a mensagem várias e várias vezes em sua cabeça, pensando naquele nome.

No momento em que o táxi dá um pequeno solavanco, a resposta o atinge como se fosse um tapa na cara: Max Meierhauser, o soldado alemão. De repente, tudo faz sentido. Ele está suando. Pela primeira vez naquele dia ele sente o corpo quente. Seu coração está batendo rápido também.

– Chegamos.

– Obrigado.

Daniel paga o motorista, desembarca e adentra as portas do hospital.

Quando ele entra no quarto de seu avô, uma enfermeira está se preparando para trocar o soro de Mika. Daniel tenta acalmar sua respiração e pega uma cadeira.

– Está tudo bem? Encontrou alguma coisa na secretária? – perguntou Hannah.

– Estou bem. – Quando o soro é reconectado, Daniel conta as gotas até a enfermeira ir embora. Ele traz sua cadeira para mais perto da mãe.

– É uma loucura, mãe. Tem uma mensagem na secretária de uma mulher que quer falar com o Vovô. Diz que se chama Mara Meierhauser. É o mesmo sobrenome do soldado alemão para quem o Vovô deu o fantoche do príncipe. Ela disse que está em Nova York com sua trupe de manipuladores de fantoches. Eu liguei para o número que ela deixou, mas ela não estava lá. – As palavras brotam da boca de Daniel como um trem desgovernado. Ele não consegue se conter. – Não lhe contei isso, mas o Vovô já tinha desmaiado naquela manhã, a caminho do museu, logo depois que passamos por um pequeno teatro na Rua 72. Naquele mesmo dia, mais tarde, ele perguntou se eu havia visto um pôster; alguma coisa sobre um manipulador de fantoches em Varsóvia. Será que ela está envolvida nesse espetáculo?

– Acalme-se, Danny. Tem certeza? Como ela saberia o número do telefone de seu avô? – Mas sua mãe parece estar sem fôlego também. – Bem, mas se ele ouviu a mensagem… sabe, ele nunca me falou nada sobre a sua vida na Polônia, sobre sua infância. Nada. Era como um livro eternamente fechado. Quando foi que essa Mara ligou?

– Não sei. Em algum momento depois que você ligou para ele para perguntar se podia passar o domingo comigo.

Hannah se levanta e anda de um lado para outro no quarto, olhando para o seu pai.

– Acha que deveríamos ligar para ela?

– Talvez. Mas não agora, Danny. Você está exausto. Vamos ligar novamente amanhã de manhã. Eu conversei com uma enfermeira, e ela me disse que há um quarto para parentes do outro lado do corredor, com uma cama. Por que você não vai até lá e dorme um pouco? Eu ficarei aqui com ele.

Dormir... Boa ideia, pensa ele. Sente-se tão agitado e irritado que chega a doer.

Ele não tira as roupas ao se deitar, mas, quando encosta no colchão, rapidamente cai no sono. A noite o engole por inteiro.

– Como está o Vovô?

Daniel parece estar cansado e desgrenhado quando entra no quarto de Mika. A luz da manhã atravessa as persianas e chega à cama do avô. Ele tenta entender o seu sonho: árvores ocas, ovos quebrados e uma enorme trupe de fantoches que ganha vida – no início, sussurrando, mas, em seguida, gritando com ele. Não consegue se lembrar das palavras exatas. Ele olha para o seu relógio e franze a testa.

– Acho que dormi demais.

– Que bom que você conseguiu dormir um pouco, querido – diz sua mãe. – Não houve nenhuma mudança com o Vovô. Mas pesquisei sobre shows de fantoches na Internet e há uma peça no Tríade, *O Menino dos Fantoches de Varsóvia*, com uma trupe chamada Alce Negro.

– Meu Deus, é isso! – Danny está completamente acordado agora. – O Vovô falou sobre esse pôster quando voltamos ao apartamento dele. Acho que foi o que causou tudo isso. Mas tudo faz sentido agora. Ele havia acabado de ver o pôster quando desmaiou pela primeira vez. Acho que seria bom ir até lá para dar uma olhada.

– Acho que você tem razão. Há uma matinê ao meio-dia.

O relógio de Daniel indica que são dez e dez. Ele olha para os fantoches que estão deitados sobre a mesa e pega o crocodilo.

– Vou levar este aqui comigo. Até mais tarde, mãe. Deseje-me sorte.

CAPÍTULO 31

Dessa vez ele toma o metrô. Lembra-se de ter desembarcado na Rua 72 com o avô. Tudo isso aconteceu mesmo há apenas três dias? O avô sugeriu que eles viessem dar uma olhada nesse teatro… Ou ele viu o pôster por mero acaso?

São 11h30 quando ele chega ao pequeno teatro. Compra um ingresso, senta-se numa banqueta na cantina do saguão e pede uma Coca-Cola. Não há quase ninguém por ali, e Daniel se pergunta por que eles se importam em fazer uma apresentação naquele horário.

Naquele momento, um grupo de crianças em idade escolar, um pouco mais novas do que ele, invade o saguão como se um saco de balas que fora rasgado.

Finalmente a campainha toca. Ele entra no auditório e escolhe um lugar na primeira fila. Pega o livreto em sua poltrona e o folheia. Ali está o nome dela outra vez: Mara Meierhauser. Mas, antes que consiga continuar a leitura, as luzes se apagam e a cortina se abre.

O cenário é um amontoado de casas de três andares pintadas em vários tons de cinza que se erguem sobre uma rua de paralelepípedos, e depois desaparecem ao longe. Daniel coloca a mão no bolso, procurando por um pacote de balas, e encontra o crocodilo. Pergunta a si mesmo o que ele está fazendo ali.

E é então que o primeiro fantoche aparece. Pequeno e de aparência desgastada, ele está envolvido num robe vermelho escuro, com uma pequena coroa inclinada decorando sua cabeça. O fantoche se senta numa pequena cadeira ao lado do cenário e começa a falar.

– Bom dia, senhoras e senhores, *meine Damen und Herren, mesdames et messieurs*. Então, querem ouvir a minha história? As coisas que vi, os lugares onde estive? Bem, eu já sou muito velho agora, e muito de meu *glamour* já se perdeu com os anos, mas vou lhes contar uma coisa: tive uma vida impressionante. Vi lugares e coisas que vocês mal conseguiriam imaginar. Aprendi histórias nas mais diversas línguas, o bastante para compreender os corações das pessoas. Por toda a minha vida humilde de fantoche, eu fui aplaudido, esquecido, perdido, e também… encontrado novamente. – O fantoche dá um salto e se equilibra sobre a cadeira.

– Eu nasci numa pequena oficina sob as mãos inteligentes de um garoto chamado Mika, no gueto de Varsóvia, no inverno de 1940. Mika passou um bom tempo me criando, modelando a minha cabeça de papel machê para que tivesse um formato principesco. Ele pintou meu rosto com pincéis finos, misturando tons de rosa para as minhas bochechas. Para os meus olhos, usou a cor do mar num dia ensolarado. Ele fez as minhas roupas, todas reluzentes e com costuras douradas e pedras brilhantes, e uma coroa que combinava com todo o resto para enfeitar a minha cabeça. Eu sei que as cores estão desbotadas e eu pareço meio maltratado, mas esperem até ouvir a minha história.

Ouvindo o nome do avô, Daniel sente enjoo. *A história está toda errada. Foi o avô de Mika que criou os fantoches. Jacob. E ela deixou um detalhe importante passar. Os alemães atiraram no velho, não foi?*

– Mika sempre usava um casaco preto, grande como uma barraca – continua o príncipe. *E você sabe por quê? Porque era o casaco do avô dele, seu idiota.* O coração de Daniel está batendo rapidamente, com força.

E finalmente ele aparece, um menino-fantoche com um casaco imenso e preto. Um fantoche de Mika, maior do que o príncipe.

– As pessoas me chamam de o Menino dos Fantoches – diz o boneco. Ele lentamente abre o casaco, exibindo alguns fantoches menores que estão ali dentro, com as cabeças visíveis, enfiados nos bolsos. Isso é bizarro demais: Mika, o fantoche. O fantoche fala com uma voz mais grave do que o príncipe, mas ainda assim com um leve sotaque. Daniel estremece; é a mesma voz que estava na secretária eletrônica: Mara Meierhauser.

O fantoche Mika apresenta duas irmãs e um irmão, e depois sua mãe e seu pai. *Não! Essa mulher não sabe do que está falando!*

– Em novembro de 1940, os alemães construíram um muro e prenderam todos os judeus de Varsóvia numa pequena parte da cidade, o gueto – anuncia o príncipe enquanto um muro é puxado por cordões invisíveis pelo palco, até cercar todas as casas. Mais e mais fantoches aparecem, amontoando-se como uvas num cacho.

E, assim, a história de Mika se desdobra diante de Daniel de acordo com a visão de Mara Meierhauser: Mika brincando com seus fantoches nas ruas do gueto, diante de cozinhas comunitárias e em porões. Daniel observa quando Mika puxa um fantoche em miniatura de dentro do casaco e responde para um soldado alemão, antes que aquele mesmo soldado – uma voz forte e masculina, com um forte sotaque alemão – o agarre pela gola do casaco e o puxe para fora do palco. A cortina se fecha. *Bem, pelo menos ela acertou em algumas partes.*

Quando a cortina se abre novamente, o palco se transformou no quartel dos soldados, com longas fileiras de mesas, soldados-fantoches deitados pelo lugar, bêbados, ou batendo suas canecas de cerveja contra os bancos. No início todos eles parecem iguais, com suas barrigas inchadas pela cerveja, rostos vermelhos e uniformes adornados com suásticas, mas, quando Daniel olha mais de perto, ele percebe os detalhes: um soldado tem o nariz pontudo como o bico de uma águia, enquanto outro é pálido e magro como um lápis. A história se desenvolve e tem reviravoltas: os soldados causam destruição e espalham o medo pelas ruas, chutam, gritam e atiram em qualquer pessoa que apareça à sua frente, arrastando pessoas para o *Umschlag* e forçando-as a entrar nos trens.

Na versão de Mara, Mika se esconde com a mãe e os irmãos num sótão, enquanto seu pai é capturado pelos soldados. *Será que ela não sabe o que houve com a mãe do Vovô, e o soldado que a ajudou a se esconder?*

A apresentação termina com muita fumaça e ruído, o gueto se levanta contra os alemães, e Mika sai de debaixo das ruínas junto com a mãe e os irmãos. *Vivos. Só na cabeça dela. Seria fácil se fosse assim.*

A pequena cortina se fecha. A plateia está tão quieta quanto aquela manhã após a nevasca. Não há aplauso. Alguns segundos depois, três manipuladores saem de trás do cenário e o silêncio se quebra. Duas mulheres – uma alta e loira, a outra com cabelos escuros e óculos – com um homem entre elas. Eles estão de mãos dadas e se curvam em agradecimento. Todos estão vestidos de preto: calças pretas, blusões pretos com gola rolê e sapatos pretos. Os aplausos caem sobre eles como uma chuva forte. Os três artistas sorriem, curvam-se mais uma vez e apontam para os fantoches e o técnico que está nos fundos do teatro. A mulher de cabelos escuros segura o príncipe, curva-se com ele e dá um passo à frente.

– Obrigada. Por favor, venham conversar conosco no saguão. Ficaremos felizes em responder qualquer pergunta que vocês queiram fazer. – Daniel se pergunta qual das duas é Mara. Não tem mais certeza sobre a voz. Seu coração bateu rapidamente durante todo o espetáculo, e agora, com as luzes acesas e os manipuladores de fantoches tão próximos, seu coração está na garganta.

Ele espera. É o último a sair do pequeno auditório. As crianças se espalharam pelo saguão, conversando e rindo entre si. Daniel veste sua jaqueta, senta-se numa pequena mesa e começa a comer os amendoins ressecados. *Isso é estranho demais. Vovô está no hospital, e essa mulher está apresentando um espetáculo de fantoches sobre a vida dele, mas não sabe nem a metade do que aconteceu.*

Alguns minutos depois os artistas e o técnico estão no saguão, misturando-se com as crianças e os outros membros da plateia. A mulher alta e loira está sozinha com uma Coca-Cola na mão, enquanto a morena está cercada por um grupo de crianças. Daniel vai até a mulher com o refrigerante.

– Com licença. Você é Mara Meierhauser?

A mulher sorri para ele.

– Não, querido, eu sou Sibylle. Mara é aquela ali – ela aponta para a mulher de cabelos castanhos.

– Obrigado. – Daniel se afasta antes que ela possa perguntar alguma coisa.

Eu devia ir para casa, isso é idiotice. Ele passa pelas crianças e atravessa a porta do teatro. O frio o atinge, era uma barreira a transpor, mas ele não reclama, sente seu efeito calmante. Decide esperar exatamente cinco minutos.

A calçada está coberta por neve suja, enlameada após tantas pessoas a pisotearem enquanto passam por ali. Ele caminha a passos largos, desfrutando do barulho que seus pés fazem quando pisam na neve. Uma confeitaria atrai seus olhos, e seu estômago começa a roncar. Não comeu quase nada nos últimos dias. Considera a hipótese de comprar um pão recheado, mas volta a pensar na mulher alemã que está vendendo a história de seu avô para aquelas crianças ingênuas. Ainda assim, tem vontade de conhecê-la. E sabe que é isso que seu avô gostaria que ele fizesse.

Daniel dá meia-volta, retorna ao teatro e entra no saguão.

– Vamos lá, criançada. – A professora chama seus alunos para um dos cantos e começa a contá-los.

Ela está sozinha agora, pensa Daniel. *Fique tranquilo. Ainda posso sair daqui*. Mas seu coração o trai, batendo loucamente, como um tambor. Ele respira fundo, aproxima-se dela por trás, com as mãos nos bolsos, tentando aparentar um ar descuidado e casual.

– Você é Mara Meierhauser? – diz ele.

– Sou sim. – Ela se vira e sorri, mas ele percebe que a mulher está nervosa. Será que estava nervosa enquanto conversava com as crianças também?

– Eu sou Daniel Hernsteyn – diz Daniel. Ele nunca viu um rosto empalidecer tão rapidamente. Ela parece estar branca, e espantada como se fosse um cavalo após uma queda, um coelho em pânico.

– Daniel… Hernsteyn?

– Sim. Mas pode me chamar de Danny. Você deixou uma mensagem na secretária eletrônica de meu avô.

– Sim, sim, deixei. Ah, meu Deus. E você é o neto dele?

– Sim, mas ele está no hospital. Teve um ataque do coração há três dias.

Se isso é possível, a mulher parecia ainda mais pálida agora. Ela vai até um local onde há cadeiras agrupadas e senta-se numa delas.

– Você está bem? – pergunta Daniel, seguindo-a.

– Sim, estou bem. Simplesmente não esperava que a situação fosse assim, já que seu avô não retornou minha ligação. Como ele está?

– Não sabemos com certeza. Ele está inconsciente. Está respirando com aparelhos.

– Ah, não. – Ela olha diretamente para Daniel. – Lamento muito por ouvir isso. Espero que ele melhore logo.

– Sim, eu também espero. Bem, você queria conversar com ele?

– Sim. – Mara parece estar um pouco acanhada agora. – Não sei por onde começar, há tantas coisas a dizer... Você tem tempo?

Daniel faz um gesto afirmativo com a cabeça.

– Que tal procurarmos um lugar onde possamos nos sentar para conversar? – pergunta Mara.

– Claro. Há uma confeitaria mais adiante, nesta rua – responde Daniel, dirigindo-se para a saída.

– Boa ideia. Vou avisar meus colegas. – Ela se levanta, conversa com a mulher alta e, em seguida, desaparece e retorna alguns minutos mais tarde, usando um casaco azul-escuro e um cachecol vermelho-rubi.

Eles saem para a rua e caminham quase 100 metros até a confeitaria sem trocar palavra. Quando entram, o aroma de pão recém-assado os recebe como um abraço carinhoso. Eles tiram seus casacos e sentam-se ao redor de uma mesa diante da janela.

– Escolha o que quiser, por favor. É por minha conta – diz Mara. A garçonete traz os cardápios. Daniel hesita por um momento.

– Certo, obrigado. Vou querer um pão recheado com *cream cheese* e peixe defumado e uma Coca-Cola – diz ele.

– Vou querer o mesmo. O peixe defumado é salmão? Ouvi dizer que chamam isso de *lox* por aqui. Em alemão, dizemos *Lachs*. É a mesma palavra. – Ela sorri. Daniel se pergunta se Mara fez aquele comentário para tentar quebrar o gelo. A garçonete anota o pedido, e eles ficam ao redor da mesa, em silêncio.

– Fico muito feliz por você ter vindo me encontrar. Estou procurando pelo seu avô há muito tempo. Há algo que eu quero devolver a ele.

Ela não sorri agora, e sua voz parece estar rouca. Coloca a mão no bolso do casaco e retira um pacote vermelho-escuro. É o príncipe, o narrador do espetáculo. Ela põe o fantoche sobre a mesa, de frente para Daniel, e ajusta a pequena coroa.

– Então, este é... – Daniel estende o braço na direção do fantoche, mas não o toca.

– Sim, é o mesmo príncipe. O fantoche que seu avô deu para meu avô em 1942 em Varsóvia. Ele já lhe contou a respeito?

– Sim, ele me contou algumas coisas, mas somente há alguns dias. Antes disso ele nunca tinha contado nada a ninguém sobre essa época, nem mesmo à minha mãe.

E, subitamente, toda a história surge como um vagalhão.

– Os alemães levaram tudo. Por que ele não deixou que Vovô ficasse pelo menos com seu fantoche preferido? Como seu avô foi capaz de levar o príncipe? Meu avô era só um menino. Além disso, Mika perdeu toda a sua família em Varsóvia. Sua peça está errada: ele foi o único a sair vivo daquele inferno. Ninguém, absolutamente ninguém da família dele sobreviveu. – A voz de Daniel está mais alta do que ele gostaria, e seu rosto está tingido de um vermelho intenso.

– Isso é horrível. – Mara fala com a voz embargada e baixa os olhos, olhando para as mãos. – Eu lamento muito.

Daniel olha para ela com raiva, mas Mara não ergue os olhos. Depois de algum tempo, Mara respira fundo e ergue a cabeça.

– Escute – diz ela com a voz baixa, inclinando-se para a frente. – Não há nada que eu possa fazer para mudar o passado, mas quero ao menos poder lhe dar este fantoche. Por favor, leve-o de volta para seu avô. O príncipe pertence a ele. – Ela olha para Daniel com seus grandes olhos verdes, e empurra o fantoche na direção dele. Uma raiva ardente passa pelo corpo de Daniel como um relâmpago. *Seria fácil fazer isso, não é? Como se isso pudesse apagar tudo o que aconteceu.* Ele inspira o ar com força, mas tenta não falar com tanta rispidez.

– Obrigado, mas isso é uma coisa que você mesma terá que fazer. Meu avô está no Hospital Central, quarto 215. O horário de visitas é da uma às cinco da tarde e das sete às oito da noite. – Ele imagina ter visto Mara gemer, mas ela não entrega qualquer emoção enquanto fala.

– Certo. Farei isso.

Naquele momento, a garçonete chega e coloca os pratos sobre a mesa com um gesto imponente.

– Dois pães recheados com cream cheese e peixe defumado, uma Coca e uma cerveja. Oh, que lindinho – diz ela, olhando para o fantoche. Mas, antes que a garçonete consiga tocá-lo, Mara o guarda novamente em seu bolso.

– Obrigada – diz Mara. A garçonete se afasta, e eles ficam sentados, em silêncio. Daniel toma alguns goles de seu refrigerante, mas nenhum dos dois consegue comer.

– Você disse que seu avô sofreu o ataque cardíaco há poucos dias, não foi? – Mara quebrou o silêncio.

– Sim, no domingo. Fiquei bastante abalado quando ele me contou tudo o que aconteceu em Varsóvia. Ele disse que seria melhor se eu passasse a noite em seu apartamento. Minha mãe não achou ruim, especialmente com toda essa neve. Não disse nada a ela sobre Vovô e sua história, mas ela conseguiu perceber alguma coisa, disse que minha voz estava meio estranha. Quando desliguei o telefone, ouvi o Vovô dizer: "Vou sair para respirar um pouco de ar fresco. Pode preparar uns sanduíches para nós?".

... Eu não acreditei que ele queria sair para andar sozinho, no escuro e no meio da neve. Assim, eu disse: "Nada disso, meu velho. Vou com você". Ele tentou recusar, mas depois de algum tempo acabou cedendo. Pegou sua bengala, colocou o boné de pele na cabeça, e nós saímos. Fizemos o percurso de sempre ao redor do quarteirão. Havia alguma coisa diferente. Ele batia na neve recém-caída com a bengala.

... De repente, ele parou embaixo de um poste de luz, olhando para a neve que caía. Em seguida, foi até o meio do facho de luz, como se aquilo fosse um holofote ou algo do tipo, e largou a bengala. Ele começou a se mover como se estivesse dançando ao som de alguma música que eu não conseguia ouvir. Lentamente no começo, depois cada vez mais rápido, erguendo os braços para o céu, girando e rodopiando com os flocos de neve. Acho que eu devia ter dito alguma coisa naquele momento, mas fiquei só olhando. Era tão estranho e bonito, o jeito como ele olhava para o céu, os flocos de neve derretendo em seu rosto. Estava sorrindo o tempo inteiro. E, em seguida, caiu.

Lentamente, Daniel sentiu sua raiva se dissolver como os flocos de neve no rosto de Mika.

– Eu não sabia o que fazer, estava em pânico. Tentei levantá-lo, mas nada funcionou. Chamei uma ambulância e, bem, você sabe o resto da história. Acho que toda aquela conversa sobre a guerra o deixou exausto. – Daniel se recosta em sua cadeira e toma um gole enorme de sua Coca.

– Eu lamento muito. – A voz de Mara parece estar estrangulada. Daniel ergue a cabeça, e seus olhos se cruzam com os dela. Lágrimas escorrem por seu rosto, dois riachos silenciosos. Ela não as enxuga, e, por um momento, toca-lhe o braço com a mão, leve como uma borboleta.

Subitamente uma abertura se forma, uma oportunidade.

– Não sei se Vovô gostaria de que eu lhe dissesse tantas coisas sobre ele, mas acho que, se você está apresentando essa história com fantoches, é melhor saber como as coisas realmente aconteceram. – Danny leva a mão ao bolso e pega o crocodilo. – Bem, aqui está um dos velhos fantoches de meu avô. – Ele coloca a mão por dentro do crocodilo e faz a boca do boneco abrir e fechar.

– Meu Deus, o crocodilo sobreviveu? Que maravilha – diz Mara, estendendo a mão para pegar o boneco.

Parece uma criança, pensa ele.

– Vovô conseguiu esconder alguns fantoches em seu casaco. Mas, quando chegou à América, ele deixou o casaco guardado por vários anos em seu guarda-roupa, e só o tirou de lá há alguns dias. – Daniel tira a mão de dentro do crocodilo e coloca o fantoche na mesa, como se estivesse fazendo um convite. Mara o acaricia com as pontas dos dedos.

– E o que aconteceu com o príncipe? Qual é a história dele? Como ele sobreviveu? – pergunta Daniel.

Mara leva a mão ao interior do casaco, retira o príncipe e coloca a mão por baixo do jaquetão de veludo do fantoche. – Vamos lá, Danny. – Ela fala com a voz grave, e faz o fantoche sentar ao lado de seu prato, olhando para o garoto.

– Deixe-me contar o que aconteceu comigo…

A tarde se dissolve, e os dois conversam por várias horas. Mara conta a história do príncipe até os ouvidos de Daniel começarem a zunir, e a situação se inverte quando Daniel relata tudo de que consegue se lembrar sobre a história de seu avô. Não tinha a intenção de fazer isso, mas a história de Mika é como uma enchente que abre seu próprio caminho. Conforme o relato de Mika se desdobra, Mara lentamente supera a postura defensiva que se tornara tão natural para ela: o preço por ser alemã e falar sobre a guerra. Sente-se desmoronar; o destino finalmente a alcançou.

– Gostariam de mais alguma coisa? – A voz da garçonete assusta os dois. Como se emergisse de águas profundas, Mara olha para o seu relógio.

– Meu Deus, já está tarde assim? Vou pagar a conta e depois ligar para os meus colegas para cancelar a apresentação desta noite. Estarei no hospital em uma hora, mais ou menos. Você acha que eles vão me deixar visitá-lo? Ou seria melhor ir amanhã?

– Não, tenho certeza de que não há problema, venha esta noite. Se alguém perguntar, diga que você é uma amiga da família.

– Obrigada, Danny. – Ela desvia os olhos. – Vamos pedir para embrulhar a comida? – Nenhum dos dois chegou a tocar nos pães recheados.

CAPÍTULO 32

Mara está na floricultura que fica diante do hospital, em meio a uma abundância de cores, incapaz de escolher. Flores para Mika, o velho que já foi um menino em Varsóvia. O menino dos bolsos; o menino dos fantoches. Ela pega um buquê de rosas vermelhas, e depois as devolve ao lugar onde estavam. Gérberas laranja. Não, berrantes demais. No final, escolhe um enorme buquê de reluzentes rosas amarelas. Pela vida.

Ela entra no hospital, avança rapidamente pelos corredores labirínticos e finalmente encontra o quarto: 215. Diante da soleira, batendo na porta, ela fica tensa. Uma mulher com uma cabeleira volumosa de cachos escuros está sentada ao lado da cama. Ela se vira e, ao ver Mara, se levanta. Vem em sua direção e a abraça.

– Obrigada por vir. Eu sou Hannah, a mãe de Danny. A filha de Mika.

Danny está sentado perto da cama. Ele lhe sorri.

– Oi. Que bom que veio.

Mara apoia o peso do corpo numa das pernas, depois na outra; suas mãos estão úmidas. A recepção amistosa a sufoca. Sente-se mais confortável em pé, mas também sente-se grata pelo gesto de Danny, que vai lhe buscar uma cadeira. Apega-se a todos os fragmentos de gentileza destas pessoas em cujas vidas ela se catapultou. Sente-se deslocada, fora de seu ambiente natural. Como se, de algum modo, houvesse quebrado algum tabu.

– Obrigada. – É tudo o que ela consegue dizer. *O que estou fazendo aqui, uma alemã manipuladora de fantoches com um pai que foi soldado durante a guerra?* Pensa ela.

Olhando para o velho, Mara fica imóvel, enraizada como uma árvore. Daniel pega um vaso para as flores de Mara; elas parecem estar ainda mais vivas e coloridas no quarto.

De repente, Mara se lembra de por que veio até ali. Ela leva a mão ao bolso do casaco e entrega um pequeno embrulho para Hannah.

– Pegue. Eu gostaria que você ficasse com isso.

– Obrigada. – Hannah pega o embrulho com as duas mãos. Daniel espia sobre o ombro da mãe.

Lentamente, por baixo de várias camadas de papel de seda azul, um pedaço de um detalhe feito com pele de animal surge. Depois surge um veludo vermelho-escuro, uma cabeça com enormes olhos pintados e uma pequena coroa amassada. O príncipe.

– Ah, meu Deus. Ele é tão pequeno. – Hannah segura o fantoche diante do rosto, e lentamente coloca a mão por baixo do robe do boneco.

– Esse é realmente o fantoche que o meu pai deu àquele soldado… digo, ao seu avô? O velho príncipe de Varsóvia?

Mara concorda com um aceno de cabeça. Um nó se formou em sua garganta. O príncipe, vivo nas mãos de Hannah agora, vira a cabeça de Mara para Daniel, e depois fica de frente para Mika. O fantoche está em silêncio. Hannah se aproxima da cama de Mika e, inclinando-se sobre ele, deixa o velho príncipe ao lado da mão direita de seu pai.

Mara mal consegue respirar. Seus olhos choram copiosamente, desatando o nó de sua garganta, seu coração em chamas.

– Pai, esta mulher que está aqui, Mara, veio trazer o fantoche que você deu a um soldado alemão em Varsóvia. Um homem chamado Max. Mara é a neta dele. Aqui está o príncipe, pai.

O velho continua deitado, imóvel. Parece estar se afogando em meio a tanta brancura, exceto pelo fantoche, um toque de cor como uma pincelada acidental numa tela branca. O príncipe, com seu robe cor de vinho, o colarinho de pele de animal, bochechas vermelhas como maçãs e um sorriso delicado. Sua cabeça poderia se encaixar perfeitamente na palma de Mika, tal como um ovo.

Os três olham para o príncipe, com a sua pequena cabeça que encara a mão de Mika, seu corpo torpe como o do velho sob os lençóis.

O mundo de Mika se encolheu até ficar do tamanho de um cubículo branco suspenso no tempo: uma cama, uma janela turva, um universo de sons abafados. Lembra-se do clarão súbito que o derrubou como uma árvore enquanto dançava entre os flocos de neve. Sente-se submerso, debaixo d'água, debaixo de um bloco de gelo. Linhas de um poema atravessam a sua mente enevoada como uma gralha voando sobre uma planície coberta de neve: *Agora a minha escada se foi... devo me deitar no lugar onde todas as escadas começam: na suja e esfarrapada loja do coração.* Alguma coisa dentro dele repete a linha, como se fosse um disco riscado: *suja e esfarrapada loja do coração...*

Enquanto seu corpo jaz na cama, imóvel, suas lembranças formam uma espécie de colagem, um caleidoscópio de imagens. Ele tem 14 anos, está coberto pelo casaco de seu avô, esperando numa das entediantes filas do gueto; depois, mais alto, embora bastante magro, espera numa longa fila de imigrantes castigado pelo mar em um salão forrado com azulejos brancos em Ellis Island; a primeira vez que dançou com Ruth num belo dia de primavera de 1952, num velho salão de dança na parte baixa de Manhattan; três anos depois, quebrando uma taça de vinho com o pé em seu casamento, lembrando-se não de Jerusalém, mas do fim de Varsóvia, como se a quebra do vidro pudesse quebrar a muralha que havia ao redor de seu coração de uma vez por todas. Ruth, tão linda em seu vestido de casamento cor de creme. Renda.

Depois, Hannah, uma criança pequena e agitada, com cabelos escuros e cheios de cachos lhe cobrindo a cabeça, uma marca de nascença arroxeada com o formato de uma traça nas costas. Ele a segura, beija-a, exatamente na asa da traça. A pequena Hannah, com um sorriso doce feito mel, que entrou em suas vidas num dia quente do verão de 1966 no apartamento onde moravam, em Lower East Side – uma grata surpresa, embora um pouco tardia. Hannah, "graça abençoada", "graça de Deus". Seus primeiros passos, quase um ano depois, num dia ensolarado no Central Park. Um passeio no carrossel para todos eles. Segurando Hannah no colo com os braços firmemente colocados ao redor da filha, Ruth subindo e descendo ao seu lado num cavalo roxo. Os três rindo com bastante alegria, e seu coração, pelo menos naquele momento, voando com leveza e ternura.

Agora o coração se contrai quando ele vê a filha, aos 13 anos, transformada numa garota do campo de concentração de Belsen por suas próprias mãos. Hannah, encolhendo até ficar tão pálida e magra quanto um fantasma, a sombra de um fantoche. Como o fantasma de sua outra Hannah.

De repente, a mente de Mika leva um tranco e ele se vê no calor abafado do abrigo subterrâneo da Rua Mila, deitado numa pequena cama de campanha ao lado de Ellie. Quer continuar abraçado a ela, mas é puxado para trás, como se estivesse preso num redemoinho: seu avô virando-se de um lado para outro ao experimentar seu novo casaco diante do espelho de Nathan; Ellie na porta do apartamento com sua velha mala, sorrindo; os punhos de sua mãe lhe agredindo após a primeira noite que passou com os soldados; depois, os punhos de Ellie quando os alemães levaram todos embora; o príncipe deitado ao lado do rosto de sua mãe, uma mensagem em sua mão; a princesa-fantoche, seu último presente para Ellie, e depois o rosto de Ellie desaparecendo enquanto ele desce para os esgotos. Max, o soldado, o príncipe dependurado entre eles…

Lentamente, a torrente de imagens se desfaz e vozes entram em sua consciência. Ele ouve a voz de Danny, o querido Danny, com seus cachos escuros, e também Hannah, com sua voz gentil, embora um pouco embargada. Ele se esforça, mas não consegue compreender o que eles estão dizendo. Há também outra voz na sala, a voz de uma mulher. Ela não fala diretamente com ele, mas Mika sente a sua presença. Depois, Hannah outra vez. "Pai", chama ela. É sua menina. Sente algo leve a seu lado, frio e liso, e depois pelos tocando seus dedos, como um sopro tranquilo. Alguma coisa está tentando entrar em sua consciência, chamando sem emitir nenhum som ou palavra.

As três figuras se reúnem ao redor da cama de Mika. Elas param de falar. Apenas observam e aguardam. Até que, sutilmente, como um truque da imaginação, o dedo de Mika se ergue. O dedo anular primeiro, seguido pelo mínimo, depois todos os dedos; o polegar continua no lençol, como se fosse pesado demais. As pontas dos dedos de Mika tocam o rosto do fantoche como um homem cego explorando as feições de um ente querido, detendo-se na gola felpuda, o manto de veludo e voltando ao rosto. Os olhos de Mika continuam fechados, mas um suspiro faz seu corpo inteiro estremecer.

E, de repente, ele sabe. Sabe sem sombra de dúvida: aquele é o seu príncipe. Não, ele não está sonhando; Mika reconhece as texturas e os tecidos, as feições delicadas do fantoche. Seu príncipe voltou para casa. O velho fantoche voltou para sua linhagem. Não é um pensamento claro e racional como este que atravessa a névoa que toma conta de sua cabeça, mas uma sensação distinta se espalha a partir de seu coração como um sol brilhante: esta é uma reunião. Além disso, é uma volta para casa. Ele não tem certeza se é o fantoche que está voltando para casa, ou se é ele mesmo que está retornando. Mas será que isso importa?

Alguma coisa dentro de seu ser decide retornar. Voltar, assim como o príncipe, mesmo que apenas por alguns momentos. Pela primeira vez em vários dias ele respira sem precisar do aparelho, ruidosamente, sorvendo. Seus olhos vibram, e a vontade de abri-los é irresistível. Mika percebe que pequenos bolsões de energia surgem dentro de seu corpo, como bolhas de ar que flutuam até a superfície de uma lagoa. Sua mão direita se estende para pegar o príncipe e o aperta com carinho. Ele abre um olho e depois o outro.

Mika consegue distinguir três figuras: Danny, o último rosto gentil que viu antes de tudo escurecer; e Hannah. Sente uma saudade imensa de Hannah, quer estender as mãos na direção dela, tocá-la. E há também outra mulher que ele nunca viu. Ela não sorri e parece estar tão pálida quanto um fantasma. O que foi que Hannah disse?

A mulher se chama Mara? Conforme a névoa em sua mente se dissipa, a magnitude do que estão lhe contando o atinge. É a neta do soldado? Ele geme e fecha os olhos outra vez. Como isso pode estar acontecendo?

– Pai, pode me ouvir? – a voz de Hannah é suave e macia como a seda. Mika se esforça para abrir os olhos, e consegue. O rosto de Hannah está tão perto que ele até consegue sentir seu cheiro, a mistura familiar da pele e do perfume. A voz de Danny o assusta.

– Vovô, o senhor está bem? – Mika olha para Danny, abre a boca ressecada mas a única coisa que emerge é um balbuciado rouco. Está muito cansado.

– Como está se sentido, pai? – Hannah se curva sobre ele. Parece estar tensa, preocupada.

– Beemmm… – sussurra ele, mal reconhecendo a própria voz. Tenta sorrir. – Ainda estou aqui. Quem é ela? – Ele aponta para Mara, mas a mão quase não se move.

– Esta é Mara, pai. Ela é manipuladora de fantoches. Ela trouxe seu fantoche do príncipe de volta. – Hannah segura o fantoche diante dos olhos de Mika. Seu sorriso fica ainda maior, e a mão direita se ergue mais. Hannah guia a mão dele para debaixo do manto de veludo do príncipe, até que o fantoche esteja encaixado nela.

– Olááá. – Ele move o príncipe gentilmente, virando a cabeça para Hannah e Danny, curvando-se com um movimento curto, e depois o move para encarar Mara. Fica imóvel por um momento. Mara está sorrindo, mas Mika acha que está vendo lágrimas rolarem do rosto dela. O príncipe a cumprimenta com um aceno de cabeça e acena para ela antes de ficar diante de Danny. Faz um gesto para que ele se sente na cama. Danny se acomoda na beira do colchão enquanto Hannah apoia o corpo de Mika com alguns travesseiros.

– Este príncipe é para você, Danny. Para você e sua mãe – sussurra Mika. Ele olha para Hannah, sorri. – Guarde-o com carinho… – A respiração começa a falhar. – Ele percorreu uma estrada muito longa, esse príncipe.

– Está tudo bem, pai. Não se esforce tanto. Descanse. – Ela o acaricia no rosto. *Nunca estive tão cansado*, pensa ele. Danny pega o príncipe e o coloca em sua própria mão.

– Obrigado, Vovô. Cuidarei bem dele.

– Durma, meu amigo. Estou a salvo agora, e você também está. – A mão do príncipe acaricia o rosto de Mika cuidadosamente antes que Danny o guarde outra vez no bolso de sua camisa.

EPÍLOGO

O casaco não é muito popular ali: velho, surrado e encharcado pela história, é como um leão numa biblioteca, um animal perigoso em meio à ordem e a limpeza do hospital. Ontem a enfermeira olhou para o sobretudo como se ele estivesse infestado de piolhos. Ela o jogaria fora, se pudesse. Mas Hannah enfrentou a enfermeira e o casaco continuou no quarto.

Hannah é exatamente do que um velho casaco precisa: gentil e feroz, as duas características mescladas na mesma pessoa. Ela acaricia o casaco como se fosse um bicho de estimação, talvez um pouco distraidamente, mas com afeição suficiente para alimentar sua velha alma. O casaco não pede muito; apenas não quer ser jogado fora, e nunca mais quer ser guardado numa caixa outra vez. Tudo que ele quer agora é um gancho numa parede, um belo cabide para casacos num guarda-roupa espaçoso, um encosto de cadeira onde possa ser deixado, um canto de seu coração. A melhor coisa de todas seria ter um lugar com vista para uma bela paisagem. Um lugar onde ele possa descansar e sentir que está em casa.

Assim, sempre que você vir um casaco comum, pense no que pode existir em suas dobras, quais memórias podem estar escondidas em seus bolsos. Talvez ele lhe sussurre coisas durante a noite. Há muito mais histórias costuradas em suas mangas, e muitos tesouros guardados em seu forro.

O Livro dos Heróis de Mika

Adina Blady Szwajger – *enfermeira*

Uma jovem enfermeira do hospital infantil do gueto que, na véspera do dia em que os alemães deportaram todos, agiu de acordo com seus instintos e, com o coração partido, poupou algumas das crianças mais doentes da jornada até as câmaras de gás. Ela simplesmente as colocou na cama com uma bebida amarga carregada de morfina, e elas caíram num sono eterno na presença de sua enfermeira favorita e após ouvir uma história. Mais tarde, ela se alistou como combatente na resistência.

Sylvin Rubinstein – *cross-dresser russo*[5]

Combatente da resistência e artista que fazia apresentações de dança flamenca com sua irmã gêmea por toda a Europa e nos Estados Unidos antes da Guerra. Quando se apresentou em Varsóvia, em 1939, foi capturado durante a ocupação alemã e obrigado a se mudar para o gueto. Sua irmã gêmea e sua mãe foram deportadas, mas ele sobreviveu. Sylvin escapou do gueto e se tornou um famoso combatente da resistência na Polônia e na Alemanha, lutando como mulher e se envolvendo em vários assassinatos de oficiais da Gestapo e da SS. Vive em Hamburgo desde que a guerra acabou.

Janusz Korczak – *judeu polonês, autor de livros para crianças, pediatra e educador infantil*

Escreveu amplamente sobre pedagogia infantil e administrou um orfanato no gueto de Varsóvia. Embora tenha recebido um salvo-conduto, ele não

[5] Sylvin Rubinstein faleceu em 30 de abril de 2011. (N.A.)

abandonou suas 200 crianças e seus funcionários quando o orfanato inteiro foi deportado para Treblinka em 5 de agosto de 1943. Todos morreram.

Hanush Hachenberg – poeta e escritor que, aos 13 anos de idade, esteve preso no campo de concentração de Terezin

Escreveu poemas e espetáculos teatrais para a revista infantil *Wedem*. Depois de ser levado a Terezin, escreveu um espetáculo para fantoches, *Procurando um Monstro*, sobre um rei que procurava ossos velhos. Foi deportado para Auschwitz e morto naquele local quando tinha 14 anos.

Irena Sendler – resgatadora de crianças cujas ações causaram grande impacto

Irena, uma assistente social católica, ajudou a resgatar cerca de 2.500 crianças do gueto de Varsóvia com sua organização secreta, composta quase totalmente de mulheres, que levava crianças para o lado ariano e as deixava aos cuidados de famílias polonesas. A própria Irena levou cerca de 400 crianças para o lado ariano, mantendo registrados seus verdadeiros sobrenomes e com quem haviam sido deixadas, guardando as listas com essas informações em garrafas de leite e enterrando-as no jardim de sua casa, à sombra de uma macieira. Com isso, algumas das crianças que sobreviveram à guerra puderam voltar aos braços de suas famílias. Outras puderam ao menos saber quais eram seus verdadeiros nomes judaicos.

Em 1943 ela foi presa, torturada pela Gestapo e jogada numa floresta nos arredores de Varsóvia, após ser dada como morta. Milagrosamente, ela sobreviveu e continuou a lutar na resistência. Permaneceu em Varsóvia após a guerra e faleceu em maio de 2008, aos 98 anos. Em entrevistas, ela sempre dizia que achava que poderia ter feito mais.

Hakina Olomoucka – pintora do Holocausto

Hakina sobreviveu ao gueto de Varsóvia e aos campos de Auschwitz e Ravensbrück. Durante todo esse tempo ela conseguiu pintar e desenhar, escondendo sua arte sempre que podia. Suas pinturas são talvez o retrato mais arrepiante dos horrores, mostrando a crueza da dor, da perda e das condições terríveis, com muita clareza. Seus companheiros dos campos de concentração lhe pediram que, caso sobrevivesse, contasse ao mundo o que lhes acontecera. E ela o fez nas inúmeras imagens que criou desde então. Ela vive em Israel até hoje, e continua a pintar.

Nivelli – o Grande Mágico

Nascido em Berlim em 1906, ele sobreviveu a Auschwitz, embora seus pais, sua esposa e seus filhos tenham perecido ali. Foi obrigado a apresentar espetáculos de mágica para os nazistas e teve até que ensinar-lhes alguns de seus truques. Emigrou para os Estados Unidos em 1947 e continuou a se apresentar naquele país com sua segunda esposa. Morreu em 1977.

Sophie Scholl – ativista da Rosa Branca, um grupo de resistência não violenta na Alemanha nazista

Foi condenada por alta traição quando descobriram que ela distribuía panfletos contra a guerra na Universidade de Munique com seu irmão Hans. Eles e vários outros membros de seu grupo foram guilhotinados. Tinha 21 anos de idade.

O Protesto de Rosenstrasse

Um protesto não violento em Rosenstrasse (Rua das Rosas), em Berlim, em fevereiro e março de 1943, promovido pelas esposas não judias e parentes de homens judeus que haviam sido presos e aguardavam sua deportação. Os protestos ganharam força até que os homens foram soltos. Foi um exemplo significativo de resistência e oposição aos eventos do Holocausto.

Os Piratas das Edelweiss, Edelweispiraten – grupo de cultura jovem na Alemanha nazista

Surgiu no oeste da Alemanha, originando-se do Movimento Jovem Alemão no final da década de 1930 em resposta à dura regulamentação da Juventude de Hitler.

AGRADECIMENTOS

Escrever este livro foi uma jornada incrivelmente desafiadora e gratificante, e sinto-me abençoada pelas pessoas maravilhosas que apoiaram meu trabalho.

A pessoa a quem mais agradeço é o meu orientador e mentor, Dr. Eric Maisel. Você me apoiou de maneira muito bonita com sua sabedoria valiosa, orientação gentil e bom humor, ajudando-me a navegar por cada passo e desafio no longo processo de escrever este livro.

Um "obrigada" gigantesco a Charlotte Robertson, minha agente, por confiar em mim e no "Menino dos Fantoches", e por me apoiar de maneira tão especial. Sempre vou lembrar com carinho da fé que você tem em mim e de seu entusiasmo imenso.

Agradeço carinhosamente a todos na Orion House, e especialmente a Kirsty Dunseath, por sua revisão tão abrangente, que ajudou a revelar o brilho da obra e transformá-la no que é hoje.

Um grande "obrigada" às minhas primeiras leitoras, Eva Coleman e Sophie Fletcher, por seus comentários ponderados, e a todos os meus maravilhosos amigos e colegas de trabalho, que leram o original (todo ele ou alguma parte), ou que simplesmente me encorajaram e acreditaram em mim: Dee, Betsy, Tim, Kirstin, Gabriele, Natasha, Bob, Erin, Linda, Mark R., Emmanuelle, Kathy, John, Mags, Stevie, Mikhail, Charlotte S., Chloe, Caroline, Johanna, Amy, Cici, Laura e os meus colegas no D. – o apoio de vocês significa muito para mim.

Obrigado também a todos os meus amigos escritores da oficina de Redação Aprofundada de Eric Maisel em Londres, Paris e Praga, por me animarem durante o processo, e a Mark e Jennix, que fazem parte de meu pequeno grupo de escritores. Também agradeço bastante a todos os artistas que se juntaram a mim nos estúdios BLANK no outono de 2008. Foi em sua companhia que encontrei a semente para o "Menino dos Fantoches": o casaco com os bolsos para esconder dinheiro...

Agradeço a Mary Buckham por uma das primeiras revisões que me colocaram no rumo certo, e a Antony Polonsky, professor de estudos sobre o Holocausto, por sua generosa aprovação.

Finalmente, um "obrigado" enorme a meus pais, Erika e Karl Heinz, por compartilharem suas histórias comigo, e a minha companheira, Maz, por ser a mulher especial que é, e por me acompanhar na jornada.